Mon encyclopédie

L.M. Boschini

Mon encyclopédie

Cet ouvrage est une édition partielle
de l'encyclopédie *Tout l'Univers*
© Le Livre de Paris, SNC – Hachette Collections
58, rue Jean Bleuzen, 92 178 Vanves Cedex
Filiale de HACHETTE LIVRE
Responsable éditoriale : Célita Nicaise
Assistante éditoriale : Laurène Grellet
Fabrication : Denis Schneider avec David Courbois
Imprimé par Rotolito Lombarda (Italie)

RÉALISATION

Pack2 Agence éditoriale
Direction : Sylvia Dorance
Edition : Angela Gilles, Gwenaëlle de Bonvillier, Sabine
Bosio, Pia Clévenot, Isabelle Fievet, Janine Jay, Sylvie Tabart,
Marie-Hélène Tournadre
Direction artistique : Christian Blondel (Quatre Lunes),
Grégoire Bourdin, Corinne Leveuf, Killiwatch, Christiane
Paris, Grain de papier
Iconographie : Valérie Delchambre, Anne Mensior,
Laurence Paix, Marianne Prost
Cartographie : Hachette, Fractale

LISTE DES AUTEURS

Sylvie Albou-Tabart
Élizabeth Andréani
Christophe Baffier-Candès
Izmaïl Baragan
Sylvie Barjansky
Isabelle Bellin
Bruno Boulanger
Franck Boulanger
Patrice Brudieu
Nelly Brunel
Françoise Chaffin
Philippe Chambon
Pierre Chavot
Laure Chémery
Dominique Chouchan
Denis Clerc
Bernard Comet
Brigitte Coppin
Guy Cruz
Dominique Decobecq
Rémi Devèze
Philippe Donnaes
Mireille Dottin-Orsini
Jacques Drimaracci
Rosine Feferman
Jean-Claude Festinger
Bernard Fichaut
Charles Frankel
Claire Herlic
Dominique Joly
Olivier Jullien
Vincent Jullien

Pascal Lapie
André Larané
Yannick Le Bihen
Yolande Le Douarin
Régine Le Jan
Dominique Le Tirant
Virginie Lemaistre
Olivier Lequène
Virginie Lou
Claire Marabelle
Jean-Christophe Marti
Guillaume d'Oléac
Jean-Pierre Penot
Marc Phéline
Jean-Louis Piéplu
Jean-Luc Pradel
Claire Prochasson
Florence Raynal
Jean-Baptiste Rendu
Marie-Christine Roques
Anne Stefan
Daniel Tardieu
Vincent Tardieu
Emmanuel Thévenon
Jean-Pierre Touzanne
Jacques Valette
Pierre Vican
Anne Victorri
Bernard Victorri
Catherine Zerdoun
Valérie Zerguine
Frédéric Zinck

Sommaire

Histoire

Arts

Notre époque

Nature

Corps humain

Notre planète

Sciences

Techniques

Histoire

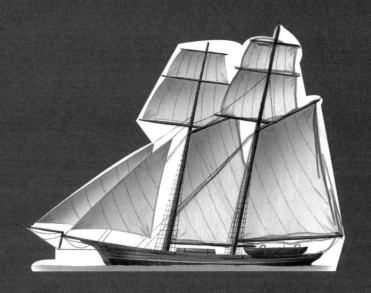

La pyramide

Sur la rive gauche du Nil, surgissent des sables du désert de gigantesques pyramides. Élevées entre 2 800 et 1 600 av. J.-C., elles abritaient les tombeaux des rois d'Égypte : les pharaons. Leur forme imitait une rampe géante pour conduire le roi à la rencontre de Rê, le dieu du Soleil. À l'époque de leur construction, les Égyptiens ne connaissaient ni le fer, ni la roue, ni la grue, ni le cheval. Comment ont-ils pu ériger ces monuments colossaux ? En l'absence de documents, les archéologues ne peuvent avancer que des hypothèses...

● AU DÉBUT, LE MASTABA

Vers 3000 av. J.-C., les tombes des premiers pharaons sont de grands édifices bas et rectangulaires ressemblant à d'énormes banquettes. C'est pourquoi on les appelle mastabas (banc, en arabe).

Le mastaba renferme un puits profond conduisant à la chambre où repose le corps du pharaon, avec une foule d'objets destinés à l'accompagner dans sa nouvelle vie.

● L'HYPOGÉE,

À partir de 1500 av. J.-C., pour empêcher les vols, les pharaons font creuser leurs tombes, dont l'entrée est soigneusement cachée, au flanc des montagnes en face de la ville de Thèbes, dans la « Vallée des Rois ». Elles portent le nom d'hypogées.

● LA PREMIÈRE PYRAMIDE

Vers 2800 av J.-C,. à Saqqarah, est édifiée la première pyramide, conçue par l'architecte Imhotep pour abriter le tombeau du pharaon Djoser. Un mastaba agrandi sert de base à une construction haute de 60 m, en gradins.

Les successeurs de Djoser font construire des pyramides aux formes de plus en plus épurées. La perfection est atteinte, vers 2600 av. J.-C., avec les trois pyramides de Kheops, Khephren et Mykérinos sur le plateau de Gizeh près du Caire.

Le sommet sera coiffé d'un pyramidion : une pointe pyramidale taillée dans un bloc de granit. Le haut de la rampe sera ensuite démoli et remplacé par des échafaudages. De là, les ouvriers lisseront le revêtement calcaire blanc qui recouvre les parois.

La pierre calcaire locale sert pour le gros de l'ouvrage. Du calcaire plus fin et très blanc, provenant des carrières souterraines de Tourah, est réservé au revêtement extérieur et le granit, extrait des carrières d'Assouan à 1 000 km au sud, à l'intérieur.

Hamon, le vizir du pharaon Kheops, discute avec un architecte. Il a mobilisé une équipe de prêtres, d'architectes, de mathématiciens, d'astronomes, qui ont travaillé pendant plus d'un an pour préparer la construction de la grande pyramide de Gizeh.

Le scribe prend note de toutes les discussions et décisions.

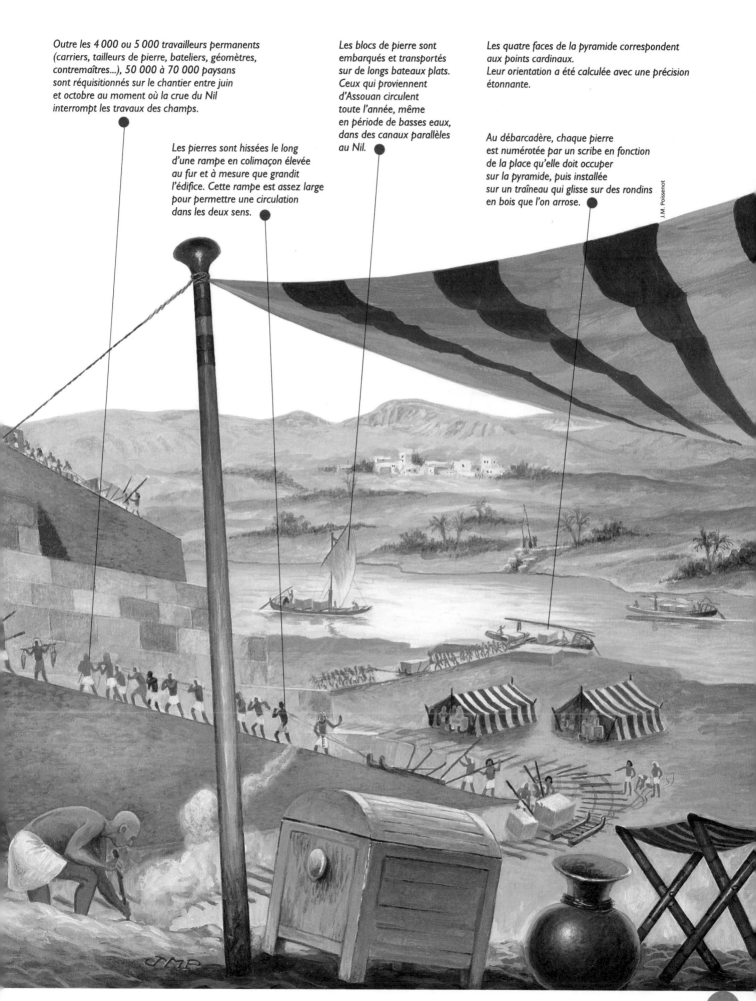

Outre les 4 000 ou 5 000 travailleurs permanents (carriers, tailleurs de pierre, bateliers, géomètres, contremaîtres...), 50 000 à 70 000 paysans sont réquisitionnés sur le chantier entre juin et octobre au moment où la crue du Nil interrompt les travaux des champs.

Les pierres sont hissées le long d'une rampe en colimaçon élevée au fur et à mesure que grandit l'édifice. Cette rampe est assez large pour permettre une circulation dans les deux sens.

Les blocs de pierre sont embarqués et transportés sur de longs bateaux plats. Ceux qui proviennent d'Assouan circulent toute l'année, même en période de basses eaux, dans des canaux parallèles au Nil.

Les quatre faces de la pyramide correspondent aux points cardinaux. Leur orientation a été calculée avec une précision étonnante.

Au débarcadère, chaque pierre est numérotée par un scribe en fonction de la place qu'elle doit occuper sur la pyramide, puis installée sur un traîneau qui glisse sur des rondins en bois que l'on arrose.

J.M. Poissenot

À Gizeh a été taillée directement dans le roc la statue colossale (20 m de haut et 57 de long) du Sphinx, lion à tête humaine. Le pharaon Khephren l'aurait fait sculpter pour qu'il veille sur sa pyramide et celle de son prédécesseur Kheops.

V. Faggian

L'INTÉRIEUR DE LA GRANDE PYRAMIDE

Pour tromper les voleurs, des couloirs étroits conduisent à plusieurs chambres funéraires : une vraie et deux fausses !
Après les funérailles, l'accès à la chambre du roi est fermé par des dalles coulissantes et d'énormes blocs de granit.
L'entrée de la pyramide est murée.
Peine perdue !
Cette pyramide, comme toutes les autres, sera pillée et vidée de ses trésors.

❶ *Entrée*
❷ *Grande galerie*
❸ *Chambre du roi*
❹ *Chambre abandonnée*
❺ *Chambre souterraine abandonnée*

On pourrait entourer la France

d'un mur de 3 m de haut et de 30 cm d'épaisseur avec les seules pierres des pyramides de Kheops, Khephren et Mykérinos !

F. Joos

LE MYSTÈRE DE LA GRANDE PYRAMIDE

Personne ne sait si le trésor du pharaon Kheops a été dérobé ou s'il est encore caché. Pendant des siècles, des milliers de pilleurs, d'aventuriers et d'archéologues ont essayé de mettre la main dessus. En vain.
En 1986, les architectes français Gilles Dormion et Jean-Patrice Goidin, persuadés que la véritable chambre mortuaire était cachée au-dessus de la chambre du roi, curieusement dotée de quatre plafonds, ont exploré le cœur de la pyramide à l'aide de radars, de rayons X et de scanners. Ils ont détecté l'existence d'un espace vide important, mais aucune salle nouvelle n'a été découverte à ce jour.
Le mystère reste entier !

Les navires à voiles (1)

Aucun peuple à lui seul n'a « inventé » la navigation à la voile. Mais les navigateurs de tous les pays et de toutes les époques, au hasard de leurs rencontres, ont échangé leurs expériences : chacun a emprunté à l'autre l'astuce qui améliorait sa propre technique. La navigation à la voile est une invention planétaire.

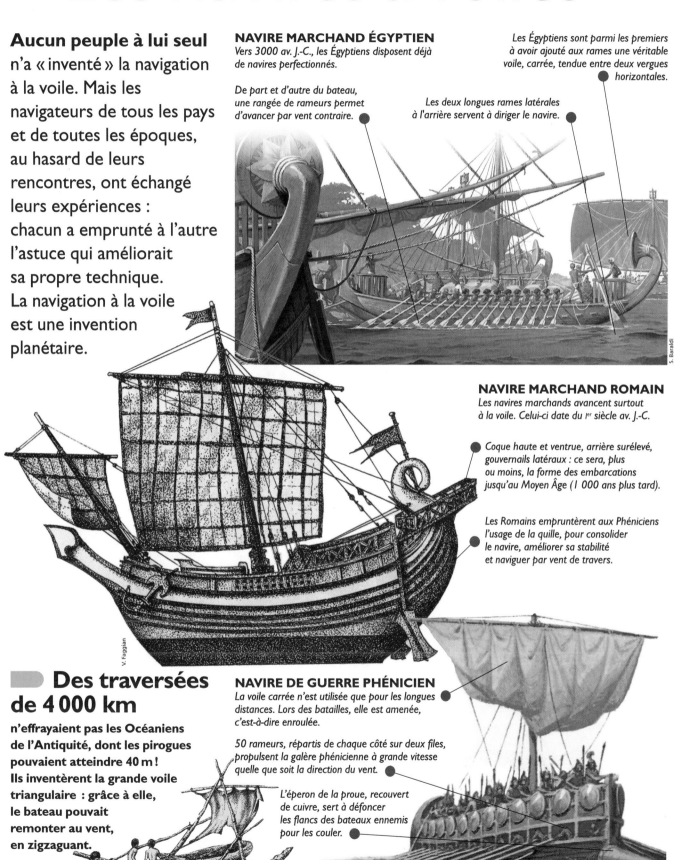

NAVIRE MARCHAND ÉGYPTIEN
Vers 3000 av. J.-C., les Égyptiens disposent déjà de navires perfectionnés.

De part et d'autre du bateau, une rangée de rameurs permet d'avancer par vent contraire.

Les Égyptiens sont parmi les premiers à avoir ajouté aux rames une véritable voile, carrée, tendue entre deux vergues horizontales.

Les deux longues rames latérales à l'arrière servent à diriger le navire.

S. Baraldi

NAVIRE MARCHAND ROMAIN
Les navires marchands avancent surtout à la voile. Celui-ci date du Ier siècle av. J.-C.

Coque haute et ventrue, arrière surélevé, gouvernails latéraux : ce sera, plus ou moins, la forme des embarcations jusqu'au Moyen Âge (1 000 ans plus tard).

Les Romains empruntèrent aux Phéniciens l'usage de la quille, pour consolider le navire, améliorer sa stabilité et naviguer par vent de travers.

V. Faggian

Des traversées de 4 000 km

n'effrayaient pas les Océaniens de l'Antiquité, dont les pirogues pouvaient atteindre 40 m ! Ils inventèrent la grande voile triangulaire : grâce à elle, le bateau pouvait remonter au vent, en zigzaguant.

NAVIRE DE GUERRE PHÉNICIEN
La voile carrée n'est utilisée que pour les longues distances. Lors des batailles, elle est amenée, c'est-à-dire enroulée.

50 rameurs, répartis de chaque côté sur deux files, propulsent la galère phénicienne à grande vitesse quelle que soit la direction du vent.

L'éperon de la proue, recouvert de cuivre, sert à défoncer les flancs des bateaux ennemis pour les couler.

V. Faggian

S. Baraldi

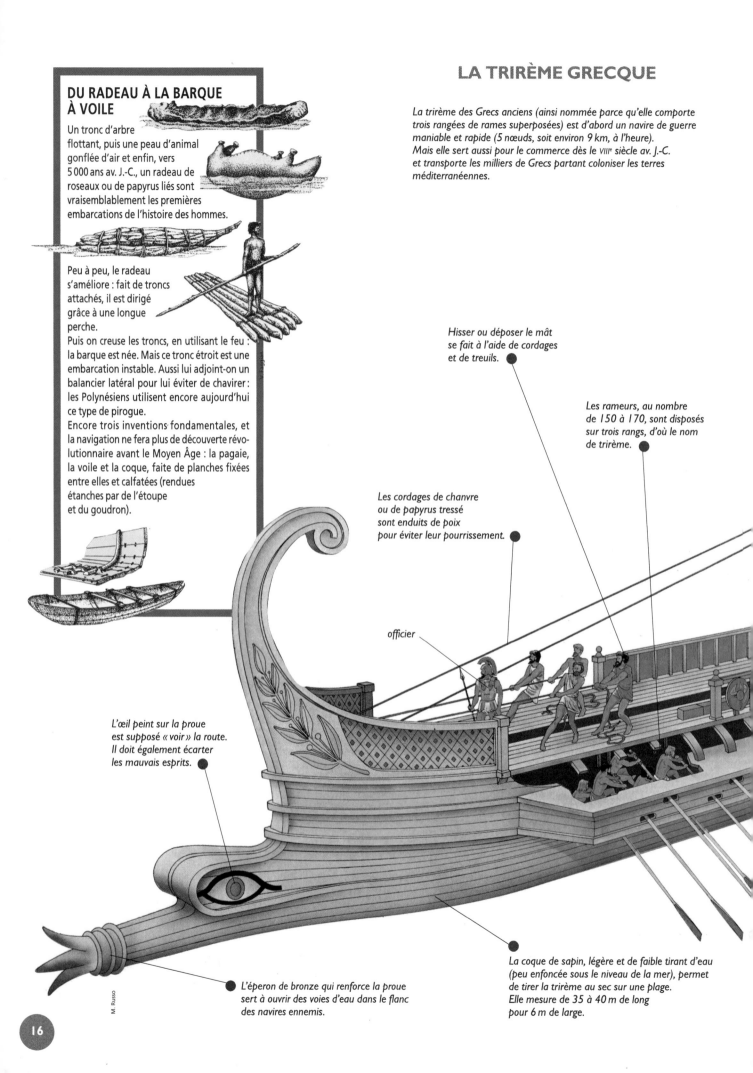

DU RADEAU À LA BARQUE À VOILE

Un tronc d'arbre flottant, puis une peau d'animal gonflée d'air et enfin, vers 5 000 ans av. J.-C., un radeau de roseaux ou de papyrus liés sont vraisemblablement les premières embarcations de l'histoire des hommes.

Peu à peu, le radeau s'améliore : fait de troncs attachés, il est dirigé grâce à une longue perche.
Puis on creuse les troncs, en utilisant le feu : la barque est née. Mais ce tronc étroit est une embarcation instable. Aussi lui adjoint-on un balancier latéral pour lui éviter de chavirer : les Polynésiens utilisent encore aujourd'hui ce type de pirogue.
Encore trois inventions fondamentales, et la navigation ne fera plus de découverte révolutionnaire avant le Moyen Âge : la pagaie, la voile et la coque, faite de planches fixées entre elles et calfatées (rendues étanches par de l'étoupe et du goudron).

LA TRIRÈME GRECQUE

La trirème des Grecs anciens (ainsi nommée parce qu'elle comporte trois rangées de rames superposées) est d'abord un navire de guerre maniable et rapide (5 nœuds, soit environ 9 km, à l'heure).
Mais elle sert aussi pour le commerce dès le VIIIᵉ siècle av. J.-C. et transporte les milliers de Grecs partant coloniser les terres méditerranéennes.

Hisser ou déposer le mât se fait à l'aide de cordages et de treuils.

Les rameurs, au nombre de 150 à 170, sont disposés sur trois rangs, d'où le nom de trirème.

Les cordages de chanvre ou de papyrus tressé sont enduits de poix pour éviter leur pourrissement.

officier

L'œil peint sur la proue est supposé « voir » la route. Il doit également écarter les mauvais esprits.

M. Russo

L'éperon de bronze qui renforce la proue sert à ouvrir des voies d'eau dans le flanc des navires ennemis.

La coque de sapin, légère et de faible tirant d'eau (peu enfoncée sous le niveau de la mer), permet de tirer la trirème au sec sur une plage. Elle mesure de 35 à 40 m de long pour 6 m de large.

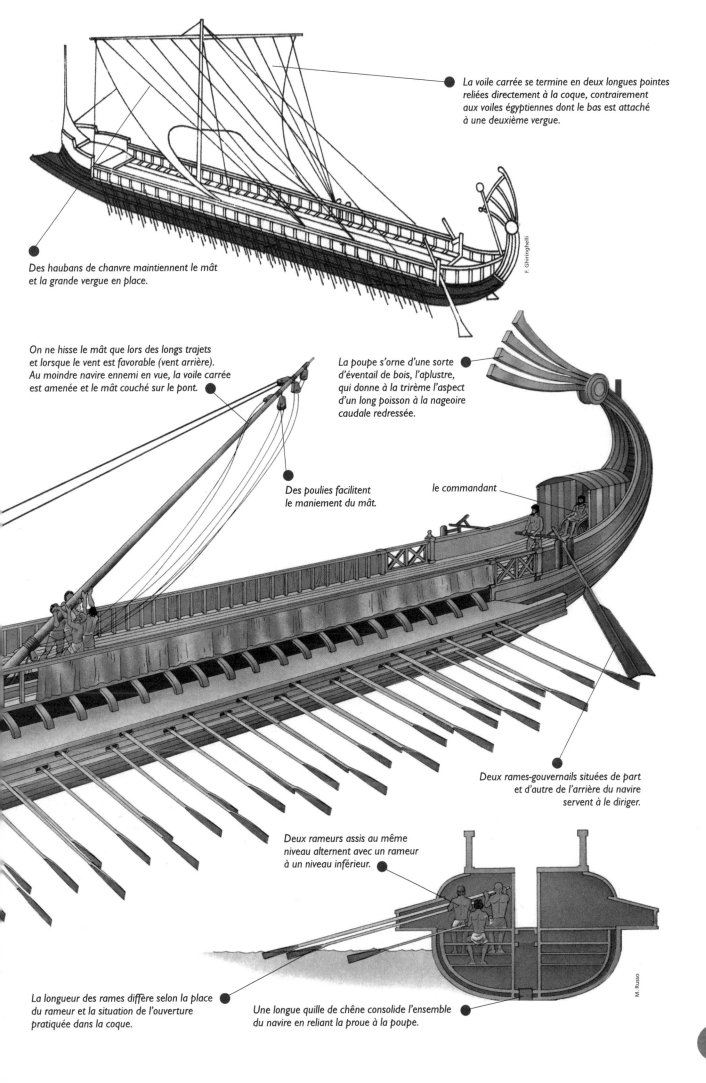

La voile carrée se termine en deux longues pointes reliées directement à la coque, contrairement aux voiles égyptiennes dont le bas est attaché à une deuxième vergue.

F. Ghiringhelli

Des haubans de chanvre maintiennent le mât et la grande vergue en place.

On ne hisse le mât que lors des longs trajets et lorsque le vent est favorable (vent arrière). Au moindre navire ennemi en vue, la voile carrée est amenée et le mât couché sur le pont.

La poupe s'orne d'une sorte d'éventail de bois, l'aplustre, qui donne à la trirème l'aspect d'un long poisson à la nageoire caudale redressée.

Des poulies facilitent le maniement du mât.

le commandant

Deux rames-gouvernails situées de part et d'autre de l'arrière du navire servent à le diriger.

Deux rameurs assis au même niveau alternent avec un rameur à un niveau inférieur.

La longueur des rames diffère selon la place du rameur et la situation de l'ouverture pratiquée dans la coque.

Une longue quille de chêne consolide l'ensemble du navire en reliant la proue à la poupe.

M. Russo

Les Romains savaient choisir leurs modèles !

S'ils adoptèrent la trirème grecque comme vaisseau de guerre, c'est aux Phéniciens qu'ils empruntèrent la forme et l'organisation de leurs navires marchands.

Ramer à l'envers pour changer de direction

ne posait pas problème aux Vikings : la forme symétrique de leurs drakkars leur permettait de reculer aussi facilement qu'ils avançaient. Cette maniabilité et le faible tirant d'eau de la coque permirent aux envahisseurs vikings de remonter presque tous les fleuves d'Europe.

F. Ghiringhelli

© Giraudon / Palais de Topkapi, Istanbul

Les navigateurs arabes et européens découvrirent avec intérêt les jonques chinoises. Les Chinois avaient inventé la boussole (vers l'an mille), mais encore les voiles lattées, renforcées par de souples lamelles de bois, et le gouvernail « axial », mobile autour d'un axe.

F. Ghiringhelli

© Explorer Archives / Coll. ES

P. Cattaneo

● Les boutres arabes sont d'excellents bateaux. Les Arabes ont inventé un gréement original : les voiles « auriques », trapézoïdales, sur un ou deux mâts, jointes à une voile triangulaire (dite pourtant « voile latine ») à l'avant. Ils ont surtout répandu l'usage d'un instrument révolutionnaire : la boussole !

Vers la fin du Moyen Âge, au XIIIe siècle, les navires européens permettaient de très longs voyages. Certains pouvaient contourner l'Afrique pour rejoindre l'Inde et les fameuses routes de la Soie et des Épices. Mais un grand navire restait encore à inventer, celui qui permit la découverte de l'Amérique : la caravelle.

La maison romaine

Dans les villes romaines,
la plupart des habitants
s'entassent dans
des immeubles en brique
parfois hauts de cinq
ou six étages.
Mais dans certains
quartiers des murs épais
et sans ouverture cachent
de vastes maisons
richement décorées
qui s'ouvrent sur des jardins
intérieurs.
C'est là que vivent à la fin
de la République,
puis sous l'Empire,
les citoyens les plus
fortunés, les patriciens,
à l'abri des regards, du bruit
et de l'agitation des rues...

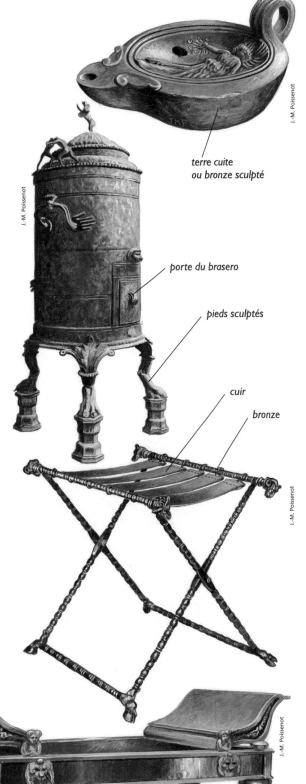

terre cuite
ou bronze sculpté

porte du brasero

pieds sculptés

cuir

bronze

incrustations
de métal sculpté

DOMESTIQUE : ATTACHÉ À LA MAISON

En latin, *domus* signifie maison. Ce mot a donné en français domicile, domestique (qui concerne la maison) ou, plus récemment, domotique (commande automatique de la lumière, du chauffage, des volets... grâce à l'informatique).

Le mobilier

LAMPE À HUILE

Pour éclairer leurs maisons, les Romains utilisent des chandelles et surtout des lampes à huile. Fabriquées en terre cuite, elles se composent d'un petit réservoir et d'un bec où la mèche imbibée d'huile brûle en produisant une faible lueur. On les suspend parfois à des candélabres en bronze ou en argent pour obtenir un éclairage en hauteur.

BRASERO

Quand il fait frais ou humide, on se chauffe avec des braseros, bassins en métal où se consument des braises. Les cheminées sont rares et le chauffage central, ou hypocauste, assuré par la circulation d'air chaud dans des canalisations sous le sol, équipe les maisons situées dans les régions les plus froides de l'Empire à partir du Ier siècle apr. J.-C.

SIÈGE PLIANT

Tables petites et légères, sièges pliants, fauteuils en osier à haut dossier : voilà l'essentiel du mobilier des Romains. Même chez les plus riches, les meubles sont peu nombreux. Ils doivent être avant tout pratiques et facilement transportables. Selon les besoins, on les déplace d'une pièce à l'autre. Des coffres en bois et des placards aménagés dans l'épaisseur des murs servent à ranger le linge, les vêtements et les objets.

LIT

Le lit aussi est très simple, en bois, recouvert de coussins et de couvertures. Quelquefois, il est décoré à chaque bout de grandes pièces métalliques sculptées montrant des têtes de Satyres ou de Ménades, compagnons du dieu Dionysos, ou des têtes d'animaux. Les plus riches sont aussi ornés sur les bords de scènes incrustées de cuivre et d'argent figurant des personnages.

J.-M. Poissenot

19

BIBLIOTHÈQUE
Les riches patriciens cultivés y gardent leurs précieux papyrus. ●

COMPLUVIUM
Ouverture dans le toit de tuiles par laquelle la lumière entre dans l'atrium, qui reste toutefois assez sombre. L'été, on recouvre cette ouverture d'un rideau pour se protéger du soleil. ●

IMPLUVIUM
Bassin construit sous le compluvium pour recueillir les eaux de pluie. ●

ATRIUM
C'est le centre de la maison romaine. Autour de cette cour carrée recouverte de mosaïques s'ouvrent toutes les pièces. C'est là que sont accueillis les invités après avoir franchi le vestibule et le couloir. ●

vestibule

deuxième porte d'entrée

Archives Fabbri

● GARDIENNAGE
Cette pièce située à côté de la porte d'entrée est réservée au gardien, un esclave chargé de surveiller la maison.
Le soir, il ferme à clef la lourde porte de bois car les cambriolages sont fréquents !

TABLINUM

Il est séparé de l'atrium par un lourd rideau.
C'est à la fois le salon et le bureau
du maître de maison, où il reçoit ses invités,
règle ses affaires et range les papiers
de la famille.

VIRIDARIUM

À l'arrière de la maison se trouve
un petit jardin intérieur, le viridarium,
orné de fontaines, de statues
et de massifs de fleurs.

PÉRISTYLE

Galerie à colonnades, il entoure le jardin.
Le sol en marbre et les peintures murales
représentent des arbres ou des feuillages
cherchent à donner une impression de fraîcheur.
En été, cet endroit sert de salle à manger.

EXÈDRE

C'est un local ouvert, meublé
de sièges pour la conversation.

TOILETTES OU LATRINES

Elles sont très rudimentaires.
Sous l'Empire, les eaux sont évacuées
par un système de canalisations
souterraines.

CUISINE

Dans la cuisine, située près
de la salle à manger, les esclaves
cuisent les aliments dans
des marmites posées sur des foyers
en brique où brûle du charbon
de bois. Pas de cheminée : la fumée
s'échappe par les petites fenêtres.
Pas de placards, non plus : tous les
ustensiles sont accrochés aux murs.
À côté de la cuisine, on entrepose
dans la réserve les amphores en terre
cuite bouchées à la cire.
Elles servent à conserver
l'huile d'olive, le vin et le miel utilisé
pour sucrer les aliments.

sortie de service

CHAMBRES À COUCHER

Elles sont petites et peu meublées. Aidées de leurs
esclaves, les femmes y passent de longues heures
à s'habiller, se coiffer et se maquiller.
Sur des étagères sont disposés des miroirs
en métal poli, des flacons de parfums en verre
et des pots en ivoire sculpté contenant toutes
sortes de pommades. De grosses pinces chauffées
sur des braseros servent à friser les cheveux.

corridor

SALLE À MANGER OU TRICLINIUM

C'est une petite pièce sans fenêtre. Le long des murs sont disposés
en forme de U des lits à une ou trois places, recouverts de coussins,
où les Romains s'allongent pour prendre leurs repas.
Le lit central est réservé aux invités les plus importants.
Les vivres sont sur la table placée au centre.
Sous l'Empire, les maisons les plus riches possèdent en outre
un œcus, salon d'apparat où sont donnés les grands festins.

POMPÉI ET HERCULANUM

Ces deux villes furent ensevelies lors de l'éruption du Vésuve en l'an 79. Les cendres ont durci et conservé tout ce qu'elles contenaient.

C'est ainsi qu'à Herculanum, petite station résidentielle et climatique, dix-sept maisons de patriciens ont été mises au jour jusqu'à présent, dans un très bon état, dont la maison d'Argus à un étage et la maison de Neptune et d'Amphitrite, décorée d'une magnifique mosaïque les représentant.

À Pompéi, gros centre portuaire né dès le VIᵉ siècle av. J.-C., les riches maisons sont très nombreuses, dont une vingtaine très bien conservées. Parmi les plus belles : la maison des Vettii, celle de D. Octavius Quartius, aux peintures très raffinées et, au nord de la ville, la Villa des Mystères, dont les fresques représentent des rites du culte de Dionysos, dieu du Vin.

F. JOOS

La décoration

MOSAÏQUE

De belles mosaïques couvrent le sol des pièces de réception et des chambres. Les décors diffèrent selon les lieux et les modes : motifs géométriques et scènes de la mythologie (la vie des dieux) ou de la vie quotidienne. D'une pièce à l'autre, le sujet change. Dans la salle à manger, il montre par exemple les préparatifs d'un banquet. Dans les chambres, il s'agit de dieux veillant sur les dormeurs.

© Alinari-Giraudon / Mus. Nazionale, Naples

● *Les mosaïques se composent de tesselles, petits cubes en pierre, brique ou pâte de verre incrustés dans du ciment.*

● *Acteurs se préparant pour la représentation (Pompéi, maison du poète tragique)*

VAISSELLE

Les riches Romains attachent beaucoup d'importance à la vaisselle précieuse, fabriquée avec des matériaux coûteux comme le verre, le bronze ou l'argent. Elle est essentiellement décorative et doit traduire la richesse de son propriétaire. Lors des banquets, elle est mise en évidence sur des petites tables placées devant les invités. En dehors des repas, elle est exposée sur les meubles des pièces de réception.

© RMN / Beck-Coppola / Louvre, Paris

FRESQUE

Les murs sont décorés de peintures réalisées selon la technique de la fresque. La plupart sont des décors en trompe-l'œil. Dans les petites pièces, ils représentent souvent des constructions imaginaires pour donner l'illusion d'un espace plus grand. Paysages et personnages animent aussi les murs.

● *Coupe en argent de Boscoreale, le triomphe de Tibère (début du Iᵉʳ siècle apr. J.-C.)*

Les couleurs, obtenues à partir de minéraux ou de végétaux, sont appliquées sur une couche d'enduit encore fraîche. ●

Parfois, les peintures servent seulement à délimiter les différentes parties du mur : une plinthe en bas, une corniche en haut et de grands panneaux au centre. ●

© Giraudon

22

Au palais du calife de Bagdad

En 750, la dynastie des Abbassides prend la tête de l'empire musulman. Elle s'installe en 765 à l'emplacement d'un ancien village chrétien, Bagdad, sur la rive droite du Tigre, dans l'Irak actuel. La cité reçoit le nom arabe de Madinat as-Salam, ce qui signifie «ville de la paix». Capitale de l'islam, elle comptera au IXe siècle près d'un million d'habitants.

CTESIPHON
Les ruines du palais abbasside de Ctesiphon datent du IIe siècle av. J.-C. Elles montrent le style des constructions de l'époque. Des pierres de Ctesiphon servirent à construire le palais de Bagdad.

© Explorer / G. Thouvenin

LE «CENTRE DE L'UNIVERS»
Au cœur d'une plaine fertile, à l'intersection des routes commerciales de l'Orient, Bagdad mobilise plus de cent mille ouvriers et artisans pour sa construction. La ville adopte un plan circulaire, derrière trois lignes de remparts. Au centre, une gigantesque esplanade ouvre sur la grande mosquée (photo) et le palais du calife al-Khadra, surmonté par une coupole verte. Il ne reste aujourd'hui du palais que les fondations.

© Cosmos / G. Buthaud

LE HAREM
Ce sont les appartements des femmes dans le palais, cachées à la vue des hommes et gardées par des eunuques. Elles sont plusieurs centaines à y vivre. Le Coran autorise quatre épouses légitimes, mais un nombre illimité de concubines esclaves. Le harem du palais de Bagdad comprenait beaucoup d'esclaves yéménites et caucasiennes, réputées pour leur beauté.

Intérieur de harem, Émile Bernard, 1895.

© RMN / ADAGP, musée des Arts et Antiquités orientales, Paris.

UN APRÈS-MIDI À LA COUR DU CALIFE

Après son lever et la prière du matin, le calife est allé visiter ses écuries.
Il a ensuite reçu en audience son médecin, puis le vizir, son premier ministre,
et, peu après, le cadi ou grand juge, gardien de la loi islamique, la charia.
Cet après-midi, il s'adonne aux sciences et aux plaisirs de la poésie dans les jardins de son palais.
Après cette séance, le calife recevra le chef de l'information ou khabar,
sorte de ministre de la police qui reçoit des informations sur tous les gouverneurs des provinces
et les hauts fonctionnaires de l'empire. Les Abbassides ont installé un système très centralisé,
pour mieux contrôler leur territoire, qui s'étend, à l'ouest, jusqu'à Tunis et, au nord-est, jusqu'en Asie centrale.

L'air, surchauffé, embaume le jasmin et le parfum des orangers. La fontaine fait entendre un bruit de ruissellement discret et rafraîchissant.

Le calife revêt des soieries dont le procédé de fabrication vient de Chine.

Sur la table se trouve un jeu d'échecs en ivoire sculpté, passe-temps très prisé des musulmans.

Le plateau présente des friandises, du vin épicé et de l'eau de rose, directement importée d'Iran.

Le calligraphe note les paroles des poèmes sur du papier, que les Chinois ont, les premiers, su fabriquer. La calligraphie est un art chez les Arabes, qui recopient inlassablement les versets du Coran pour mieux les connaître.

Le grand eunuque, gardien du harem, se tient auprès de son maître. Comme la plupart des eunuques, il est d'origine étrangère.

S'accompagnant au luth, un poète chante pour le calife qui rit de ses impertinences. Non conformiste, il n'est pas un courtisan comme les autres, il fréquente aussi bien la Cour que le petit peuple des rues. Le plus célèbre poète de Bagdad, Abu Nuwas (VIIIᵉ siècle) était d'origine iranienne.

Des savants viennent présenter leurs travaux au calife.
Les mathématiciens maîtrisent l'algèbre et les algorithmes
et savent calculer la circonférence de la Terre.
Les plus connus sont Al-Kharezmi et Al-Battani.

LA SPLENDEUR DES ABBASSIDES

Cette dynastie, qui renverse celle des Omeyyades, compte 37 califes de 750 à 1258, date de la prise de Bagdad par les Mongols, qui ravageront la cité. Al-Mansur, bâtisseur de la ville, Haroun al-Rachid et son fils Al-Mamun sont des souverains fastueux, qui encouragent les arts et les sciences.

e bassin est alimenté
ar une noria, actionnée
ar un attelage. La maîtrise
es techniques d'irrigation
ar les Arabes fait de Bagdad
ne véritable « ville-jardin ».

Le calife a fait appeler
un traducteur, car il vient
de recevoir des livres
de philosophie, cadeau
de l'envoyé de l'empereur
de Byzance. Il désire que
les traductions enrichissent
la bibliothèque du palais,
qui comprend près
d'un million de volumes.

L'astronome se sert
couramment
d'un astrolabe pour
calculer la trajectoire
des astres.

Les esclaves,
serviteurs du palais,
ont été capturés
au cours d'une guerre.
Certains exercent
des charges
importantes,
comme l'intendant
des cuisines.
Tous les jours y sont
cuits une centaine
de moutons,
une trentaine
de chevreaux,
des centaines
de poulets
et de perdreaux,
tandis que plusieurs
boulangers travaillent
nuit et jour.

M. Welply

À L'ÉCOLE CORANIQUE

L'école se tient tous les jours, sauf le vendredi, dans un bâtiment situé près de la mosquée. Assis en tailleur aux pieds du maître, les jeunes élèves apprennent à lire, à écrire et à compter. Ils connaissent par cœur de longs versets du Coran et sont capables de raconter les principaux épisodes de la vie de Mahomet. Aujourd'hui encore la classe se passe ainsi. ●

LES CARAVANIERS ●

Carrefour commercial, Bagdad voit affluer les caravanes transportant la soie de Chine, des épices, des parfums et des pierres précieuses de l'Inde, mais aussi de l'or, de l'ivoire et des esclaves venus d'Afrique. Les achats se règlent en dinars d'or. Pour les sommes importantes est utilisé l'ancêtre de notre actuel chèque, le sakk.

LE BAZAR

Le long de grandes galeries voûtées sont regroupés tous les artisans de la ville. Dans l'allée centrale, où les ânes et les chameaux portant les marchandises se frayent à grand-peine un passage, toute une cohue se presse dans un vacarme assourdissant. Au bazar des marchands de tapis et des artisans du cuivre succède celui des cordonniers, où l'on vend des babouches, dont les plus luxueuses sont faites en peau de girafe.

LES MILLE ET UNE NUITS

Le roi Chahriyar, blessé par l'infidélité de son épouse, décide que toutes les femmes qui partageront son lit seront étranglées au petit matin. Shéhérazade, promise au roi, commence à lui raconter un conte passionnant... dont elle évite de donner la fin. Elle répète le même stratagème mille nuits durant, jusqu'à ce que Chahriyar, captivé, lui laisse la vie sauve : tel est l'argument des *Mille et une nuits*, un grand classique de la littérature orientale, dans lequel beaucoup d'histoires ont Bagdad pour cadre. La figure du roi s'inspire du calife Haroun al-Rachid.

Les Vikings et leurs navires

Les Vikings,
grâce à leur flotte capable de faire voile en haute mer, furent les premiers à pratiquer la navigation au grand large... Suédois, Norvégiens et Danois se lancèrent dans d'extraordinaires expéditions d'exploration et de conquête dans toute l'Europe et au-delà. C'est ainsi qu'ils découvrirent le continent américain cinq siècles avant Christophe Colomb !

La traversée de l'Atlantique en 28 jours !

Tel est l'exploit réalisé en 1893 avec une réplique de drakkar.

J.-M. Poissenot

KNÖRR

On pense immédiatement au drakkar dès qu'il s'agit de bateaux vikings. Mais des marins aussi excellents avaient bien sûr inventé de nombreux autres navires, aux caractéristiques adaptées à leurs différents usages. Le knörr, plus vaste que le drakkar, sert au transport des colons, des armées ou des marchandises. Les emplacements des rameurs se situent à l'avant et à l'arrière : le centre est dégagé pour faciliter le chargement de marchandises.

La vergue, comme le mât lui-même, peut être descendue sur le pont.

DRAKKAR

Le navire viking le plus connu, le drakkar, ou dragon, bateau de guerre, s'orne de têtes de dragons pour impressionner l'ennemi et chasser les esprits malfaisants de la tempête.

Au vent arrière, de longues perches croisées servent à tendre la voile rectangulaire.

Le pont est assez vaste pour qu'une trentaine de guerriers prennent place dans le drakkar.

J.-M. Poissenot

Grâce à sa coque longue et effilée, il peut atteindre une vitesse de 4 nœuds, soit 10 km/h.

Des trous ouverts sous le plat-bord permettent de faire passer les rames lorsque le vent contraire ne permet pas de naviguer à la voile.

VOILE

L'immense voile,
montée sur un mât
central, fait plus
de 100 m².
Elle est épaisse
et est tissée dans
de la laine ou du lin
et parfois teintée.

MÂT

Le mât central atteint parfois 20 m
au-dessus du pont, ce qui permet
de hisser des voiles gigantesques.
Le mât peut être couché si nécessaire.

L'avant et l'arrière
sont identiques :
il suffit donc
de ramer à l'envers
pour rebrousser
chemin !

Sous la coque,
la quille donne
de la stabilité.
Elle ne dépasse pas
90 cm pour
permettre
de naviguer dans
les eaux peu
profondes
des fleuves
et de s'échouer
sur les plages.

A. Picco

Les larges boucliers de bois
des guerriers sont fixés au plat-bord
pendant la navigation.

● RAME-GOUVERNAIL
*Une rame-gouvernail de plus de 3 m,
fixée et articulée sur le flanc tribord du navire
et équipée d'une barre horizontale,
permet une grande maniabilité
de l'embarcation.*

● *Les planches de la coque se superposent
comme les tuiles d'un toit,
ce qui lui donne une certaine souplesse
et la rend plus résistante.
La coque n'est pas toujours très étanche
et il faut souvent écoper !*

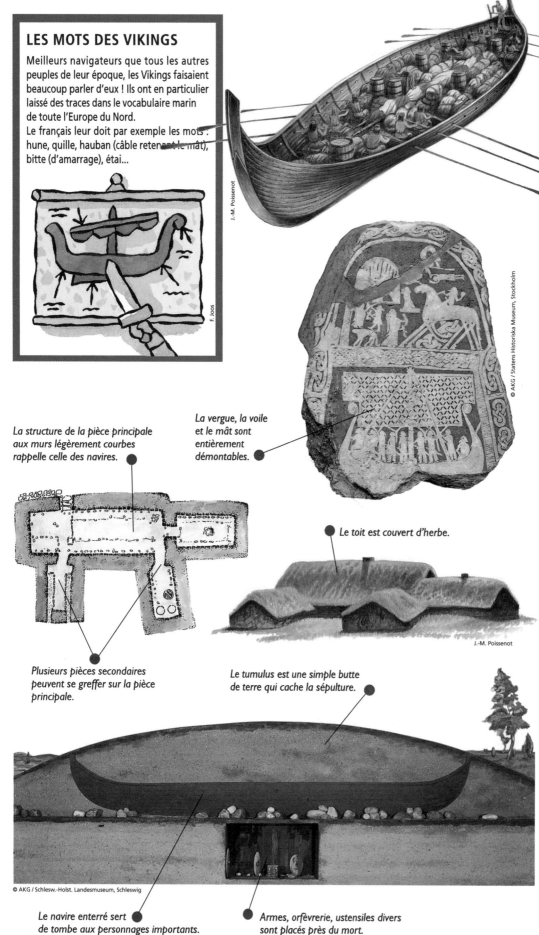

LES MOTS DES VIKINGS

Meilleurs navigateurs que tous les autres peuples de leur époque, les Vikings faisaient beaucoup parler d'eux ! Ils ont en particulier laissé des traces dans le vocabulaire marin de toute l'Europe du Nord.

Le français leur doit par exemple les mots : hune, quille, hauban (câble retenant le mât), bitte (d'amarrage), étai...

F. Joos

J.-M. Poissenot

BATEAUX DE TRANSPORT

Les larges knörrs portaient les marchandises du grand commerce des Vikings. Ils servirent aussi à emporter des milliers de colons qui s'implantèrent dans toute l'Europe. Les Danois et les Norvégiens vers l'ouest et le sud ; les Suédois (que les Finlandais nommaient les Rus) vers l'est, où ils fondèrent la ville de Kiev et la Russie.

BATEAUX TRANSPORTÉS

La grande force des Vikings résidait dans la capacité de leurs navires à remonter les fleuves et donc à pénétrer très profondément et très rapidement dans les pays envahis. Lorsque le cours d'un fleuve devenait trop difficile (gués, rapides...), les Vikings descendaient la vergue et le mât, rentraient les rames, attachaient fermement le gouvernail à la coque et... portaient leur navire le long de la berge jusqu'à un nouvel endroit navigable.

© AKG / Statens Historiska Museum, Stockholm

La structure de la pièce principale aux murs légèrement courbes rappelle celle des navires.

La vergue, la voile et le mât sont entièrement démontables.

Le toit est couvert d'herbe.

BATEAUX MAISONS

Les restes de vastes maisons vikings ont été retrouvés un peu partout en Scandinavie. Certaines possèdent des murs légèrement arrondis, comme la coque d'un knörr, donnant à penser que les toits étaient constitués, du moins dans les temps reculés, d'un simple bateau retourné.

J.-M. Poissenot

Plusieurs pièces secondaires peuvent se greffer sur la pièce principale.

Le tumulus est une simple butte de terre qui cache la sépulture.

BATEAUX TOMBEAUX

Fouillés par les archéologues, les tombeaux-tumulus ont révélé des navires contenant toutes sortes de bijoux, d'objets divers, et surtout des squelettes, y compris parfois des ossements de chevaux. Les Vikings enterraient leurs morts, du moins les plus riches et les plus puissants, dans leur bateau.

© AKG / Schlesw.-Holst. Landesmuseum, Schleswig

Le navire enterré sert de tombe aux personnages importants.

Armes, orfèvrerie, ustensiles divers sont placés près du mort.

La construction d'une cathédrale

Du XIᵉ au XIVᵉ siècle, la France a construit quatre-vingts cathédrales, cinq cents grandes églises et des dizaines de milliers d'églises paroissiales, charriant plusieurs millions de tonnes de pierres. Cet extraordinaire élan bâtisseur qui anima les hommes du Moyen Âge est né de la foi chrétienne, mais n'aurait pu exister sans une remarquable organisation du travail, des sommes d'argent colossales, des ouvriers compétents et des architectes audacieux.

© Explorer / F. Jalain

Avant l'art gothique

L'ÉGLISE SAINT-SERNIN

Aux XIᵉ et XIIᵉ siècles se dressaient dans les villes des cathédrales romanes. Détruites par des incendies, reconstruites ou agrandies en style gothique pour contenir la population urbaine, elles ont presque toutes disparu.
Achevée au début du XIIᵉ siècle, Saint-Sernin de Toulouse est la plus prestigieuse des églises de pèlerinage. Pour faciliter la circulation des pèlerins, on développa le transept et le déambulatoire à chapelles rayonnantes, repris dans l'architecture gothique. L'éclairage se fait par de simples fenêtres dites « en plein cintre ».

© Hoaqui / T. Perrin

VÉZELAY

La nef de l'abbaye de Vézelay (France) rassemble les principaux éléments de l'art roman : la voûte en berceau plein cintre est soutenue par des arcs doubleaux (en relief autour de la voûte) qui s'appuient sur des colonnes aux chapiteaux sculptés, dont les piles (parties basses) forment une croix ; le mur se divise en deux étages : les grandes arcades et les fenêtres hautes. L'abside, au fond, fut construite au XIIIᵉ siècle en style gothique.

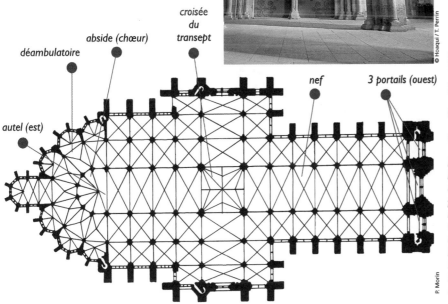

déambulatoire

abside (chœur)

croisée du transept

autel (est)

nef

3 portails (ouest)

P. Morin

Le gothique : un art pour bâtir de grandes cathédrales

La cathédrale gothique est conçue pour contenir la population de la ville et des campagnes alentour. Symbole du Dieu chrétien en trois personnes, trois portails s'ouvrent sur trois nefs menant vers le chœur où se tient l'autel. Ce lieu sacré est orienté à l'est, vers Jérusalem, où se trouve le tombeau du Christ, et vers le soleil levant car, pour les hommes du Moyen Âge, Dieu est source de lumière. Le déambulatoire bordé de chapelles qui entoure le chœur sert à faciliter les processions.

❶ LA CROISÉE D'OGIVES
Elle soutient la voûte.

LE MORTIER
est transporté en haut d'un échafaudage jusqu'au maçon. À l'aide d'une truelle et d'un fil à plomb, celui-ci pose les pierres une à une en laissant visible la face lisse ou « parement ». Les murs des cathédrales sont constitués de deux parois de pierres consolidées par un mélange de cailloux et de mortier, le « blocage ».

LA CHARPENTE EN BOIS
Les charpentiers débitent de grands troncs de chêne ou de châtaignier à la scie, la hache ou l'herminette. Le bois de charpente est rare et cher car les forêts du Moyen Âge ont peu de grands arbres.

❷ LA VOÛTE
sur croisée d'ogives qui couvre la nef gothique est construite quand la toiture est achevée. Cette voûte nécessite la mise en place de cintres en bois sur lesquels les maçons posent les pierres taillées ; les cintres en bois sont ôtés une fois le mortier sec.

LA ROSE
décorée d'un vitrail est caractéristique des façades gothiques. Elle symbolise l'univers.

❸ L'ARC EN TIERS-POINT,
entre les piliers de la nef, se répand à l'âge gothique.

❹ LE TYMPAN
représente le Christ, des scènes de l'Évangile ou le Jugement dernier.

LE PORTAIL
est orné de statues représentant des personnages de la Bible.

❺ LES PIERRES
proviennent de la carrière la plus proche car le transport en triple le prix. Souvent acheminées par bateau, elles arrivent sur des chariots tirés par des bœufs. Les blocs ont été grossièrement équarris à la carrière ou déjà taillés sur mesure ; dans ce cas l'architecte a fait envoyer des modèles : les gabarits.

❻ LA GRANDE ROUE,
dite « cage à écureuil », sert à lever de lourdes charges : un homme marchant à l'intérieur fait tourner la roue qui entraîne par un système de cordes et de poulies les blocs de pierre vers le haut des murs.

LA GRANDE FLÈCHE

symbolise l'élévation
vers le ciel. ●

⑭ LES ARCS-BOUTANTS,

*inventés par des architectes
du XIIIᵉ siècle, soutiennent les murs
de la nef à l'endroit fragile
où retombent les ogives.
Le mur ne servant plus de support,
on peut y ouvrir de larges fenêtres.*

⑬ LE BRAS DU TRANSEPT

*une nef transversale
qui coupe la nef principale
de la cathédrale
et lui donne la forme d'une croix.*

LE PINACLE

*renforce l'arc-boutant
et décore les parties
hautes de l'édifice.* ●

⑫ LA GARGOUILLE,

*au bout de la gouttière,
sert à déverser
l'eau de pluie à l'extérieur.*

⑪ LES FONDATIONS

*sont énormes pour soutenir des murs s'élevant
jusqu'à plus de 40 m de hauteur :
15 m de profondeur à Amiens, 10 m à Reims.
Si le sol est marécageux, on le stabilise à l'aide
de madriers.*

⑩ LES PILIERS

*soutiennent la haute voûte à l'intérieur.
Ces piliers dressés vers le ciel illustrent
l'élévation de l'âme chrétienne au-dessus
de la terre.*

❾ LE CHAPITRE

*est constitué d'une cinquantaine de chanoines
qui gèrent les affaires de la cathédrale
et les travaux de construction.
Souvent les chanoines contrôlent aussi les poids
et mesures de la ville. À Chartres, ils exercent
la justice sur 72 paroisses et plus
de 150 hameaux alentour.*

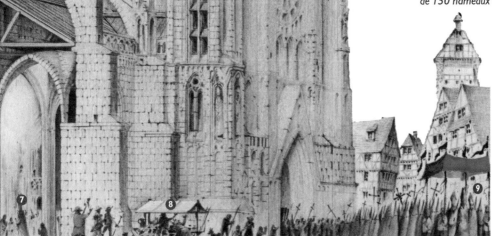

L.-M. Boschini

❼ L'ÉVÊQUE

*est un haut personnage du clergé, fils de roi
ou de comte, qui mène un train de vie princier.
Un quart de ses revenus est consacré à l'entretien
de la cathédrale ou à sa reconstruction.*

❽ LES DONS

*des bourgeois (bijoux, vaisselle, chevaux…)
ne sont qu'une faible part du financement,
sauf à Chartres en 1194, où l'élan
de la population est exceptionnel.
Rois ou comtes se montrent parfois généreux.*

● DES PROCESSIONS

*sont organisées pour financer la construction.
Autre source de revenus, les indulgences :
la tour de Beurre de la cathédrale de Rouen
fut construite avec l'argent versé par les bourgeois
au clergé pour avoir le droit de manger du beurre
pendant le carême.*

L'ARCHITECTE

L'architecte est un laïc qui a appris son métier sur les chantiers. Il est souvent représenté avec ses outils : le compas et la règle graduée. On voit ici un dessin d'architecture du XIVᵉ siècle. Pour ne pas utiliser de parchemin, trop coûteux, l'architecte travaille dans la « chambre aux traits », une petite bâtisse où il dessine ses plans sur les murs et le sol. Il réalise aussi des gabarits : profils en bois pour les moulures, les arcs, etc.

LE VITRAIL

Le verre, matériau de luxe, n'est pas fabriqué en ville mais en bordure de forêt. Composé de cendres de hêtre et de sable de rivière cuits à 1 200 ᵒC, il est coloré au moment de sa fabrication avec des oxydes métalliques. Il arrive en plaques sur le chantier, où le maître verrier le découpe au fer rouge, puis peint les figures sur les morceaux, qui sont ensuite recuits avant d'être assemblés avec du plomb pour former le vitrail.

La rose orne la façade des cathédrales gothiques.

L'architecture légère des églises gothiques permettait de larges ouvertures. Les vitraux sont donc souvent gigantesques.

LE CHANTIER

La plupart des cathédrales ont été construites en un demi-siècle, même si le chantier s'éternise en travaux de finition jusqu'à la fin du Moyen Âge. Un centaine d'ouvriers y travaillent, dirigés par un architecte et répartis en plusieurs corps de métier, dont les plus prestigieux sont les maçons et les charpentiers. À gauche, un gâcheur ou mortelier prépare le mortier, mélange d'eau, de sable et de chaux grasse qui durcira en séchant. Aux extrémités, des tailleurs de pierre, munis d'une équerre, d'une règle et d'une massette, achèvent la taille précise d'une pierre tandis qu'un autre sculpte une moulure avec un ciseau et un maillet.

UN ART DE GOTHS ?

L'art gothique était en son temps nommé « art français » car il est né en France, dans la région parisienne, au XIIᵉ siècle et s'est diffusé ensuite en Europe.

Ce sont les artistes de la Renaissance qui, pour marquer leur mépris, l'ont appelé « gothique », autrement dit barbare, puisque les Goths étaient un des peuples barbares qui avaient envahi l'Europe au Vᵉ siècle !

tailleur de pierre

mortelier

manœuvre

maçon

tailleur de pierre

Le château fort

Au Moyen Âge, le château comprend les habitations du seigneur, de ses soldats, des artisans et des serviteurs, ainsi que tout ce qui est nécessaire à leur vie : écuries, entrepôts, fours, ateliers... Lorsqu'il est assiégé, il peut ainsi se passer du monde extérieur et résister longtemps aux attaques de l'ennemi.

© Giraudon

● Au XVe siècle, tous les 20 à 30 km se dresse un château ! Plus le seigneur est puissant et plus les tours sont hautes, souvent blanchies à la chaux pour frapper le regard. Conçus pour résister à toutes les attaques, les châteaux deviennent aussi des résidences luxueuses, comme ce château de Saumur représenté dans Les Très Riches Heures du duc de Berry.

L'ÉVOLUTION DU CHÂTEAU

Au Xe siècle, le pouvoir du roi est très affaibli et l'insécurité règne en Europe : les seigneurs dressent des habitations fortifiées à la fois pour se protéger et pour imposer leur ordre sur le pays.

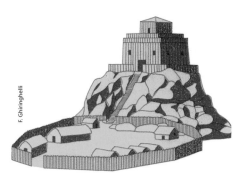

F. Ghiringhelli

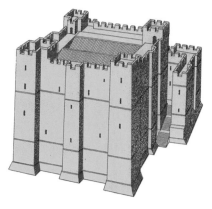

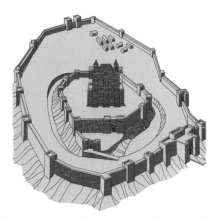

Ces premiers châteaux, dont le nom est dérivé du castrum romain, sont de simples fortifications de terre et de bois, construites sur une colline. Au pied de celle-ci, logent les protégés du seigneur, bien défendus par une palissade.

Pour éviter les risques d'incendie, la pierre remplace vite le bois, et le château devient une véritable forteresse, dont la fonction est avant tout défensive. Lors des attaques, les paysans s'y réfugient.

Enfin, dans une troisième étape, le château prend sa forme caractéristique. À la fois plus solide et plus complexe, il rassemble toutes les personnes et les activités liées au seigneur.

L.M. Boschini

❶ FOSSÉ

Parfois large de plusieurs dizaines de mètres, il isole le château pour le défendre. Qu'il soit sec ou rempli d'eau, l'assaillant devra le franchir ou le combler avant d'accéder aux murailles.

❷ PONT-LEVIS

Abaissé, il permet de franchir le fossé.

❸ CHEMIN DE RONDE

Il est bordé d'un parapet crénelé ; la partie creuse est le créneau et la partie pleine le merlon.

❹ PORTE

Point fragile de la forteresse, la porte est surmontée d'un dispositif de défense ou encadrée de deux tours. Elle peut être renforcée par une herse ou sarrasine. Si le château possède plusieurs enceintes, la première porte est précédée d'une barbacane, avancée en pierre formant un coude, trouée de meurtrières.

❺ MEURTRIÈRE

Ou archère, pour tirer sur les assaillants.

❻ CHAMBRE DE LEVAGE

Le pont-levis est actionné depuis une salle située au-dessus de la porte : le tablier du pont est relié par des chaînes à des poutres que l'on relève à l'aide d'un treuil ou d'un contrepoids.

❼ HOURD

En cas de siège, le chemin de ronde est élargi par un hourd, galerie de bois en surplomb percée de trous pour jeter des projectiles. À partir du XIVᵉ siècle, les mâchicoulis de pierre, balcons au sommet des tours ou des remparts, remplacent les hourds.

❽ RÉSERVES DE NOURRITURE

*Dans une société où la majorité mange à peine à sa
faim, le château est un lieu d'opulence ; des celliers
sont prévus dans des salles basses pour conserver au
frais boissons, viandes au saloir, beurre, fromages...*

❾ CUISINE

*Des bataillons de serviteurs s'y affairent car le train
de vie seigneurial exige une table bien garnie. Les
restes sont distribués aux pauvres, aux serviteurs ou
bien revendus.*

❿ ARMURERIE

*On y stocke des boulets de pierre, des pointes
de flèches, des lances et des armures, graissées
afin d'éviter la rouille.*

⓫ COUR

*Elle est l'espace central autour duquel s'organisent
les différents éléments du château.
Le puits y est indispensable, surtout en temps
de siège. Le château possède souvent plusieurs
cours : la cour noble pour la famille seigneuriale
et la basse-cour pour les domestiques, les écuries,
la volaille, etc.*

⓬ GRANDE SALLE

*Aula en français médiéval, elle est la pièce
principale : le seigneur y reçoit, festoie et rend
la justice. La cheminée avec un conduit d'évacuation
dans l'épaisseur de la maçonnerie est rare avant
le XIᵉ siècle. Les murs sont couverts de tapisseries
pour décorer et réchauffer l'atmosphère.*

⓭ PRISON

*Salles basses, froides et humides. La justice
seigneuriale recourt davantage à des amendes
ou à des exécutions sommaires
qu'à des emprisonnements de longue durée.*

⓮ GRANDE FENÊTRE

*Elle est un élément de confort. Aux archères
des premiers siècles succèdent à partir du
XIIIᵉ siècle des ouvertures laissant passer la lumière,
parfois garnies de verre, matériau rare et coûteux.*

⓯ LATRINES

*Simple trou donnant dans le vide,
elles sont disposées en divers endroits du château ;
des étuves pour le bain sont également prévues.*

UN CONFORT CROISSANT

Dans les donjons du XIᵉ siècle, la mesnie
ou maisonnée (le seigneur et sa famille,
les domestiques, les guerriers, etc.) s'entasse
dans une salle unique.
Puis les châteaux s'agrandissent et le donjon perd
sa fonction de résidence pour n'être plus
qu'une grosse tour occupée par la garnison,
ultime refuge en cas d'attaque.
À partir du XIIIᵉ siècle, le château se répartit
en trois espaces distincts : l'espace public
avec la grande salle, l'espace privé
et l'espace sacré avec la chapelle.

● LA CHAMBRE

Dans les appartements privés,
le premier confort est d'échapper
à la promiscuité.
Le couple seigneurial y possède
sa chambre avec un grand lit
et une antichambre
ou « chambre de parement »
pour recevoir les intimes.
Les enfants logent tout près,
filles et garçons dans
des chambres séparées.
Le mobilier reste rudimentaire :
bancs, tables à tréteaux, coffres
et lits démontables
que le seigneur emporte avec
lui lorsqu'il change de résidence,
car il possède souvent
plusieurs
châteaux
et une maison
en ville.

© Giraudon

● LE JARDIN

Le jardin du château est un lieu d'agrément
avec des fontaines et des fleurs,
mais il contient aussi des herbes aromatiques,
des plantes pour soigner, ou médicinales,
et des légumes.
Les jardins royaux sont connus pour leurs volières
et leurs ménageries d'animaux sauvages.
Enfin, dans les romans d'amour courtois,
le jardin apparaît comme un lieu privilégié pour
les femmes, qui peuvent s'y détendre à l'abri
des regards, et un possible lieu de rendez-vous.

© Giraudon

© Explorer / P. Wysocki

● LA CHAPELLE

Elle n'est parfois qu'un simple oratoire.
Elle rappelle qu'au Moyen Âge la religion
est partout présente, et souligne
le lien entre les deux classes dominantes :
les hommes d'Église et la chevalerie.

En tournoi

En 1337, le duc de Bretagne
organise un tournoi pour le mariage de sa nièce, Jeanne
de Penthièvre. Ne pouvant se payer un équipement,
le jeune Bertrand Du Guesclin emprunte celui
de son cousin, et s'avance hardiment dans la lice.
Il remporte quatorze joutes sans dévoiler son identité,
mais refuse de combattre son père qui ne le reconnaît pas
sous le casque : il lève alors sa visière devant la foule
admirative… Ce récit montre comment le tournoi a aidé
à créer l'image du « vaillant chevalier ».
La réalité n'était pas toujours aussi chevaleresque !

*Les tournois débutent au XIᵉ siècle
avec l'apparition de la lance, une nouvelle arme
qu'il faut apprendre à manier ! Ils réunissent
plusieurs centaines de chevaliers qui trompent
ainsi l'ennui de l'hiver.*

*Les chevaliers sans fief ne manquent pas
une occasion d'y participer pour amasser
de l'argent. Car les gagnants emportent
les heaumes et les chevaux des vaincus
et demandent rançon.*

*En 1198, Guillaume le Maréchal fend le heaume
de son adversaire, le met à terre et, de peur qu'on
lui prenne son prisonnier, s'assoit dessus : voilà
bien les manières d'un chevalier du XIIᵉ siècle !*

*Les dames assistent au combat
et encouragent leurs héros.*

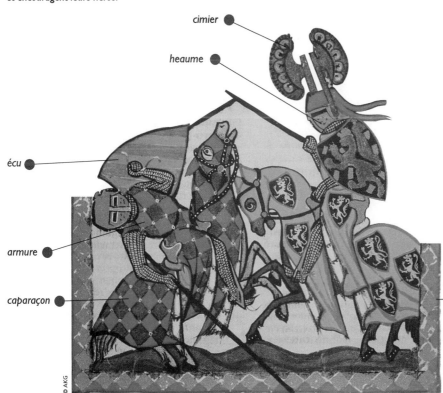

cimier

heaume

écu

armure

caparaçon

*Jusqu'au XIIIᵉ siècle, le tournoi est un simulacre
de bataille, un affrontement entre deux groupes
de chevaliers qui combattent d'abord en ordre,
puis dans une mêlée impitoyable.
La victoire va au groupe qui reste sur le terrain
après avoir fait fuir la bande adverse
par tous les moyens. Le tournoi évolue ensuite
vers une joute à deux combattants.*

*Ce sport violent compte des morts et des blessés
à chaque manifestation.
Ainsi, Geoffroy de Bretagne en 1186
et le roi de France Henri II en 1559 y laisseront
leur vie. Devant pareille hécatombe, l'Église
multiplie les interdits en 1130, 1179, 1314…
En vain.*

❸ La **lance** est montée sur une hampe en bois de 2,50 m à 4 m de long, qui vole en éclats sous le choc. Pour la rendre moins dangereuse, sa pointe est garnie d'un fleuron : elle prend alors le nom de « lance courtoise ».

❶ La **targe**, petit bouclier, vient compléter un équipement très lourd.

❷ Au XVe siècle, le haubert (ou cotte) de mailles a disparu au profit des armures de plaques articulées faites sur mesure. L'**armure** de joute comporte d'épaisses pièces de renfort pour l'épaule et le bras gauche, plus exposés au coup de lance.

❹ Le **casque** a remplacé les heaumes du XIIe siècle. Il s'agit ici d'un casque fermé ou armet, muni d'une ventaille à charnière, pour laisser passer l'air.

J. M. Poissenot

❶❶ Les **étriers** sont sanglés très b Jambes tendues, le cavalier est prê à affronter le cho

❶❷ Le **destrier** est enveloppé d'un caparaçon aux couleurs de son maître. Sa tête est protégée par un chanfrein. La selle aux arçons (avant et arrière) très élevés assure un meilleur équilibre au cavalier. La victoire ira à celui qui désarçonnera l'autre (qui le fera tomber de ses arçons).

5 La **lice** est le champ où se déroulent les combats. Elle est entourée de clôtures derrière lesquelles les concurrents se réfugient pour se reposer et se rafraîchir.

6 Les **juges-diseurs** sont les arbitres du tournoi.

7 Le **héraut** peut être comparé aux actuels reporters sportifs : il commente les joutes aux spectateurs, reconnaît les combattants à leurs armoiries et vante les exploits de tel champion, moyennant finances. Son rôle s'accroît à mesure que les règles du tournoi et les blasons se compliquent.

8 Les **tribunes**, inexistantes à l'origine des tournois, ont été construites pour abriter les dames et demoiselles. On y trouve aussi les princes et les chevaliers trop âgés pour combattre, ainsi que les vaincus qui assistent à la fin des combats.

9 Le **palefrenier** est indispensable pour aider le cavalier, transformé en char d'assaut, à enfourcher sa monture.

10 À partir du XVᵉ siècle, lorsque le tournoi devient surtout une joute à deux combattants, la lice est divisée en deux par une **barrière** longitudinale afin d'éviter les collisions trop meurtrières.

L'ÉVOLUTION DU TOURNOI

À partir du début du XVᵉ siècle, le tournoi subit une double évolution : de plus en plus somptueux, il coûte de plus en plus cher et son organisation est désormais réservée aux princes. Il apparaît dans toutes les cérémonies royales (entrées triomphales dans une ville, mariage, sacre…).

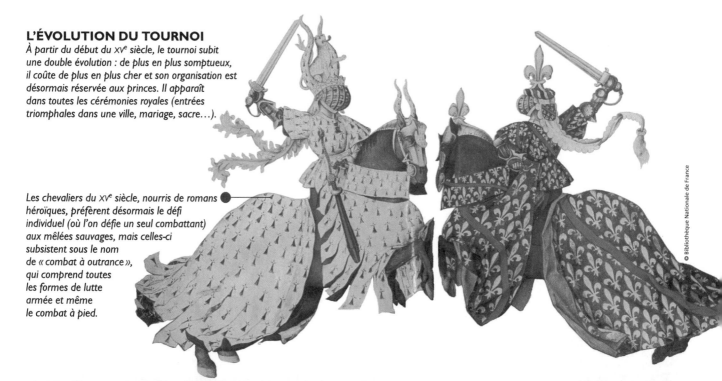

Les chevaliers du XVᵉ siècle, nourris de romans héroïques, préfèrent désormais le défi individuel (où l'on défie un seul combattant) aux mêlées sauvages, mais celles-ci subsistent sous le nom de « combat à outrance », qui comprend toutes les formes de lutte armée et même le combat à pied.

● LES JUGES-DISEURS

Les juges-diseurs, reconnaissables à leur robe rouge et à leur chaperon noir, sont à partir du XIVᵉ siècle les arbitres de ces rencontres sportives. Ils se prononcent sur les équipements et refusent un casque non conforme. Ils donnent aussi des points à chaque combattant : par exemple, était pénalisé celui qui frappait le cheval de l'adversaire, brisait sa lance sur la selle ou ôtait deux fois son heaume sans raison. S'il « porte une tache », c'est-à-dire s'il ne respecte pas les règles, le chevalier est disqualifié. Si la faute est très grave, comme la trahison (dite félonie), le coupable peut être exclu de la chevalerie.

● LES DAMES

Dès le XIIIᵉ siècle, le tournoi devient un événement mondain où les dames ont leur place. Elles distribuent les heaumes aux chevaliers, les conduisent en procession jusqu'à la lice et, le plus souvent, remettent le prix au vainqueur : une couronne, un bijou, mais aussi du vin ou des étoffes…

UN TOURNOI PARTICULIER : LE PAS D'ARMES

Le pas d'armes est une forme littéraire et élégante du tournoi, très en vogue à la fin du XVᵉ siècle en Bourgogne et à la cour d'Anjou, sous l'influence du roi René. Il s'agit d'un défi lancé sous forme de poème à tous les chevaliers chrétiens, dont l'enjeu est de délivrer une dame ou de combattre pour l'amour d'elle en défendant un « pas » (un passage) assailli par d'autres chevaliers.

Les routes des Croisades

Le départ des croisés extrait des Vigiles de Charles VII, Martial d'Auvergne.

La croisade est à la fois guerre sainte pour «libérer» Jérusalem des musulmans et pèlerinage : un long pèlerinage plein de risques qui entraîne plusieurs dizaines de milliers de chevaliers et de piétons sur les routes d'Italie, de Grèce, d'Europe centrale. Tous les itinéraires terrestres passent par Constantinople, avant de traverser la Turquie semée d'embûches. En 1096, à peine 1200 chevaliers et 10 000 hommes d'armes partent affronter, sans vraiment le connaître, l'Orient musulman...

LE VOYAGE

Il faut 3 ans aux premiers croisés pour atteindre Jérusalem. La lenteur du trajet, à peine 20 km par jour, est due aux difficultés rencontrées par les armées: absence de routes, marécages, chemins de montagne étroits, traversée des fleuves à gué dangereuse, chevaux mal nourris, mal ferrés. À cela s'ajoutent les maladies, la soif et les problèmes de ravitaillement car les villes traversées refusent souvent de nourrir ces milliers d'hommes.

L'ORIENT À L'ÉPOQUE DES CROISADES

Au XIe siècle, les musulmans sont les maîtres du pourtour méditerranéen. L'unité de leur empire est maintenue par un réseau de grandes villes (300 000 habitants à Bagdad, 80 000 à Tripoli), capitales religieuses et commerciales. Chacune dispose d'une medersa, école où l'on enseigne le Coran, les langues, les sciences, la médecine et la musique.

LES DATES IMPORTANTES

- **1096-1099** Première croisade à l'appel du pape Urbain II
- **1147-1149** Deuxième croisade conduite par Louis VII de France et Conrad III d'Allemagne
- **1185** Le sultan Saladin unifie l'Égypte, Damas et Alep
- **1187** Saladin reprend Jérusalem
- **1189-1192** Troisième croisade lancée par Richard Cœur de Lion, Philippe Auguste et Frédéric Barberousse
- **1202-1204** Quatrième croisade: prise et sac de Constantinople
- **1217-1221** Cinquième croisade en direction de l'Égypte
- **1228-1229** Sixième croisade: Frédéric II, empereur germanique, se fait couronner roi de Jérusalem
- **1248-1254** Septième croisade dirigée par Saint Louis
- **1268** Antioche et Jaffa reprises par le sultan Baïbars
- **1270** Huitième croisade; mort de Saint Louis à Tunis
- **1291** Fin des Croisades avec la chute de Saint-Jean-d'Acre

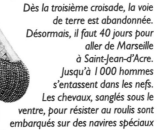

LA TRAVERSÉE PAR MER

Dès la troisième croisade, la voie de terre est abandonnée. Désormais, il faut 40 jours pour aller de Marseille à Saint-Jean-d'Acre. Jusqu'à 1 000 hommes s'entassent dans les nefs. Les chevaux, sanglés sous le ventre, pour résister au roulis sont embarqués sur des navires spéciaux appelés huissières.

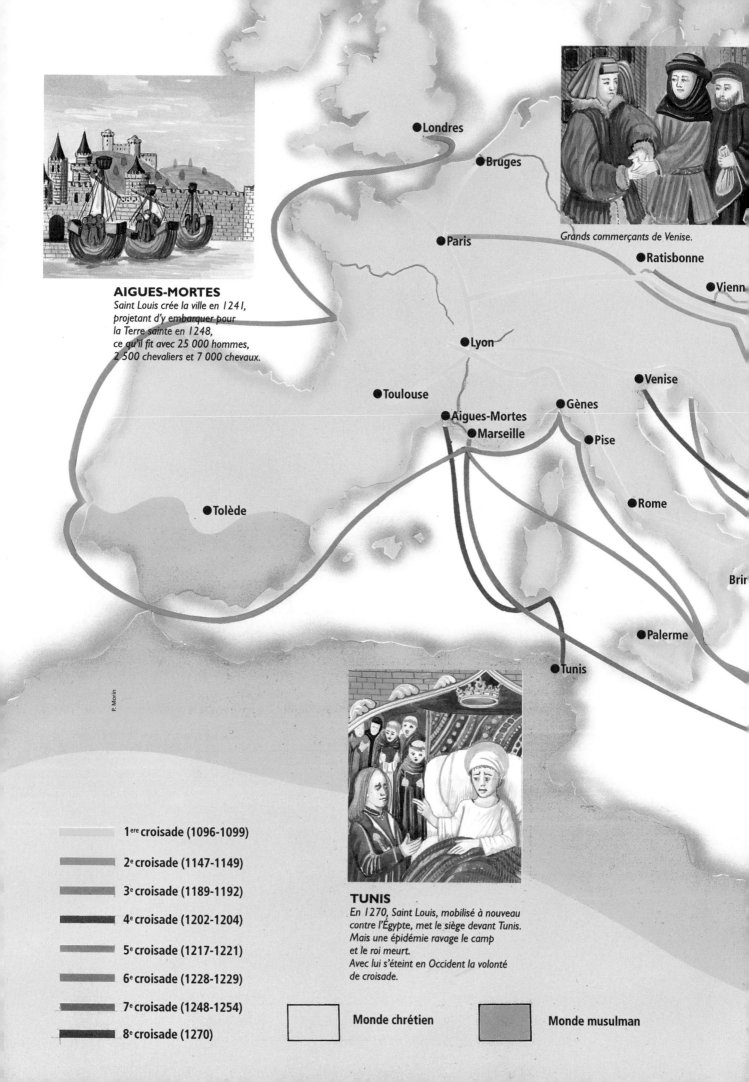

● Londres
● Bruges
● Paris
● Ratisbonne
● Vienn
● Lyon
● Venise
● Toulouse
●Aigues-Mortes
● Gènes
● Marseille
● Pise
● Tolède
● Rome
● Palerme
Brir
●Tunis

Grands commerçants de Venise.

AIGUES-MORTES

*Saint Louis crée la ville en 1241,
projetant d'y embarquer pour
la Terre sainte en 1248,
ce qu'il fit avec 25 000 hommes,
2 500 chevaliers et 7 000 chevaux.*

P. Morin

TUNIS

*En 1270, Saint Louis, mobilisé à nouveau
contre l'Égypte, met le siège devant Tunis.
Mais une épidémie ravage le camp
et le roi meurt.
Avec lui s'éteint en Occident la volonté
de croisade.*

1ᵉʳᵉ **croisade (1096-1099)**

2ᵉ **croisade (1147-1149)**

3ᵉ **croisade (1189-1192)**

4ᵉ **croisade (1202-1204)**

5ᵉ **croisade (1217-1221)**

6ᵉ **croisade (1228-1229)**

7ᵉ **croisade (1248-1254)**

8ᵉ **croisade (1270)**

Monde chrétien   Monde musulman

VENISE

Grande rivale des Byzantins pour le commerce avec l'Orient, Venise détourne la quatrième croisade vers Constantinople, qui est mise à sac. La haine est réciproque entre Occidentaux et Byzantins. Bien que chrétiens, ceux-ci s'allient souvent aux musulmans, ne participent pas aux croisades et n'hésitent pas à s'attaquer aux marchands vénitiens établis à Constantinople pour confisquer leurs biens.

ÉDESSE

Conquise en 1097, sa chute en 1144 aux mains des musulmans provoque la deuxième croisade.

TRIPOLI

Conquise en 1109, elle devient capitale du comté du même nom. En 1289, elle tombe dans les mains du sultan Qalaoun.

CHYPRE

L'île conquise en 1191 par Richard Cœur de Lion, roi d'Angleterre, devient une escale régulière.

DAMIETTE

Cette ville égyptienne est conquise et perdue lors de la cinquième croisade, puis reconquise et reperdue par Saint Louis lors de la septième croisade.

CONSTANTINOPLE

Capitale de l'Empire byzantin, elle regorge de richesses et de saintes reliques qui fascinent les Occidentaux. Elle est mise à sac par les croisés en 1204: «affamés d'or comme tous les peuples barbares, ils se livrèrent à des excès inouïs de pillage et de désolation», raconte un historien byzantin.

MANSOURAH

C'est ici que l'armée de Saint Louis est anéantie en 1250, lors de la septième croisade. Le roi, fait prisonnier, sera libéré quatre ans plus tard contre une forte rançon.

ANTIOCHE

Prise en 1098 par le prince de Tarente, qui massacre la population, elle devient la capitale de la principauté d'Antioche. Elle est reconquise en 1268 par le sultan Baïbars.

PISE

Dès 1099, la ville de Pise arme 120 navires pour le transport des croisés, et des liaisons maritimes s'établissent entre les ports italiens et les ports conquis en Terre sainte.

●Constantinople

●Alep

●Édesse

●Antioche

●Chypre

●Tripoli

●Beyrouth

●Damas

Saint-Jean d'Acre

●Jérusalem

Mansourah ●   ●Damiette

SAINT-JEAN-D'ACRE

Prise par les croisés en 1104, elle devient le principal port du royaume de Jérusalem et un grand centre commercial. Sa conquête par le sultan d'Égypte en 1291 marque la fin des Croisades.

JÉRUSALEM

Avec le mur des Lamentations, le tombeau du Christ et la Coupole du Rocher, c'est une ville sainte pour les juifs, les musulmans et les chrétiens. Les croisés s'en emparent le 15 juillet 1099 et massacrent la population.

L'INFLUENCE ARABE

Le contact avec la culture arabe ouvre la voie
vers la Renaissance et les grandes découvertes.
La boussole, venue de Chine par l'intermédiaire
des Arabes, et les premières cartes marines
se répandent en Occident, mais aussi le savoir
de la Grèce antique conservé dans des traités
savants en Orient, et symbolisé par les figures
du copiste, de l'astronome et du mathématicien
de la miniature ci-dessous. Par ailleurs,
les Croisades renforcent chez les Européens
le goût des voyages, la curiosité d'aller voir
plus loin.

© Giraudon, Musée Condé, Chantilly

Les Joueurs d'échecs
« Libellus de moribus ». J. de Cessoles

L'ATTRAIT DE L'ORIENT

Venant de pays à peine sortis de la famine,
les croisés sont éblouis par la civilisation arabe :
tissus somptueux, fruits exotiques, jardins
où l'eau coule à volonté, bains et hôpitaux
dans chaque ville...
 Le sultan Saladin envoie ses médecins
aux Occidentaux, il a d'excellents contacts
avec Richard Cœur de Lion et l'empereur
Frédéric Barberousse.
 Parmi les activités qui réunissent ces hommes
de cultures différentes, le jeu d'échecs tient
une grande place.

© Hachette, Bibliothèque Nationale

J. M. Ruffieux

Prise de Saint-Jean-d'Acre
par le roi Richard d'Angleterre.
C'est au cours de la 3e croisade qu'il reçut
le surnom de Richard Cœur de Lion.

Les États chrétiens de Terre sainte

À la fin de la première croisade, les Occidentaux
se sont établis sur quatre territoires pris
aux musulmans : le royaume de Jérusalem, le comté
d'Édesse, la principauté d'Antioche et le comté
de Tripoli. L'essentiel des armées chrétiennes est
recruté sur place, entretenu grâce au système féodal
et à de lourds impôts. Les moines-soldats,
 Hospitaliers de Saint-Jean et Templiers surtout,
 sont particulièrement efficaces.

L'ARCHITECTURE DES CROISÉS

L'architecture militaire des croisés en Terre sainte
se caractérise par plusieurs ceintures de remparts,
un grand nombre d'archères, d'immenses salles
souterraines pour les réserves de munitions
et de vivres et un système d'approvisionnement
en eau, comme le fameux « grand berquil »
(bassin) du krak des Chevaliers.
On voit ici le château des croisés à Kerak
en Jordanie.

© Explorer / Géopress

Au palais d'un empereur mandchou

Véritable ville à l'intérieur de Pékin, capitale de la Chine impériale, la Cité interdite est un labyrinthe colossal où l'empereur et sa Cour vivent à l'écart du monde. Environ 9 000 personnes (dont 1 000 gardes) y résident, sans compter les fonctionnaires qui viennent au palais dans la journée pour travailler…

P. Cattaneo

LA CITÉ INTERDITE

Édifiée entre 1404 et 1424 sous le règne de l'empereur Yongle, la Cité fut saccagée lors de la chute de la dynastie des Ming, en 1644, et restaurée par la dynastie mandchoue, qui l'occupa jusqu'en 1924. Ce rectangle de 1 km de long sur 760 m de large, bordé de remparts en briques rouges hauts de 10 m, est isolé du reste de la ville par des douves de 50 m de large. Quatre portes y donnent accès ; le visiteur entre généralement par la porte du Midi.

Grands collectionneurs, les empereurs accumulent les calligraphies, les peintures, les porcelaines et les jades sculptés. À ces trésors s'ajoute une fabuleuse bibliothèque comptant près de 80 000 volumes.

J.-M. Poissenot

LE JARDIN IMPÉRIAL

Cette partie du palais comprend le très vaste jardin impérial, planté d'arbres centenaires et parsemé de petits kiosques servant au repos et à la prière. À l'un de ses angles se dresse une colline artificielle en rochers, la montagne de l'Excellence, que la famille impériale gravissait une fois par an, pour la fête religieuse du Double Neuf.

LES APPARTEMENTS PRIVÉS

La cour intérieure, partie véritablement privée de la Cité interdite, abrite une enfilade de palais, de communs et de jardins. Chaque palais a une fonction bien précise (le repos, l'étude, la calligraphie, les concerts…). Les bâtiments sont en bois et reposent sur une simple assise en maçonnerie. Leurs toits en « ailes d'oiseau » ont la forme d'une pyramide.

© Explorer / G. Boutin

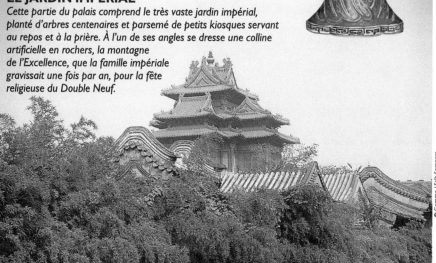

© Gamma / Erik Sampers

Seigneur des Dix Mille Années,

ou Seigneur éternel, voici les noms donnés par les eunuques à l'empereur, tandis que les dignitaires de la Cour parlent de « Celui qui est au-dessus ». Mais, pour s'adresser directement à lui, l'expression « Sa Majesté impériale » est utilisée.

LA SALLE DE L'HARMONIE SUPRÊME

La salle de l'Harmonie suprême (environ 1 500 m²) est utilisée pour célébrer les événements marquants :
intronisation et mariage de l'empereur, cérémonies du nouvel an lunaire, nomination des fonctionnaires importants et des généraux.

M. Welply

L'empereur en habit
de cérémonie.
Il porte un long collier
de perles de corail.

Trône en bois
de palissandre doré,
décoré de dragons,
emblème impérial.

Hauts dignitaires,
princes de sang,
chambellans.

Ces jésuites, reçus en audience, portent un costume de mandarin. Comme tous les visiteurs,
ils se prosternent en frappant le sol de leur front à chaque fois que l'empereur parle.
D'une grande curiosité intellectuelle, les empereurs mandchous accueillent les missionnaires,
appréciés pour leurs connaissances scientifiques.

Une triple terrasse de marbre blanc supporte
le pavillon abritant la salle de l'Harmonie suprême,
d'où l'on accède par la grande cour portant le même nom.

Les musiciens. Les roulements de tambours
indiquent les différentes phases du cérémonial.

carillons de pierre

cloches d'or

uéridons supportent
rûle-parfums
s vases à encens.

Le sol est recouvert de tapis jaunes,
la couleur de l'empereur.

Les mandarins, recrutés par concours,
sont les fonctionnaires de l'empire.

© Archives Larousse - Giraudon

LES DAMES DE COUR ●

Entrées très jeunes au service de la famille impériale, les dames du palais sont recrutées par concours. Elles s'occupent de tout ce qui concerne la parure des femmes de la Cour. Remarquées par l'empereur, certaines accèdent au statut envié de concubines. Photo du début du XXᵉ siècle.

LA COUR IMPÉRIALE

La Cité interdite abrite une foule de dignitaires et de serviteurs de tout rang, rompus aux règles du cérémonial le plus strict. Les eunuques, jeunes garçons vendus par leurs parents et castrés dès leur arrivée à la Cour, constituent une part importante de cette foule. ●

IMPÉRATRICE ET CONCUBINES ●

Entrée à 17 ans dans la Cité interdite comme concubine, Ci-Xi donne à l'empereur un fils, puis fait introniser un neveu de l'empereur, Guangxu, âgé de 4 ans. À partir de 1875 et pendant 48 ans, c'est elle qui va exercer le pouvoir, empêchant par son conservatisme toute évolution de l'empire.

Interdites de séjour dans les palais du devant, hormis le jour de leur mariage, les épouses de l'empereur résident dans les six palais de l'Est. Seule l'impératrice douairière, la mère de l'empereur, a sa propre résidence, le palais de la Tranquillité compatissante. C'est la principale épouse de l'empereur qui a la haute main sur toutes les affaires de la cour intérieure, nom par lequel sont désignés les appartements privés.

© J.-L. Charmet

© Giraudon

Grandes explorations (XIIIᵉ – XVIᵉ siècle)

Monstres cornus, dragons, serpents géants, tempêtes et gouffres... les récits réels se mêlant aux inventions et aux mythes, la mer a longtemps été décrite comme l'univers de tous les dangers. Il fallait donc un beau courage aux navigateurs des siècles passés pour se lancer à la découverte du monde sur des embarcations plus ou moins fiables.

Carte de Scandinavie par Olaus Magnus, 1572.

© J.L. Charmet / Institut Tessin, Paris

*Une baleine prend vite des proportions irréelles aux yeux d'un marin épuisé cramponné au bastingage d'un navire précaire en pleine tempête. On ne peut pas en vouloir au marin d'ajouter, au retour (s'il réussit à rentrer !), quelques cornes à sa description...
Ainsi naissent les monstres marins.*

Carte du monde connu (miniature, Italie, XVᵉ siècle. Géographie de Ptolémée).

© Giraudon, Bibliothèque Marciana

● *Établies grâce aux indications des marins commerçants, les premières cartes européennes faisaient souvent de la Méditerranée le centre du monde. Puis l'univers maritime connu s'élargit progressivement, mais il fallut bien sûr attendre la fin du XVᵉ siècle (il y a à peine 500 ans !) pour voir apparaître le continent américain sur une carte du monde.*

*Gravure de Cordier.
Tirée du Livre des Merveilles de Marco Polo.*

© AKG

● *Les premiers grands explorateurs européens du Moyen Âge voyageaient pour faire du commerce. Leurs navires aux flancs arrondis, sans grand changement depuis les embarcations phéniciennes, longeaient les côtes méditerranéennes et ne s'aventuraient que rarement au-delà du détroit de Gibraltar. Certains audacieux, comme les frères Vivaldi, Génois du XIIIᵉ siècle, commencèrent à explorer le nord des côtes africaines, à la recherche d'un passage vers l'Orient.*

❶ LES ÎLES CANARIES ➡
Ugolino et Vadino Vivaldi quittent le port de Gênes (Italie) en mai 1291 en direction de l'Inde et des légendaires «îles aux épices». Ayant franchi le détroit de Gibraltar, ils sont aperçus pour la dernière fois au large des îles Canaries.

❷ LES CÔTES ASIATIQUES ➡
L'amiral Cheng Ho, aux ordres de l'empereur de Chine, longe toutes les côtes de la Chine à Zanzibar (Afrique), au cours de sept voyages successifs d'environ deux ans chacun, entre 1405 et 1433.

❸ LE CAP VERT ┈➡
Le Vénitien Alvise Cadamoso explore, en 1455-1456, la côte nord-ouest de l'Afrique et la zone du Cap Vert. Comme les frères Vivaldi, il cherche en vain une route vers l'Inde.

❹ LA CÔTE EST DE L'AFRIQUE ➡
En 1487-1488, le Portugais Bartolomeu Dias est le premier à longer toute la côte ouest de l'Afrique. Il atteint la pointe sud, qu'il s'empresse de nommer cap des Tempêtes. Le roi du Portugal rebaptisera cap de Bonne-Espérance cette porte enfin ouverte sur l'Orient.

❺ VERS L'INDE PAR LA MER ROUGE ➡
Toujours en quête d'une route maritime des épices, le Portugais Pedro da Covilhâ traverse la Méditerranée et rejoint la mer Rouge. Il poursuit son voyage et atteint la côte indienne en 1487, avant de s'établir en Abyssinie (actuelle Éthiopie).

❻ L'AMÉRIQUE ➡
Un premier voyage, en 1492, fait découvrir au Génois Christophe Colomb un continent jusqu'alors inconnu des Européens : l'Amérique. Trois autres expéditions lui permettent d'explorer ce qu'il pense être la côte orientale de l'Inde.

❼ VERS L'INDE PAR L'AFRIQUE ➡
De 1497 à 1498, le Portugais Vasco de Gama parvient enfin à contourner entièrement l'Afrique et à rejoindre l'Inde. C'est l'aboutissement de deux siècles de tentatives avortées.

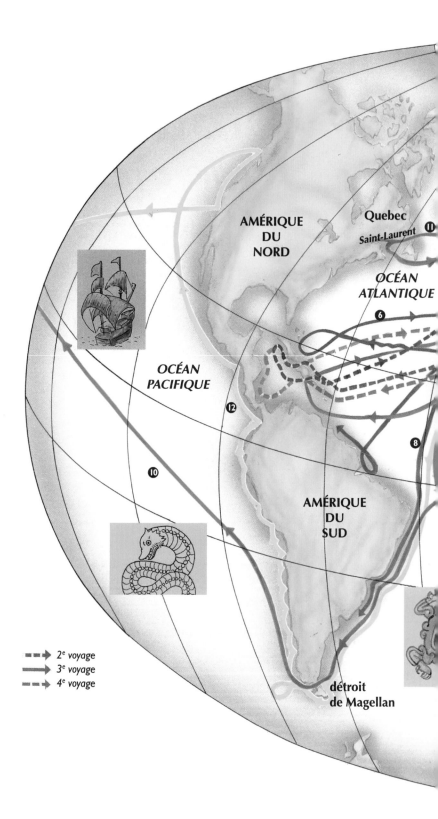

AMÉRIQUE DU NORD

Quebec
Saint-Laurent ⑪

OCÉAN ATLANTIQUE

❻

OCÉAN PACIFIQUE

⑫

⑩

AMÉRIQUE DU SUD

❽

┈➡ 2ᵉ voyage
➡ 3ᵉ voyage
┈➡ 4ᵉ voyage

détroit de Magellan

❽ VERS L'AMÉRIQUE DU SUD ➡
De 1499 à 1502, l'Italien Amerigo Vespucci longe l'Amérique du Sud, à laquelle il donne le nom de Nouveau Monde, persuadé, contrairement à Christophe Colomb, qu'il s'agit bien d'un continent encore inconnu.

❾ VERS LES ÎLES MOLUQUES ➡ ┈➡
Le conquistador portugais Alfonso de Albuquerque et le navigateur António de Abreu explorent la région de l'Indonésie de 1507 à 1511, ouvrant une importante route des épices : la seule route de la noix de muscade et des clous de girofle de l'époque.

❿ LE PREMIER TOUR DU MONDE ➡
C'est encore un navigateur portugais, Fernão de Magalhães, connu sous le nom de Magellan, qui permet à une expédition maritime de boucler le premier tour du monde, entre 1519 et 1521, prouvant ainsi que la Terre est bien ronde.

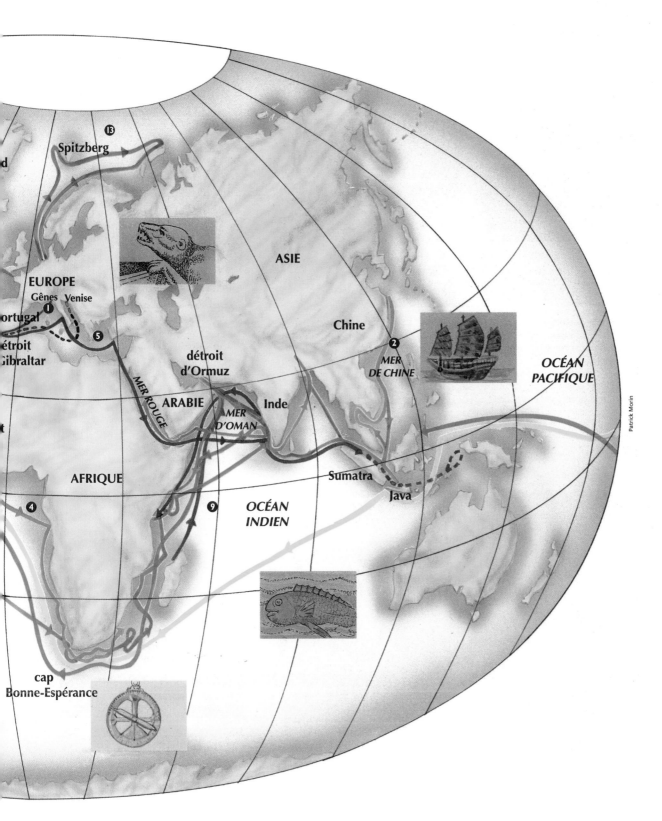

Spitzberg

EUROPE

Gênes Venise

Portugal

détroit
Gibraltar

MER ROUGE

ARABIE

détroit
d'Ormuz

ASIE

Chine

MER
DE CHINE

OCÉAN
PACIFIQUE

Inde

MER
D'OMAN

AFRIQUE

OCÉAN
INDIEN

Sumatra

Java

cap
Bonne-Espérance

Patrick Morin

⓫ LE CANADA ➡
ET LE SAINT-LAURENT

*Le Français Jacques Cartier cherche un passage
vers l'Orient par le nord de l'Amérique, le fameux
passage du nord-ouest qui a suscité
de nombreuses expéditions jusqu'à la découverte
du détroit de Béring.
Cartier rencontre le Canada sur son chemin
(1534) et remonte le fleuve Saint-Laurent (1535).*

⓬ LA CÔTE OUEST ➡
DE L'AMÉRIQUE

*Après avoir contourné l'Amérique du Sud,
le capitaine anglais Francis Drake cherche
un détroit pour rejoindre l'Atlantique
et rentrer en Europe.
Il remonte ainsi toute la côte ouest de l'Amérique
avant d'abandonner et de rentrer en bouclant
lui aussi un tour du monde (1577-1580).*

⓭ SPITZBERG ➡
ET NOUVELLE-ZEMBLE

*Aussi convoité que le passage du nord-ouest,
le passage du nord-est fait l'objet de nombreuses
expéditions. Entre 1594 et 1597, le Hollandais
Willem Barents atteint ainsi la Nouvelle-Zemble
et le Spitzberg. En 1596, les glaces de la banquise
écrasent son navire et il est contraint d'hiverner
dans une cabane de poutres récupérées
sur le bateau. En juin 1597, Barents meurt
sur le chemin du retour.*

LES GRANDES FIGURES DE L'EXPLORATION MARITIME (XIVᵉ - XVIᵉ SIÈCLE)

● CHENG HO (1371-1434)

L'amiral Cheng Ho voyageait pour nouer
des contacts commerciaux et explorer les terres
inconnues des Chinois de l'époque. Sa flotte
comportait plus de 300 jonques, dont certaines
cinq fois plus grosses que les caravelles
européennes. Ses sept voyages le conduisirent
le long des côtes asiatiques depuis l'embouchure
du Yangzéjiang (Chine) jusqu'à la mer Rouge
et à la côte nord-est de l'Afrique, en passant
par le golfe du Bengale et la mer d'Oman.
La mort de son commanditaire, l'empereur Cheng
Tsu, mit presque fin aux activités de l'infatigable
explorateur et, pour une longue période, aux
tentatives de contact de la Chine avec l'extérieur.

● VASCO DE GAMA (VERS 1469-1524)

Capitaine portugais, Vasco de Gama fut le premier
à réussir le voyage vers l'Inde par la mer.
Parti de Lisbonne avec seulement quatre navires
et 170 hommes, il atteignit d'abord Malindi,
sur la côte est de l'Afrique. De là, avec l'aide
de pilotes arabes, il rejoignit Calicut (Inde).
Les commerçants qu'il rencontra l'accueillirent
plutôt mal, craignant la concurrence européenne.
Deux nouveaux voyages le conduisirent cependant
du Portugal en Inde, en 1502 puis en 1524.

● FERNAND DE MAGELLAN (VERS 1480-1521)

C'est pour le compte du roi d'Espagne
Charles Quint que Ferdinand de Magellan,
navigateur portugais, entreprit une expédition
destinée à rejoindre l'Asie en contournant
l'Amérique du Sud. En 1519, il découvrit le détroit,
qui porte son nom, entre le continent
et la Terre de Feu et se lança sur l'océan Pacifique.
Un seul de ses navires rentra au Portugal en 1522,
après le premier tour du monde. Mais il était
commandé par Juan Sebastián del Cano :
Magellan, tué lors d'une escarmouche aux
Philippines, ne put achever lui-même son œuvre.

● CHRISTOPHE COLOMB (VERS 1451-1506)

Fils d'un tisserand génois, Christophe Colomb
devint très vite l'un des meilleurs marins
de son temps et un excellent géographe.
Il entra au service du roi du Portugal,
puis de la reine Isabelle d'Espagne.
Grâce à ce puissant soutien, il entreprit plusieurs
voyages vers l'Inde... en partant vers l'ouest.
Contrairement à la majorité de ses contemporains,
il était en effet persuadé que la Terre était ronde.
Son premier voyage, en 1492, lui fit découvrir
le continent américain dont il devint vice-roi.
Il finit pourtant sa vie en disgrâce,
sa dernière expédition s'étant soldée par un échec.

● AMERIGO VESPUCCI (1454-1512)

Originaire de Florence, Amerigo Vespucci effectua
plusieurs voyages dans le Nouveau Monde,
pour le compte de l'Espagne, puis du Portugal.
En 1499, il participa à l'expédition d'exploration
de l'embouchure de l'Amazone. En 1501 et 1502,
il longea la côte est de l'Amérique du Sud.
En 1507, le géographe Martin Waldseemüller
proposa de baptiser le Nouveau Continent
d'après le prénom de Vespucci.

● FRANCIS DRAKE (VERS 1540-1596)

Les Espagnols maudissaient l'excellent marin
anglais Francis Drake, qu'ils surnommaient
El Draco (le Dragon). Ce capitaine
de la reine Elizabeth Iʳᵉ s'était en effet spécialisé
dans les expéditions conquérantes contre
les colonies espagnoles des Caraïbes.
En 1577, il se lança dans un voyage d'exploration
qui lui fit contourner le cap Horn (Amérique
du Sud) et remonter la côte ouest de l'Amérique
jusqu'en Californie, qu'il annexa et baptisa
Nouvelle-Albion. Puis il repartit vers l'ouest
et termina un tour du monde.

Les navires à voiles (2)

Au XVᵉ siècle, de grands navigateurs européens s'élancent sur les mers : ils veulent trouver des passages maritimes rapides pour rejoindre les riches pays de l'Orient, les pays magiques de la soie, de l'or et des épices. Deux avancées spectaculaires leur facilitent ces expéditions audacieuses : les progrès de la cartographie, qui permettent d'obtenir des repères de plus en plus fiables, et l'invention de la caravelle, navire à voiles solide, maniable et rapide, utilisé à partir de 1441.

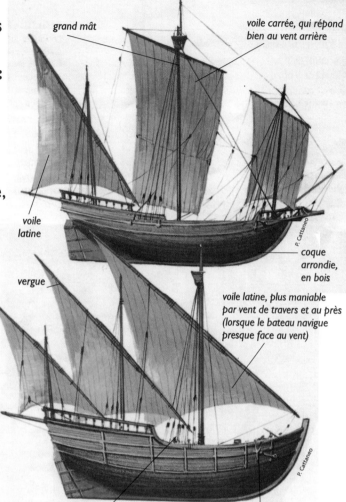

grand mât

voile carrée, qui répond bien au vent arrière

voile latine

coque arrondie, en bois

vergue

voile latine, plus maniable par vent de travers et au près (lorsque le bateau navigue presque face au vent)

cordages de chanvre

l'une des trois ancres

P. Cattaneo

La caravelle

À bord de ces trois caravelles, Christophe Colomb et son équipage s'embarquèrent le 3 août 1492, pour leur premier voyage.

LA PINTA
On ne connaît pas les dimensions exactes de la Pinta (entre 18 et 23 m de long sur environ 6 m de large). C'était un navire léger, maniable et rapide pour l'époque : 14 nœuds, soit environ 26 km/h. Elle était manœuvrée par un équipage de 25 hommes.

LA NIÑA
La Niña était une caravelle de 21,44 m de long sur 6,44 m de large. 20 hommes la manœuvraient. Les trois voiles latines qui l'équipaient à son départ furent remplacées au cours du voyage par des voiles carrées, plus résistantes aux grands vents de l'Atlantique.

LA SANTA MARÍA
La Santa María mesurait 23,60 m sur 7,92 m. Son équipage se composait de 39 hommes. Elle était armée de canons : des bombardes et des couleuvrines. Cette maquette se trouve au musée naval de Madrid.

MÂTS ET VOILES : DES ÉVOLUTIONS DÉCISIVES

● La voile triangulaire ou latine est réservée au mât d'artimon (à l'arrière) sur la plupart des navires des XVᵉ et XVIᵉ siècles.

● La voile carrée se généralise pour le grand mât ainsi que pour le mât de misaine (à l'avant) lorsque le navire en possède un.

● Les navires à quatre mâts n'apparaissent que dans le premier quart du XVᵉ siècle.

● Vers le milieu du XVIᵉ siècle, le grand mât se charge de trois voiles carrées placées les unes au-dessus des autres, ce qui facilite les manœuvres et permet de mieux régler la surface des voiles selon la force du vent.

© Artephot / Oronoz

Le galion

Très utilisé du XVIᵉ au XVIIIᵉ siècle par les Anglais et les Espagnols, ce trois-mâts était particulièrement adapté à la traversée de l'Atlantique. La partie inférieure de sa coque lestée de pierres lui donnait un bon équilibre. C'était avant tout un navire de guerre. En 1620, les premiers immigrants partis d'Angleterre vers les futurs États-Unis voyagèrent à bord d'un galion, le *Mayflower*, qui mesurait 19,50 m de long et 7,95 m de large.

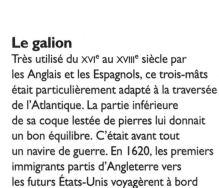

étai d'artimon

HAUBANS
Le souffle du vent gonflait les voiles. Celles-ci tiraient le mât vers l'avant. Les haubans de chanvre, eux, le retenaient en arrière. Les cordes perpendiculaires permettaient de monter dans la voilure pour effectuer les manœuvres (très acrobatiques pendant les tempêtes).

mât d'artimon

GAILLARD D'ARRIÈRE
Partie du pont supérieur située à l'arrière. Là se trouvaient la chambre des cartes et la cabine du commandant, un peu plus confortable que le reste du navire. Le commandant ou le second se tenaient le plus souvent sur le gaillard d'arrière, d'où ils envoyaient leurs ordres, à l'aide d'un porte-voix, à l'équipage et au timonier.

CABINE DU COMMANDANT
C'était aussi la chambre des cartes, placée à l'arrière pour que les cartes ne reçoivent pas trop d'eau.

timon
(barre de gouvernail)

gouvernail

CABINE DU TIMONIER
Le timonier ne pouvait rien voir : il appliquait à l'aveugle les ordres qu'il recevait du commandant ou du second. C'est lui qui donnait sa direction au navire, en actionnant le gouvernail.

CALES
Avec les cuisines, les cales occupaient le pont inférieur, c'est-à-dire la partie la plus basse de la coque. On y stockait les réserves de nourriture (très vite infestées par les rats et les vers), l'eau (rapidement croupie), les bagages des passagers, les voiles de rechange, les outils, les armes et les cordages.

LE MAYFLOWER

CABESTAN
Ce treuil vertical permettait d'enrouler les lourds cordages et de tendre (les marins disent « border ») les voiles immenses.

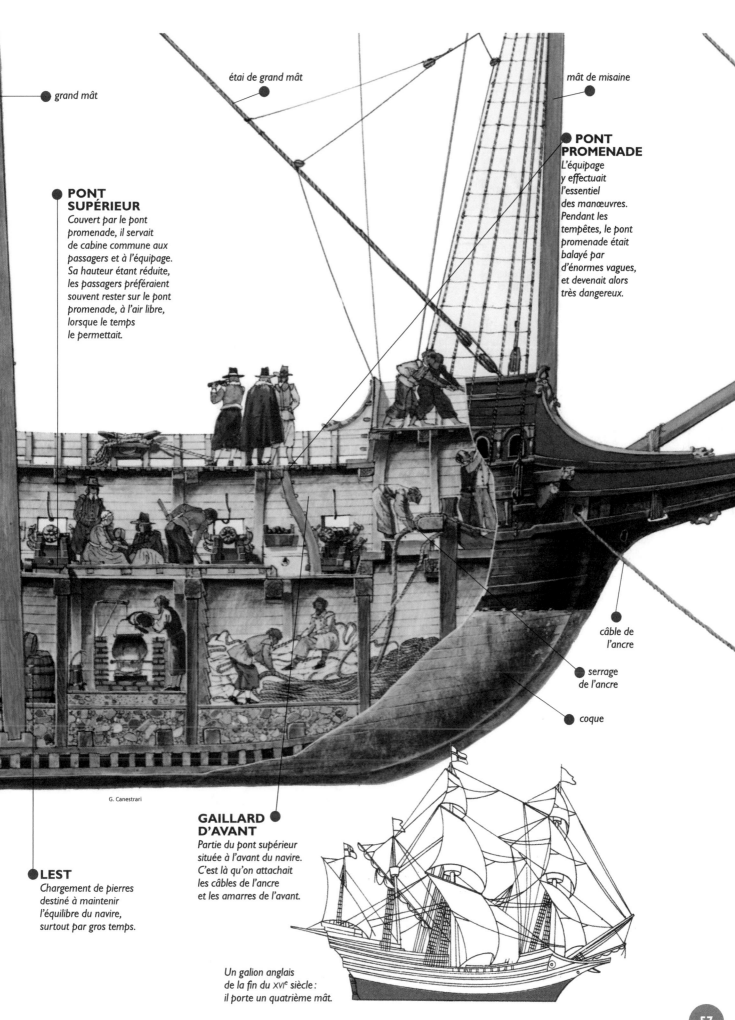

grand mât

étai de grand mât

mât de misaine

PONT PROMENADE
L'équipage y effectuait l'essentiel des manœuvres. Pendant les tempêtes, le pont promenade était balayé par d'énormes vagues, et devenait alors très dangereux.

PONT SUPÉRIEUR
Couvert par le pont promenade, il servait de cabine commune aux passagers et à l'équipage. Sa hauteur étant réduite, les passagers préféraient souvent rester sur le pont promenade, à l'air libre, lorsque le temps le permettait.

câble de l'ancre

serrage de l'ancre

coque

G. Canestrari

GAILLARD D'AVANT
Partie du pont supérieur située à l'avant du navire. C'est là qu'on attachait les câbles de l'ancre et les amarres de l'avant.

LEST
Chargement de pierres destiné à maintenir l'équilibre du navire, surtout par gros temps.

Un galion anglais de la fin du XVIᵉ siècle : il porte un quatrième mât.

57

UN NOUVEAU SYSTÈME DE MÂTS

Jusqu'au milieu du XVIe siècle, les mâts étaient faits d'un seul tenant. Très longs, soumis à de fortes tractions, ils cassaient parfois durant les tempêtes et ne pouvaient recevoir qu'un nombre limité de voiles.

De plus ils étaient encombrants et difficiles à coucher sur le pont pour des réparations. Vers 1570, l'invention des mâts en plusieurs tronçons révolutionna la marine : grâce à ce système on pouvait en effet augmenter considérablement la hauteur des mâts et donc le nombre et la surface des voiles.

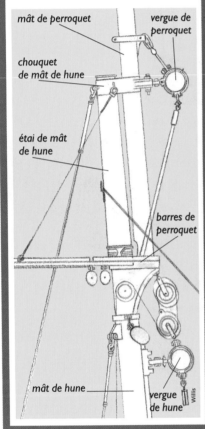

mât de perroquet

vergue de perroquet

chouquet de mât de hune

étai de mât de hune

barres de perroquet

mât de hune

vergue de hune

Willis

Les plus beaux voiliers du monde

Chaque année, au mois de juillet, Brest organise un rassemblement des plus beaux voiliers du monde. On peut admirer des navires anciens, amoureusement restaurés par des amateurs passionnés ou maintenus en parfait état de marche grâce aux subventions d'État.

LA GOÉLETTE

La goélette, inventée au XVIIIe siècle, était un navire à deux mâts dont le plus grand se trouvait à l'arrière et était surmonté d'un second tronçon, le mât de hune. Ce très élégant navire rapide et léger possédait deux grandes voiles en forme de trapèze, les voiles auriques.

Willis

LA FRÉGATE

La frégate était un navire de guerre du XVIIIe siècle. Les frégates sont facilement reconnaissables à leur poupe élevée (l'arrière), à leurs belles figures de proue sculptées (des sirènes, le plus souvent) et aux multiples sabords (ouvertures rectangulaires) de leurs flancs d'où pointaient les bouches des canons. C'est à bord d'une frégate, la Victory, que l'amiral Nelson vainquit la flotte de Napoléon à Trafalgar, en 1805.

Willis

LE CLIPPER

Ce fin navire du début du XIXe siècle se caractérisait par la forte inclinaison de ses deux mâts vers l'arrière. Spécialement conçu pour la vitesse, il pouvait atteindre 22 nœuds, (plus de 40 km/h). Il était destiné au transport des marchandises. Son grand mât se trouvait à l'arrière et il possédait deux voiles auriques, comme la goélette.

Willis

LE VAPEUR MIXTE

Les premiers bateaux à vapeurs étaient encore équipés de voiles, comme ce vapeur mixte de 1890 dont les mâts et les voiles sont semblables à ceux d'une goélette à hunier. Mais sa coque est en métal et ses câbles en acier.

Willis

LE QUATRE-MÂTS BARQUE

Au début du XXe siècle, on construisait d'immenses navires à quatre mâts, à la voilure semblable à celle des goélettes : les quatre-mâts barque. Celui-ci, le Herzogin Cecilie, fut construit en 1902 pour la formation des officiers de la marine marchande allemande. Il fit naufrage en 1936.

LES SIGNAUX DE FUMÉE ●

Pour communiquer entre eux sur de longues distances, les Indiens se servaient d'un ingénieux système de signaux de fumée. Un feu était allumé sur le sommet d'une colline, puis on agitait une couverture au-dessus par intervalles, afin de fragmenter la fumée selon un code connu par eux seuls. Plus tard, ils utilisèrent aussi le miroir, surnommé « le télégraphe de l'Homme rouge », qu'ils faisaient scintiller au soleil.

LE TOTEM ●

Différent selon les tribus, le totem est une sculpture figurant un animal considéré comme l'ancêtre et le protecteur de la tribu. Dans le nord-ouest du continent américain, les Tlingits avaient l'habitude de sculpter de magnifiques totems en forme de mâts, placés au centre du village.

TENUE D'UN CHEF INDIEN

● *Coiffe de guerre en plumes d'aigle royal.*

● *Tunique veste en peau tannée décorée de piquants de porc-épic et de franges en crins de cheval.*

● *Calumet : pipe à long tuyau fumée lors des réunions où se prennent des décisions importantes. Pour mettre fin à un conflit, le « calumet de la paix » est offert.*

● *Mocassin souple en cuir.*

Les Indiens d'Amérique du Nord

Décimés au cours de la conquête de l'Ouest au XIXe siècle, les Indiens ne se sont ensuite guère mélangés aux autres Américains du Nord. Fiers de leur civilisation, les descendants de ceux qui ont survécu vivent pour la plupart dans des réserves où ils s'efforcent de conserver leurs traditions et coutumes ancestrales.

● LA CHASSE AUX BISONS

Les Indiens des plaines chassaient le bison indispensable à leur existence. Au début, ils encerclaient les troupeaux, puis les effrayaient par des cris pour les entraîner vers un ravin où les bêtes s'écrasaient. Quand les Espagnols introduisirent le cheval sur le continent américain au XVIe siècle, les Indiens devinrent d'habiles cavaliers et chassèrent alors le bison sur leur monture, avec des lances et des flèches.

UNE RENCONTRE ENTRE DES INDIENS PUEBLOS
ET DES INDIENS DES PLAINES À L'OCCASION D'UN MARCHÉ

❶ Les Indiens des plaines sont nomades. Ils habitent dans des grandes tentes familiales : les tipis.

❷ L'ossature du tipi est constituée d'une douzaine de perches en bois de 6 m à 8 m dressées comme un trépied. Ce sont les femmes – les squaws – qui montent et démontent le tipi.

❸ L'ouverture du tipi est tournée vers le levant (l'est). La porte ouverte est un signe d'hospitalité.

❹ La toile du tipi est constituée de quinze à vingt peaux de bisons cousues entre elles, tendues et fixées par-dessus les perches.

❺ Au sommet, un trou permet à la fumée du feu qui se trouve au centre du tipi de s'échapper.

❻ Le chien est un des rares animaux domestiqués par les Indiens. Les Sioux, les Apaches et les Cheyennes au cours de cérémonies religieuses sacrifient des chiens, dont ils mangent la chair.

❼ Symbole de courage et de force, l'aigle est un animal sacré dont les plumes ornent la coiffure des guerriers. Il est souvent surnommé l'oiseau-tonnerre.

❽ En hiver, pour marcher plus facilement dans la neige, les Indiens utilisent des raquettes en bois.

9 Les Indiens Pueblos sont sédentaires. Ils vivent dans des villages (pueblos en espagnol, d'où leur nom) en pierre ou en boue séchée formant un ensemble compact.

10 En cas de danger, les échelles sont enlevées et le pueblo devient une forteresse imprenable.

11 Un champ cultivé de maïs ; maïs avec lequel sont confectionnées des galettes, base des repas.

12 Les Indiens Pueblos fabriquent dans des fours des poteries en argile richement décorées.

13 Les Indiens consomment une grande variété de légumes et fruits : melons, patates, citrouilles, gourdes, baies sauvages, artichauts...

14 Les Indiens aiment se parer de bijoux : bracelets, colliers, bagues... Les plus précieux sont en turquoise, pierre sacrée.

15 Sans cesse en déplacement, les Indiens des plaines se servent de traîneaux dits « travois » pour transporter leurs affaires.

16 Les hommes se consacrent à la chasse et à la guerre. Les squaws s'occupent de tous les travaux, même les plus pénibles. Ainsi, elles dépècent le bison abattu et tannent les peaux qui servent à la confection des vêtements.

M. Laverdet

Indien Sioux

Indien Renard

Sorcier pratiquant un rituel auprès d'un mourant (tribu Blackfoot),
par Catlin, 1832.

La peur du vide

Les Indiens de la tribu Mohawk ignorent le vertige. Aussi travaillent-ils souvent aujourd'hui dans la construction et l'entretien des gratte-ciel américains. Un peu comme les Savoyards en France, très souvent ramoneurs au XIXᵉ siècle.

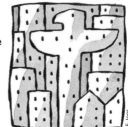

UN HOMME-MÉDECINE ●

Chaque tribu possède un sorcier appelé chaman ou homme-médecine. Pour extirper le « mauvais esprit » du corps du malade, il agite une crécelle et frappe sur un tambour. Garant des traditions, il fait également figure de chef religieux. Par la danse et le chant, l'homme-médecine entre dans un état de transe mystique, qui lui permet de communiquer dans un langage secret avec les esprits de l'au-delà, le « pays des chasses éternelles ».

LES INDIENS DES GLACES

On ne sait pas toujours que les Inuit qui vivent dans le Grand Nord sont des Indiens. Bien entendu, ils n'habitaient pas dans des huttes ou des tipis, mais dans des maisons en forme de dôme, construites avec des blocs de glace, les igloos. Aujourd'hui, ils vivent surtout dans des maisons de bois.

Indien Pawnie

Portraits d'Indiens. Détails d'aquarelles de Maurice Sand (fils de George Sand). Voyage au Canada, 1861.

Indien Creek

● GUERRIERS INDIENS

Les Indiens furent d'ardents guerriers qui maniaient avec dextérité le tomahawk, une hache de guerre redoutable, supplantée à la fin du XIXᵉ siècle par la carabine. Pour le combat, ils se peignaient le visage et le corps et ornaient leurs chevaux de peinture rouge, couleur sacrée du guerrier. Les ennemis vaincus étaient scalpés, c'est-à-dire que les Indiens leur arrachaient le sommet du cuir chevelu !

Indien Otto

Indien Chippaway

INDIEN DANSANT

La danse permet de se concilier les éléments de la nature et d'éloigner le mauvais sort. Il existait de multiples danses : la snake dance pour faire pleuvoir, la danse du maïs pour favoriser la pousse, la danse du scalp que le guerrier pratiquait autour de son ennemi avant de le scalper, la danse du bison avec un masque de bison sur la tête afin que la chasse se déroule bien...

Les campagnes de Napoléon

Austerlitz, Iéna, Eylau, Friedland : le nom de ces batailles évoque les exploits de la Grande Armée de l'empereur Napoléon Ier. Ses dix années de règne furent aussi dix années de guerre pour prouver que cette France nouvelle, issue des bouleversements révolutionnaires, était supérieure aux vieilles monarchies européennes.

© Lauros-Giraudon / Versailles

LA CONSCRIPTION

Depuis la loi Jourdan, votée en 1798, c'est le tirage au sort qui décide quels sont ceux qui serviront dans l'armée. Les séminaristes et les hommes mariés sont exemptés. S'ils sont déclarés bons pour le service, les plus riches peuvent « acheter » un remplaçant pour combattre à leur place ; certains de ces remplaçants se « vendront » plusieurs fois et resteront soldats pendant quinze ans !

© RMN / Arnaudet, J. Schor / Versailles

© Giraudon / P. Lorette

LES GROGNARDS

C'est ainsi que Napoléon avait surnommé affectueusement ses grenadiers car ils étaient toujours prêts à « grogner » malgré leur courage. Ces soldats d'élite étaient choisis parmi les hommes de haute taille qui étaient plus à même de lancer loin des grenades. Ils se montrèrent d'une fidélité exceptionnelle à l'empereur.

LES CAMPAGNES NAPOLÉONIENNES EN CHIFFRES

De 1800 à 1815, 1 150 000 hommes, dont de nombreux étrangers, ont été enrôlés dans l'armée ; pendant cette période, les combats ont causé 800 000 morts. Les guerres napoléoniennes, très coûteuses en hommes et en capitaux, expliquent le retard industriel de la France de l'époque par rapport à la Grande-Bretagne.

Lorsque les soldats sont en campagne, ils doivent parcourir 40 km à 50 km par jour, pour pouvoir surprendre l'ennemi. L'équipement et la solde du fantassin sont insuffisants et, bien souvent, il doit réquisitionner chez l'habitant ce que l'armée ne lui fournit pas.

LA SANTÉ DU SOLDAT

Grâce à Larrey, chirurgien des armées de l'empereur, qui organise des « ambulances volantes », les blessés sont soignés directement sur le champ de bataille. Toutes les fois qu'il y a une fracture grave, ou un risque de gangrène, les médecins pratiquent l'amputation.

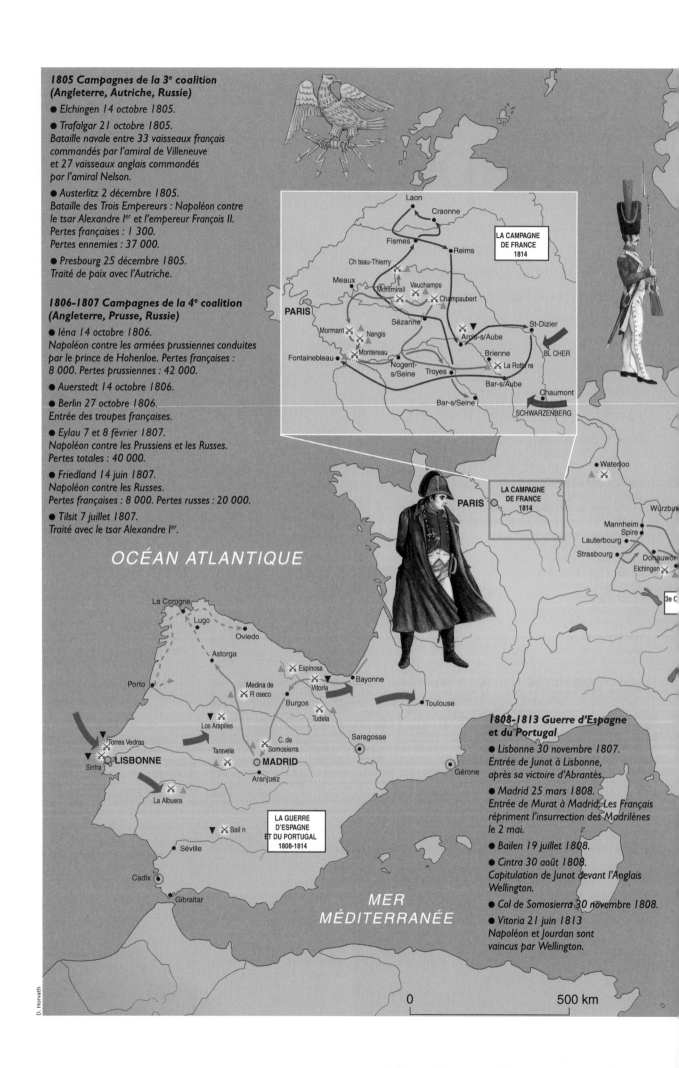

1805 Campagnes de la 3ᵉ coalition (Angleterre, Autriche, Russie)

● Elchingen 14 octobre 1805.

● Trafalgar 21 octobre 1805.
Bataille navale entre 33 vaisseaux français commandés par l'amiral de Villeneuve et 27 vaisseaux anglais commandés par l'amiral Nelson.

● Austerlitz 2 décembre 1805.
Bataille des Trois Empereurs : Napoléon contre le tsar Alexandre Iᵉʳ et l'empereur François II.
Pertes françaises : 1 300.
Pertes ennemies : 37 000.

● Presbourg 25 décembre 1805.
Traité de paix avec l'Autriche.

1806-1807 Campagnes de la 4ᵉ coalition (Angleterre, Prusse, Russie)

● Iéna 14 octobre 1806.
Napoléon contre les armées prussiennes conduites par le prince de Hohenloe. Pertes françaises : 8 000. Pertes prussiennes : 42 000.

● Auerstedt 14 octobre 1806.

● Berlin 27 octobre 1806.
Entrée des troupes françaises.

● Eylau 7 et 8 février 1807.
Napoléon contre les Prussiens et les Russes.
Pertes totales : 40 000.

● Friedland 14 juin 1807.
Napoléon contre les Russes.
Pertes françaises : 8 000. Pertes russes : 20 000.

● Tilsit 7 juillet 1807.
Traité avec le tsar Alexandre Iᵉʳ.

OCÉAN ATLANTIQUE

LA CAMPAGNE DE FRANCE 1814

Laon
Craonne
Fismes
Reims
Ch teau-Thierry
Meaux
Montmirail
Vauchamps
Champaubert
PARIS
Sézanne
St-Dizier
Mormant
Nangis
Arcis-s/Aube
Brienne
BL CHER
Fontainebleau
Montereau
La Roth re
Nogent-s/Seine
Troyes
Bar-s/Aube
Bar-s/Seine
Chaumont
SCHWARZENBERG

LA CAMPAGNE DE FRANCE 1814

Waterloo
Würzbu
Mannheim
Spire
Lauterbourg
Strasbourg
Donauwör
Elchingen
3e C

La Corogne
Lugo
Oviedo
Astorga
Porto
Medina de R oseco
Espinosa
Vitoria
Bayonne
Burgos
Toulouse
Los Arapiles
Tudela
Taravela
C. de Somosierra
Saragosse
Torres Vedras
LISBONNE
MADRID
Sintra
Aranjuez
Gérone
La Albuera
Bail n
Séville
Cadix
Gibraltar

LA GUERRE D'ESPAGNE ET DU PORTUGAL 1808-1814

MER MÉDITERRANÉE

1808-1813 Guerre d'Espagne et du Portugal

● Lisbonne 30 novembre 1807.
Entrée de Junot à Lisbonne, après sa victoire d'Abrantès.

● Madrid 25 mars 1808.
Entrée de Murat à Madrid. Les Français répriment l'insurrection des Madrilènes le 2 mai.

● Bailen 19 juillet 1808.

● Cintra 30 août 1808.
Capitulation de Junot devant l'Anglais Wellington.

● Col de Somosierra 30 novembre 1808.

● Vitoria 21 juin 1813
Napoléon et Jourdan sont vaincus par Wellington.

0   500 km

D. Horvath

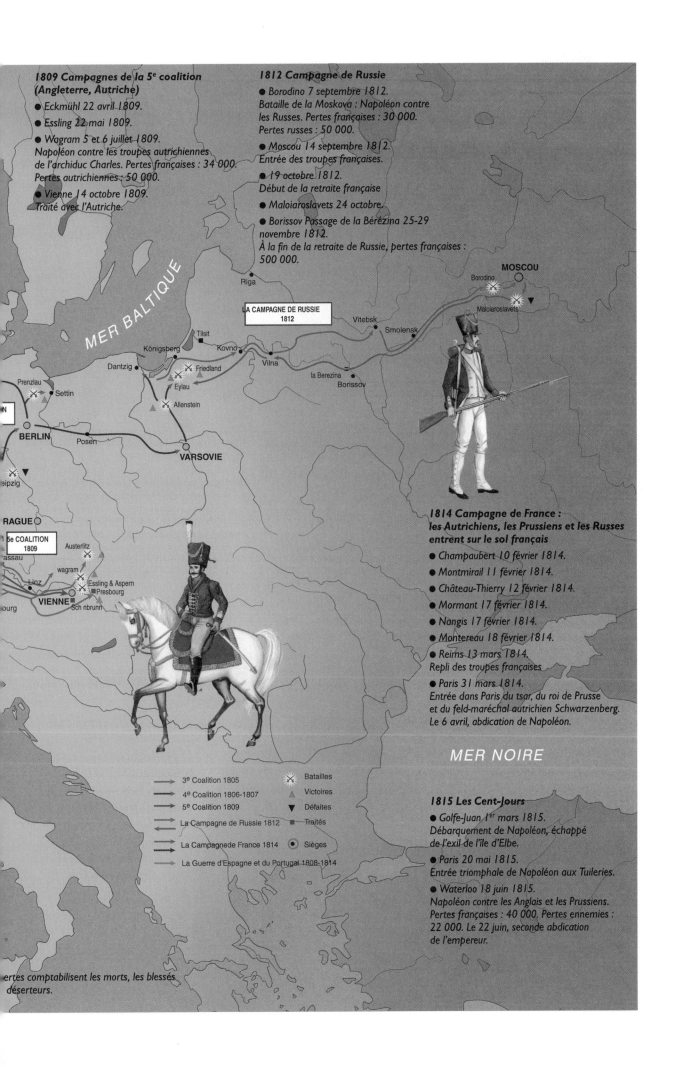

1809 Campagnes de la 5ᵉ coalition (Angleterre, Autriche)

● Eckmühl 22 avril 1809.

● Essling 22 mai 1809.

● Wagram 5 et 6 juillet 1809.
Napoléon contre les troupes autrichiennes de l'archiduc Charles. Pertes françaises : 34 000. Pertes autrichiennes : 50 000.

● Vienne 14 octobre 1809.
Traité avec l'Autriche.

1812 Campagne de Russie

● Borodino 7 septembre 1812.
Bataille de la Moskova : Napoléon contre les Russes. Pertes françaises : 30 000. Pertes russes : 50 000.

● Moscou 14 septembre 1812.
Entrée des troupes françaises.

● 19 octobre 1812.
Début de la retraite française

● Maloiaroslavets 24 octobre.

● Borissov Passage de la Bérézina 25-29 novembre 1812.
À la fin de la retraite de Russie, pertes françaises : 500 000.

MER BALTIQUE

MOSCOU

Borodino

Maloiaroslavets

Riga

LA CAMPAGNE DE RUSSIE
1812

Vitebsk

Smolensk

Tilsit

Königsberg   Kovno

Dantzig   Vilna

Friedland   la Berezina

Eylau   Borissov

Prenzlau

Settin

Allenstein

BERLIN   Posen

Leipzig

VARSOVIE

PRAGUE

5e COALITION
1809

Nassau

Austerlitz

wagram

Linz   Essling & Aspern

VIENNE   Presbourg

bourg   Sch nbrunn

**1814 Campagne de France :
les Autrichiens, les Prussiens et les Russes entrent sur le sol français**

● Champaubert 10 février 1814.

● Montmirail 11 février 1814.

● Château-Thierry 12 février 1814.

● Mormant 17 février 1814.

● Nangis 17 février 1814.

● Montereau 18 février 1814.

● Reims 13 mars 1814.
Repli des troupes françaises

● Paris 31 mars 1814.
Entrée dans Paris du tsar, du roi de Prusse et du feld-maréchal autrichien Schwarzenberg.
Le 6 avril, abdication de Napoléon.

MER NOIRE

1815 Les Cent-Jours

● Golfe-Juan 1ᵉʳ mars 1815.
Débarquement de Napoléon, échappé de l'exil de l'île d'Elbe.

● Paris 20 mai 1815.
Entrée triomphale de Napoléon aux Tuileries.

● Waterloo 18 juin 1815.
Napoléon contre les Anglais et les Prussiens. Pertes françaises : 40 000. Pertes ennemies : 22 000. Le 22 juin, seconde abdication de l'empereur.

	3ᵉ Coalition 1805		Batailles
	4ᵉ Coalition 1806-1807		Victoires
	5ᵉ Coalition 1809		Défaites
	La Campagne de Russie 1812		Traités
	La Campagnede France 1814		Sièges
	La Guerre d'Espagne et du Portugal 1808-1814		

...ertes comptabilisent les morts, les blessés
...déserteurs.

© RMN / Ojéda, Le Mage / Lille

ANDOCHE JUNOT
(1771-1813)

Sergent pendant la Révolution, surnommé « la Tempête », il devient l'un des meilleurs amis de Bonaparte. Envoyé au Portugal en 1807, il remporte la victoire d'Abrantès et prend Lisbonne, mais doit capituler devant Wellington à Sintra quelques mois plus tard.
Peu actif pendant la campagne de Russie, il affiche un comportement de plus en plus étrange et se suicide dans une crise de folie. ●

© RMN / G. Blot, J. Schor / Versailles

© RMN / G. Blot / Versailles

MICHEL NEY ●
(1769-1815)

Celui qui recevra le surnom de « brave des braves » est fils d'un tonnelier. Vainqueur à Elchingen et à Friedland, il reçoit le titre de duc d'Elchingen. Lors de la campagne de Russie, sa conduite héroïque lui vaut le titre de prince de la Moskova. En 1814, pourtant, il se rallie à Louis XVIII. L'année suivante, il rejoint l'empereur échappé de l'île d'Elbe et participe à la bataille de Waterloo. À la Restauration, il est condamné à mort pour trahison.

JOACHIM MURAT ●
(1767-1815)

Ce fils d'aubergiste s'engage dans l'armée pendant la Révolution. Très proche de Bonaparte, il épouse sa sœur Caroline. Vainqueur à Eylau, il combat ensuite en Espagne.
Devenu roi de Naples en 1808, il a des rapports tendus avec son beau-frère, mais participe à la campagne de Russie. En 1814, il trahit Napoléon pour garder son trône, abandonne son royaume lors des Cent-Jours et meurt fusillé en tentant de le reconquérir.
Dépensier et fastueux, il est resté célèbre pour son goût de l'uniforme.

LOUIS NICOLAS DAVOUT
(1770-1823)

Il participe aux guerres révolutionnaires avant d'accompagner Bonaparte en Égypte et en Italie. Il épouse la sœur du général Leclerc, beau-frère de Napoléon. Vainqueur à Auerstedt et Eckmühl, il participe à la campagne de Russie. Gouverneur de Hambourg, il la défend contre les Russes jusqu'en mai 1814. Ministre de la Guerre durant les Cent-Jours, il signe la capitulation de juillet 1815. Il rentre en grâce auprès des Bourbons en 1818. ●

© RMN / Arnaudet / Versailles

Un célèbre juron !

Le général Cambronne (1770-1842), fidèle parmi les fidèles de Napoléon, aurait adressé aux Anglais, à Waterloo, le plus fameux juron de la langue française – raconte Victor Hugo dans *Les Misérables* – qui depuis s'appelle pudiquement « mot de Cambronne ». Il commence par un M...

LES BOULEVARDS DES MARÉCHAUX

Napoléon créa en 1804 la dignité de maréchal d'Empire pour récompenser ses chefs militaires les plus valeureux, pour la plupart d'humble origine. Il la décerna vingt fois. Les boulevards extérieurs de Paris portent les noms de ces maréchaux. Seul Grouchy, considéré comme l'un des responsables de la défaite de Waterloo, fut privé de cet honneur.

La machine à vapeur et la locomotive

Cylindre où l'eau est remontée.

Marmite où l'eau chauffe et se transforme en vapeur.

En 200 av. J.-C., un savant grec, Héron d'Alexandrie, remarque la force d'expansion de la vapeur d'eau et construit la boule d'Éole, un globe rempli d'eau qui tourne tout seul, grâce à une chaudière placée en dessous. C'est la première machine à vapeur, considérée comme une amusante curiosité, qui tombe dans l'oubli pendant dix-neuf siècles...

L'eau du cylindre est chassée violemment vers le second cylindre par le piston.

Cylindre où entre la vapeur, poussant un piston à l'intérieur.

LA MACHINE À VAPEUR

Au XVIe siècle, avec le développement de l'exploitation des mines se fait ressentir le besoin d'une pompe puissante pour aspirer l'eau qui inonde les galeries. En 1680, l'ingénieur français Denis Papin met au point cette « **marmite** » pour élever l'eau. Construite en 1705, elle ne connaît pas d'application pratique mais ouvre la voie à la machine à vapeur qui commence la conquête de l'Europe à la fin du siècle.

J. M. Poissenot

balancier actionné par le piston

pompe

Piston poussé par la vapeur. Lorsqu'il est en haut du cylindre, on condense la vapeur, c'est-à-dire qu'on la retransforme en eau, par un jet d'eau. Un vide se crée et le piston redescend.

cylindre

citerne

Jusqu'au milieu du XIXe siècle, les machines à vapeur, très lourdes, sont conçues pour rester sur place et actionner des métiers à filer ou à tisser. Impossible de les poser sur des roues ! Pourtant avec l'accroissement de la production industrielle, un nouveau moyen de locomotion s'impose. L'Anglais George Stephenson (1781-1848) met au point avec son fils Robert la première locomotive à vapeur pour les mines de charbon. La fameuse **Rocket ou « fusée »** voit le jour en 1829 et peut tracter 100 t à 25 km/h.

cheminée

chaudière

cylindre

foyer

roues porteuses

wagonnet

Willis

chaudière

G. Alisi

L'ingénieur écossais James Watt (1736-1819) multiplie par quatre le rendement en divisant le cylindre en deux parties. L'une se remplit de vapeur, tandis que l'autre se vide. La même vapeur sert ainsi à faire baisser et remonter le piston, économisant beaucoup de temps et d'énergie.

© Lauros / Giraudon, Paris

L'Anglais Thomas Savery réalise en 1698 une première machine à vapeur capable de pomper l'eau, qu'il nomme « **l'amie du mineur** » ! En 1712, Thomas Newcomen la perfectionne. Mais ces machines consomment d'énormes quantités de charbon tout en dégageant moins de force qu'un cheval !

bielles

roues motrices

❶ CHEMINÉE
Deux conduits se rejoignent dans la cheminée :
celui de la boîte à feu et celui des pistons.
Les gros nuages de fumées sortent par saccades
accompagnées du fameux bruit : teuf-teuf-teuf.
.

❷ SURCHAUFFEUR
Le surchauffeur augmente la température
et la pression de la vapeur avant de la lâcher
dans les pistons.

❸ MOUVEMENT ALTERNATIF
La vapeur peut pousser quelque chose,
mais pas tirer. Pour obtenir le mouvement
d'aller-retour des pistons dans les cylindres,
des valves laissent entrer alternativement
la vapeur d'un côté puis de l'autre du cylindre.

M. Laverdet

④ CYLINDRES
La vapeur circule dans les cylindres en poussant les pistons qui actionnent les bielles et font avancer les roues.

⑤ BIELLE
Elle transmet le mouvement aux roues motrices.

⑥ FREIN
Les patins d'acier frottent directement la roue métallique. D'où le bruit strident et assourdissant au moment de l'arrêt... et la longue distance de freinage.

⑦ FAISCEAU TUBULAIRE
Après leur sortie du foyer, les gaz d'échappement circulent dans de très nombreux tubes métalliques en contact avec l'eau. Sous l'effet de la très forte chaleur, l'eau se transforme en vapeur

⑧ BOÎTE À FEU
Le cœur de la chaudière est le véritable foyer : on l'appelle la boîte à feu.

⑨ CHAUDIÈRE
Elle est renforcée par plusieurs couches d'acier qui résiste à de très fortes pressions.

⑩ POSTE DU CHAUFFEUR
C'est lui qui veille sur la chaudière et qui l'alimente régulièrement.

⑪ POSTE DU CONDUCTEUR
Il surveille la voie et dirige la machine. C'est le chef à bord !

⑫ FOURNAISE
Le charbon brûle sur des grilles : il est ainsi par dessous. Les cendres tombent dans un cendrier.

⑬ CENDRIER
Les cendres sont récupérées ici. C'est le chauffeur qui doit vider l'énorme cendrier lorsqu'il est plein.

LA PREMIÈRE AUTOMOBILE

L'ingénieur lorrain Joseph Cugnot (1725-1804)
invente en 1770 la première voiture automobile
à vapeur en réussissant à transformer
le mouvement rectiligne des pistons
en un mouvement circulaire continu.

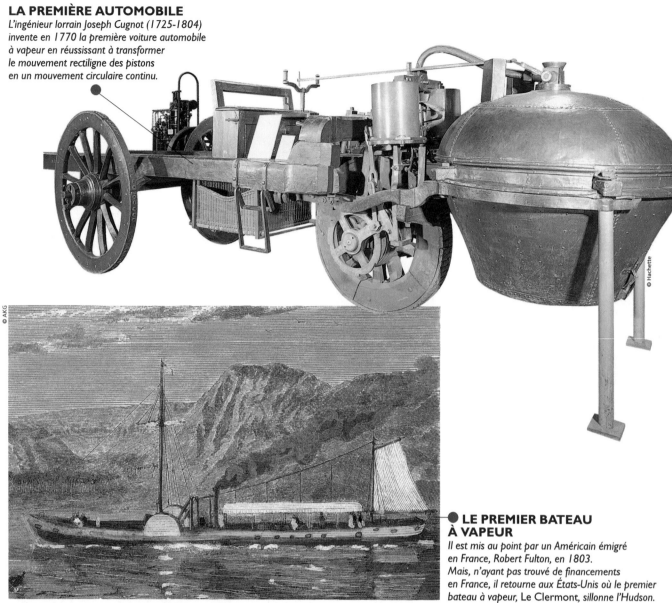

© Hachette

© AKG

LE PREMIER BATEAU À VAPEUR

Il est mis au point par un Américain émigré
en France, Robert Fulton, en 1803.
Mais, n'ayant pas trouvé de financements
en France, il retourne aux États-Unis où le premier
bateau à vapeur, Le Clermont, sillonne l'Hudson.

© Explorer / Desmarteau

LA PREMIÈRE MACHINE AGRICOLE À VAPEUR

Le projet de charrue motorisée nous vient
d'Angleterre et date de 1880.
Cette charrue dispose de quatre roues semblables
à celles d'une bicyclette et de plusieurs socs
en métal pour retourner la terre.

La tour Eiffel

En 1887, à Paris, s'ouvre le chantier d'une tour en fer destinée à culminer à 300 m : un exploit qui veut démontrer au public ce dont est capable la technique moderne. Cette tour doit, en effet, être le « clou » de la grande Exposition universelle de 1889, célébrant le centenaire de la Révolution. Certains la trouveront hideuse, d'autres magnifique. Aujourd'hui, Paris ne saurait vivre sans elle !

Les premières constructions métalliques

© Cosmos / Popperfoto

● IRON BRIDGE

(le pont de Fer, en anglais) est le premier pont métallique du monde. Édifié entre 1777 et 1781 pour enjamber la vallée de la Severn en Angleterre, il est le premier exemple d'utilisation du fer comme matériau de construction. Grâce à sa légèreté, sa souplesse et sa résistance, les architectes commencent à le préférer au bois et à la pierre.

© Lauros-Giraudon / Musée Carnavalet, Paris

● HALLES DE BALTARD

Au XIXᵉ siècle, la révolution industrielle fait naître au cœur des grandes villes de nombreux bâtiments utilitaires : gares, pavillons d'exposition, banques, entrepôts, grands magasins, marchés... Leurs charpentes apparentes en fer supportent d'imposantes verrières et créent de grands espaces où les foules peuvent circuler.

Les Halles de Paris construites à partir de 1851 par Victor Baltard et Félix Callet accueillent le gigantesque marché de ravitaillement de la capitale.

CRYSTAL PALACE ●

Les grandes villes du monde hébergent au XIXᵉ siècle des Expositions universelles. Pour les pays modernes, elles sont l'occasion de faire la démonstration de leurs avancées techniques et industrielles. Celle qui se tient à Londres en 1851 a lieu dans le Crystal Palace, une serre géante longue de 520 m et large de 125 m. Ce bâtiment, construit en huit mois dans Hyde Park avec des éléments préfabriqués, témoigne de la beauté architecturale du métal et de son mariage avec le verre.

Les Expositions suivantes chercheront à faire mieux encore en donnant le jour à des monuments toujours plus exceptionnels...

© Explorer / Mary Evans Picture

© Explorer / R. Le Bastard

● VIADUC DE GARABIT

Le viaduc de Garabit, qui surplombe dans le Massif central la rivière de la Truyère, fut achevée par Eiffel en 1884. Cette construction permet à l'ingénieur spécialisé dans l'architecture métallique de mettre au point ses techniques : fondations en béton, poutrelles métalliques préfabriquées en usine, montage des piliers en oblique et assemblage sans échafaudages. Ce sont les secrets de fabrication de la future tour.

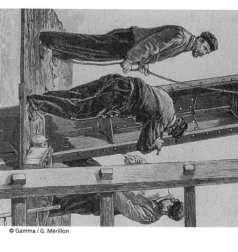

© Gamma / G. Mérillon

Des équipes de trois ouvriers posent chacune une centaine de rivets par jour. Chauffés à blanc par le «mousse» dans une petite forge, ils sont enfoncés dans le trou par le «teneur de tas», tandis que le «riveur» forme la tête du rivet de l'autre côté et que le «frappeur» écrase la tête à coups de masse.

Sur le Champ-de-Mars, les premiers coups de pioche sont donnés le 28 janvier 1887 pour creuser les fondations des quatre pieds de la tour. Du côté de l'École militaire, on atteint vite le sous-sol bien ferme. En revanche, du côté de la Seine, il faut creuser à 15 m de profondeur pour trouver une assise stable : à cet endroit, des caissons métalliques étanches sont remplis de béton.

À la base de chaque pilier, quatre sabots d'acier sont fichés dans quatre socles en maçonnerie. Ils doivent être capables de supporter chacun une pression de 875 tonnes, le poids de quelque 200 éléphants !

Au fur et à mesure que la tour monte, ses admirateurs sont plus nombreux. Chaque jour, des curieux se massent à ses pieds pour la regarder grandir.

Willis

Les poutrelles sont fixées comme un gigantesque jeu de Meccano par les 130 ouvriers acrobates appelés «ramoneurs». Pour assembler au total les 18 000 poutrelles à l'aide de 2,5 millions de rivets, ils travailleront 12 heures par jour au bord du vide, dans le vent et le froid. En dépit de ces dangers, aucun d'eux n'est jamais tombé.

À partir du 1er juillet 1887, la construction proprement dite commence. Chaque jour, les poutrelles métalliques de 5 m de long, prêtes à l'emploi, arrivent sur le chantier. Elles ont été fabriquées par les «gars du plancher» dans les ateliers d'Eiffel à Levallois-Perret.

Aventures et catastrophes
Ascension en courant, à cloche-pied, sur des échasses, par une éléphante... records et bizarreries en tout genre ont eu la tour Eiffel pour cadre depuis sa construction. Certaines aventures se sont malheureusement mal terminées, comme le vol de cet «homme-oiseau» du nom de Reichelt qui, croyant voler, s'élança du premier étage en février 1912 et s'écrasa au sol.

M. Laverdet

À 300 m de hauteur, une étroite plate-forme couronne l'ensemble, surmontée d'un paratonnerre. C'est là qu'est hissé le drapeau tricolore le jour de l'inauguration, le 15 avril 1889.

Deux arches en treillis supportent la lanterne d'un phare qui éclaire au-delà de l'horizon.

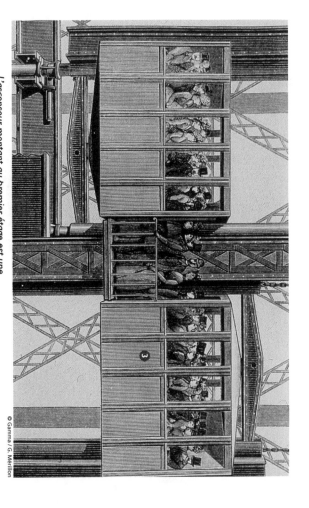

© Gamma / G. Mérillon

L'ascenseur montant au premier étage est une cabine à deux niveaux conçue par Roux-Combaluzier et Lepape, qui se déplace grâce à un système hydraulique. Il y a aussi un autre ascenseur pour aller plus haut. Ceux qui préfèrent les escaliers ont 360 marches à grimper par paliers jusqu'au premier étage, et 380 autres sur un escalier en colimaçon jusqu'au deuxième. Les 1 062 marches qui mènent de là jusqu'au sommet sont trop dangereuses pour être autorisées au public.

3 Les montants de la tour serviront de rails aux futurs ascenseurs. Trois systèmes d'ascenseurs sont installés, mus par des pistons hydrauliques : ceux qui desservent directement le deuxième étage, ceux qui relient le sol et le premier étage, ceux qui vont du deuxième étage jusqu'au sommet.

2 Pour construire les deuxième et troisième étages, on installe des grues démontables sur les montants de la tour. Les ouvriers travaillent sur des plates-formes en se servant d'une petite forge portative.

1 Fin mars 1888, les quatre piliers inclinés rencontrent les poutres horizontales du premier étage. Ils se joignent parfaitement sans qu'il y ait à donner un seul coup de lime ! Pour fêter l'événement, Gustave Eiffel offre un feu d'artifice. Les 47 personnalités qui ont signé une pétition en 1887 contre la tour, qu'elles considèrent comme « le déshonneur de Paris », se font moins bruyantes.

À 280 m de hauteur seront installés les laboratoires et le petit appartement de Gustave Eiffel. Par grande chaleur ou vent très fort, le sommet bouge légèrement et peut parfois se déplacer de 18 cm. Mais la vue est unique : par temps clair, le regard porte jusqu'à 60 km.

M. Laverdet

Drôles de records !

© Hao Qui / B. Pesle

- **1923** : un journaliste descend à vélo les marches du 1er étage au sol.

- **1925** : 200 000 ampoules font briller le nom de **Citroën** sur la tour, qui devient pour l'occasion la plus grande affiche de publicité du monde.

- **1948** : le plus vieil éléphant du cirque Bouglione, une femelle de 85 ans, monte au 1er étage par les escaliers.

- **1964** : des alpinistes grimpent par le pilier ouest jusqu'au sommet pour célébrer le 75e anniversaire de la tour.

- **1990** : un coureur à pied gravit l'escalier du sol au sommet en 8 minutes et 46 secondes.

LA TOUR EIFFEL, AUJOURD'HUI

Largement centenaire, le monument a reçu depuis 1889 plus de 160 millions de visiteurs. Depuis cette date, il est constamment entretenu et rénové. On le repeint tous les sept ans pour le protéger de la corrosion. Entre 1980 et 1985, des travaux ont permis de l'alléger de 1 343 tonnes (poids total : 10 100 t) et d'installer un nouvel éclairage. Désormais, 352 projecteurs au sodium l'éclairent de l'intérieur en diffusant une lumière douce et orangée.

© Gamma / G. Mérillon

L'ARCHITECTE ●

Le père de la tour Eiffel naît à Dijon en 1832, en pleine révolution industrielle. À l'âge de 32 ans, après des études d'ingénieur, il s'installe à son compte pour se spécialiser dans l'architecture métallique.

Ses nombreuses réalisations aux quatre coins du monde le rendent célèbre. Les ponts, les usines, les gares, la coupole de l'observatoire de Nice, la charpente intérieure du grand magasin Au Bon Marché à Paris (1852) lui valent le surnom de « magicien du fer ».
Après la construction de la tour, il se passionne jusqu'à l'âge de 91 ans pour l'aérodynamique, contribuant à l'essor de l'aviation.

UNE ANTENNE PRESTIGIEUSE

En 1909, comme le prévoit la concession accordée pour 20 ans, la tour est promise à la démolition. Mais la science la sauve et lui donne sa vraie vocation : en 1898 ont lieu sur la tour les premières expériences de radio, puis de télévision en 1925.
Aujourd'hui, grâce à sa grande antenne qui la fait culminer dans le ciel à 321 m, elle sert de relais aux programmes de chaînes de télévision et de radio de toute la région parisienne.

© Gamma / Planchenault / Figaro Mag.

Histoire de l'automobile

© J.-L. Charmet

AUTOMOBILISME ET CONCOURS D'ÉLÉGANCE

Pour les « pionniers », l'automobilisme est un style de vie, moderne et aventureux. Leur tenue étonne aujourd'hui par son inconfort : longs manteaux, bonnets et grosses lunettes contre les intempéries : le pare-brise n'apparaît qu'en 1903. Dans les années 30, au contraire, automobile et luxe sont associés : de véritables concours d'élégance sont organisés ; chaque voiture s'arrête devant le jury pour laisser descendre une femme vêtue avec goût.

LE CODE DE LA ROUTE ●

La «bretelle» de sécurité est inventée en 1903 par Gustave Désiré Liébau. Mais il faut attendre 1922 pour que le code de la route soit voté, accompagné de mesures assurant la sécurité des automobilistes et des piétons : panneaux de signalisation, contraventions, règlements de police, etc. Un vote qui s'est fait contre la volonté des automobilistes !

© J.-L. Charmet

L'automobile est le résultat des recherches acharnées de quelques passionnés. Au début, toutes les automobiles sont à vapeur, incommodes car il faut les ravitailler souvent en combustible. Puis apparaît le moteur électrique, trop lourd avec ses énormes batteries. Beaucoup plus pratique, le « moteur à pétrole », ou essence, va rapidement s'imposer. Avec l'essor de l'automobile apparaît un nouveau personnage : l'automobiliste.

À droite

F. Joos

C'est Napoléon qui impose la conduite à droite en Europe, en 1807, sans doute pour se distinguer des Anglais, avec lesquels la France est en guerre !

LES ROUTES

En France, le réseau routier contribue largement à l'essor de l'automobile (en 1789, le pavé du Roy, ancêtre des «nationales», couvrait déjà 25 000 km !). Il faut toutefois l'aménager et le développer. Aux États-Unis, les postes à essence sont déjà répandus quand en France le carburant se vend encore par bidon de 5 litres chez les droguistes. Mais le paysage se modifie peu à peu dans les villes comme dans les campagnes, et la première carte routière Michelin est éditée en 1910.

J.-M. Poissenot

LES SALONS DE L'AUTOMOBILE

En 1898 s'ouvre le premier Salon consacré à l'automobile. Ces Salons, où les constructeurs présentent leurs modèles, stimulent cette industrie naissante, et sont aussi un véritable événement de la vie parisienne.

© J.-L. Charmet

AUTOMOBILE-CLUB de FRANCE
EXPOSITION
INTERNATIONALE
D'AUTOMOBILES
au jardin des Taileries
Du 15 juin au 3 juillet

Prix d'Entrée:
Tous les Jours : 1f
Le Vendredi : 3f
Jour d'Ouverture
: Jours réservés : 5f

1898

1899. VOITURETTE «TYPE A» DE RENAULT

La conduite se fait toujours au moyen d'une barre.

Louis Renault met au point la boîte de vitesses à prise directe. Jusque-là, le changement de vitesse s'effectuait grâce à un système semblable à un dérailleur de bicyclette. Un système d'engrenages permet aux roues, en troisième, de tourner à la même vitesse que le moteur, évitant les frottements.

Le châssis, toujours inspiré des chars à bancs, est maintenant un cadre léger en acier.

Les roues à rayons métalliques sont équipées de pneumatiques. Ces derniers ont été inventés par l'Écossais John Boyd Dunlop en 1888.

Les freins sont maintenant à ruban, toujours sur les roues arrière.

1919. « TYPE A » CITROËN

L'allumage électrique, apparu dès 1900, facilite le démarrage. L'allumage se fait par magnéto ou dynamo : un aimant aide à transformer l'énergie mécanique en courant électrique.

Le pare-brise, avec rétroviseur extérieur, commence à se répandre.

Le volant circulaire, apparu en 1873, se généralise.

Apparition des phares électriques.

MICHELIN

Ce modèle est équipé d'une roue de secours à l'arrière.

Les roues à voile plein sont équipées de pneus gonflables, mis au point en 1895 par Michelin.

La carrosserie d'origine subsiste, avec un châssis plus perfectionné supportant une carrosserie séparée. C'est la première voiture française construite en grande série.

1934. TRACTION AVANT « MODÈLE 7 » CITROËN

Le moteur, l'embrayage et la boîte de vitesses sont fixés au plancher par de longs boulons. Ils sont démontables d'un seul coup : le travail dans les ateliers de réparation devient plus facile.

La ligne de la voiture s'abaisse : pour augmenter la vitesse, on cherche des formes aérodynamiques, c'est-à-dire qui pénètrent mieux dans l'air.

Willis

Les roues avant sont motrices, c'est pourquoi on parle de « traction avant » : la voiture tient mieux la route.

La caisse en acier remplace le châssis. Elle se compose d'un plancher et de la carrosserie d'une seule pièce, dite « autoporteuse ». Il faut attendre les années 60 pour que ce système se généralise.

Les freins hydrauliques agissent sur les quatre roues.

1994. LAGUNA RENAULT

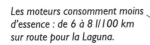

Un « système de retenue programmée » pour les ceintures de sécurité à l'avant est muni d'un petit explosif qui évite, en cas de choc, que la ceinture ne serre trop les passagers risquant de les blesser.

Les moteurs consomment moins d'essence : de 6 à 8 l/100 km sur route pour la Laguna.

Willis

Un sac gonflable (air-bag), inventé par la firme Daimler-Benz en 1981, protège le conducteur en cas de choc.

L'ABS (anti blocking system), mis au point par la firme Bosch en 1981, permet de garder le contrôle du véhicule en cas de freinage brusque.

La base roulante assure une bonne tenue de route. Elle est recyclable à plus de 90 % grâce aux pièces en plastique tel que le polypropylène.

1994. PROTOTYPE « TULIP PSA » PEUGEOT-CITROËN

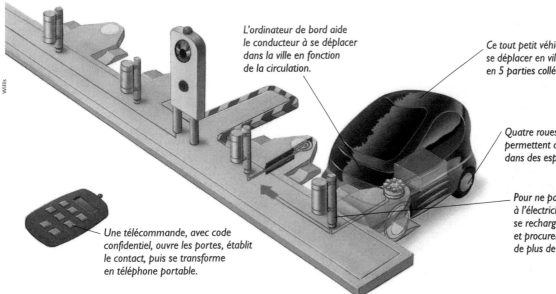

L'ordinateur de bord aide le conducteur à se déplacer dans la ville en fonction de la circulation.

Ce tout petit véhicule est fait pour se déplacer en ville. Sa coque, en 5 parties collées, est recyclable.

Willis

Quatre roues directrices permettent de se garer dans des espaces très serrés.

Une télécommande, avec code confidentiel, ouvre les portes, établit le contact, puis se transforme en téléphone portable.

Pour ne pas polluer, on revient à l'électricité. Les batteries se rechargent en 4 heures et procurent une autonomie de plus de 60 heures.

LES PREMIÈRES ÉPREUVES SUR CIRCUIT

En 1906, le constructeur de Dion, fondateur de l'Automobile-Club de France, organise le premier Grand Prix de France. Le parcours de 104 km autour du Mans deviendra plus tard le circuit du Mans. Les premières Vingt-Quatre Heures du Mans sont organisées en 1923 pour créer un banc d'essai de voitures de série «améliorées» : la durée de la course est fixée à 24 heures afin de pousser au maximum les mécaniques des véhicules et mettre au point leur système d'éclairage.

▶ 1 014, 508 km à l'heure !

c'est le record de vitesse sur un mile, avec départ lancé, établi par les Américains en 1970.

LES RALLYES

Le premier rallye, organisé à Monte-Carlo en 1911, s'inspire du règlement d'une course cycliste italienne. Épreuve de régularité et d'endurance, il se déroule sur des routes étroites, rendues difficiles par les conditions climatiques. Le rallye le plus long fut celui de Londres à Sydney : partis de Covent Garden le 14 août 1977, les concurrents arrivent à Sydney le 28 septembre après avoir parcouru 13 107 km !

Le Petit Parisien
Supplément Littéraire Illustré

LE GRAND PRIX DE L'AUTOMOBILE

© J.-L. Charmet

G. Detaille

© Gamma / R. Wollmann

Fangio, champion du monde de course automobile, dans les années 50.

- **1770**
Premier véhicule automobile : le « fardier à vapeur » du Français Cugnot.

- **1860**
Moteur à explosion à deux temps du Belge Lenoir.

- **1876**
Moteur à quatre temps de l'Allemand Otto.

- **1889**
Moteur à deux cylindres en V de l'Allemand Daimler.

- **1902**
Frein à disque de l'Anglais Lanchester.

- **1906**
«Miroir avertisseur pour automobile» ou rétroviseur du Français Faucher.

- **1909**
Pot catalytique du Français Frenkel. Moins polluant (il élimine le gaz carbonique émis par la combustion de l'essence), il se répand à partir de 1990.

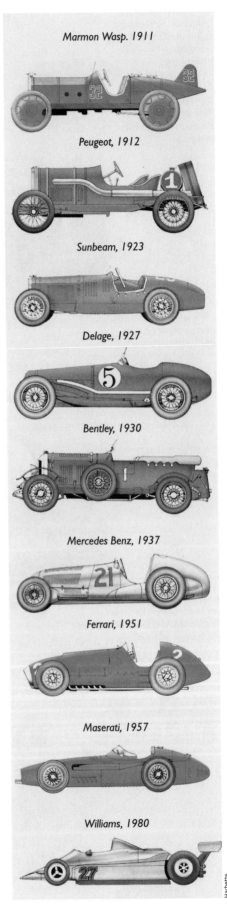

Marmon Wasp. 1911

Peugeot, 1912

Sunbeam, 1923

Delage, 1927

Bentley, 1930

Mercedes Benz, 1937

Ferrari, 1951

Maserati, 1957

Williams, 1980

Hachette

La vie dans les tranchées

**Verdun, la Somme,
le Chemin des Dames...**
autant de noms
de batailles interminables,
de gigantesques
boucheries humaines
qui évoquent la guerre
des tranchées, épreuve
physique et morale
terrible pour le soldat
de la « Grande Guerre »
de 1914-1918, surnommé
en France « le poilu »,
parce qu'il ne peut se raser.

© Archives Larousse-Giraudon

LA « ROULANTE »

C'est le surnom donné à la cuisine ambulante qui ravitaille les tranchées. Le « rata », de la viande (« barbaque », disent les soldats, tant elle est mauvaise) mélangée à de la soupe, arrive presque toujours froid dans les premières lignes des tranchées. Le seul réconfort est le vin, abondamment consommé par les hommes.

© Tardi / Dargaud

LA MORT AU QUOTIDIEN

*Paysage d'horreur et de désolation
après un combat. Les cadavres
à moitié ensevelis se décomposent*
*dans une odeur épouvantable
et attirent les rats. Morts, mutilations,
peur permanente, boue glacée
où l'on s'enlise, manque de sommeil,
soif et faim... certains en deviendront fous.*

© J.-L. Charmet / Bibliothèque des Arts décoratifs

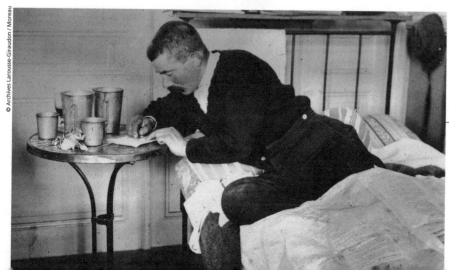

© Archives Larousse-Giraudon / Moreau

GARDER UN LIEN AVEC LE MONDE EXTÉRIEUR

*Lors d'une trêve ou d'un répit dans les combats,
le soldat écrit à ses proches.
Le moment de la distribution du courrier
est très attendu. Cette correspondance
permet aux combattants des tranchées
de conserver le moral.*

Un ingénieux système de périscopes permet d'observer les lignes ennemies tout en étant protégé des tirs.

La sonnette d'alarme, reliée au réseau de barbelés, signale par son tintement les tentatives de l'ennemi pour s'approcher des tranchées à la faveur de la nuit.

Des sacs de terre, dans lesquels les balles ennemies viennent se perdre, consolident le sommet des tranchées.

En prévision d'une attaque aux gaz, les soldats portent des masques en forme de groin. Mis au point par les Allemands et utilisés pour la première fois en 1915, les gaz asphyxiants provoquent des lésions irréparables aux poumons et rendent aveugles.

Le sac du poilu (20 à 30 kilos) contient une pelle, une couverture, une toile imperméable, une paire de bottes de rechange, une lampe à alcool, un morceau de savon, des boîtes de « singe » (du bœuf en conserve), des biscuits, du chocolat en tablette, du café en poudre et quelques effets personnels.

Des unités spécialisées
se chargent de creuser
et d'entretenir les tranchées.
Le sol est pavé ou recouvert
d'un caillebotis, c'est-à-dire
de lattes en bois, pour lutter
contre la boue. En effet, l'hiver,
avec la pluie, les soldats
s'enfoncent jusqu'aux genoux
dans la boue et s'épuisent
à remblayer les parois
qui s'effondrent. Beaucoup
meurent de froid.

Le « crapouillot », un petit mortier
qui peut tirer court et à la verticale,
est très efficace : il est baptisé
« l'enfant chéri » des tranchées.
Les soldats se servent aussi
du lance-flammes et des grenades.

Un abri, la « cagna »,
aménagé avec des
matériaux de récupération
permet aux soldats
de prendre un peu de
repos et de se réchauffer
autour d'un brasero rempli
de charbons ardents.

Des bandes molletières protègent
de la boue. Avec le manque d'hygiène,
les poux, surnommés les « totos »,
viennent s'y nicher, véritable fléau
pour les soldats.

LES BLESSURES

*Les soldats défigurés par les éclats d'obus
furent appelés « les gueules cassées ».
Ces terribles blessures causaient des lésions
irréparables et, mal soignées, provoquaient
la gangrène ou le tétanos.
Les invalides et les gueules cassées au défilé
de la victoire, le 14 juillet 1919,
par Galtier-Boissière (détail).*

UN ASSAUT EN 1916

*« Le talus de tous côtés s'est couvert d'hommes qui se mettent à dévaler en même temps que nous [...].
On voit, on sent passer près de sa tête les éclats avec leur cri de fer rouge dans l'eau [...]. Au hasard
j'ai vu, çà et là, des formes tournoyer, s'enlever et se coucher, éclairées d'un brusque reflet de l'au-delà. J'ai
entrevu des faces étranges qui poussaient des espèces de cris qu'on apercevait sans les entendre dans
l'anéantissement du vacarme [...]. "En avant !" crie un soldat quelconque. Alors tous reprennent en avant,
avec une hâte croissante, la course à l'abîme. »*
Henri Barbusse, Le Feu, prix Goncourt, 1916.

*Casque en acier de type « bourguignote »
adopté pour la première fois par l'armée
française. Le poilu l'utilise parfois
comme gamelle.*

*La profondeur
des tranchées
varie de 3 à 5 m.*

*Pour le corps à corps, le fantassin
utilise le fusil à baïonnette,
surnommé « Rosalie ».*

LES MUTINERIES DE 1917

Après la désastreuse offensive d'avril 1917,
lancée par le général Nivelle au Chemin des
Dames, des unités se mutinent, refusant de
monter au front dans de telles conditions.
Cette révolte ne résulte pas d'un complot
révolutionnaire, comme on l'a prétendu à
l'époque : elle n'est qu'une des manifestations de la crise morale, politique et sociale
qui touche alors les armées et les pays en
guerre, la Russie notamment. Les tribunaux
militaires prononcèrent 554 condamnations
à la peine de mort, dont 49 furent exécutées.

*Le général Pétain rend visite aux officiers
afin de remonter le moral des troupes.*

Arts

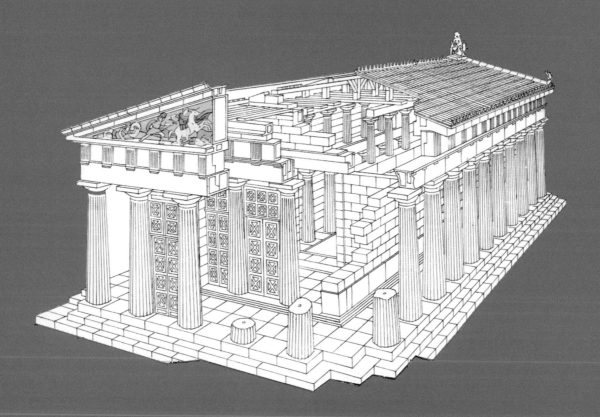

Un temple grec

Dans l'Antiquité, les Grecs construisent des temples pour leurs dieux et le prestige de leur cité. Certaines villes riches possèdent jusqu'à six temples principaux ! À Athènes, au Ve siècle av. J.-C., sur la colline sacrée de l'Acropole se dresse le plus célèbre d'entre eux : le Parthénon.

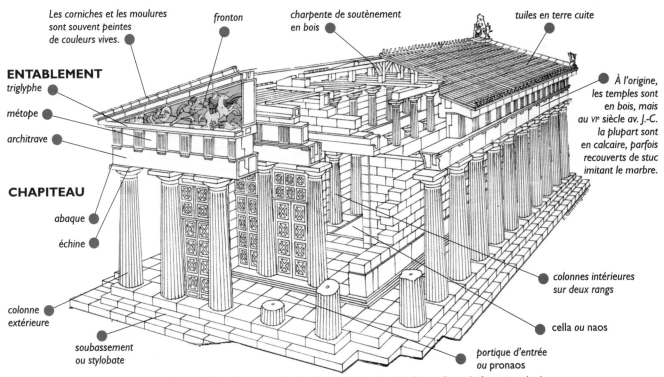

Les corniches et les moulures sont souvent peintes de couleurs vives.

fronton

charpente de soutènement en bois

tuiles en terre cuite

ENTABLEMENT

triglyphe

métope

architrave

À l'origine, les temples sont en bois, mais au VIe siècle av. J.-C. la plupart sont en calcaire, parfois recouverts de stuc imitant le marbre.

CHAPITEAU

abaque

échine

colonne extérieure

soubassement ou stylobate

colonnes intérieures sur deux rangs

cella ou naos

portique d'entrée ou pronaos

Un rectangle entouré de colonnes, avec la façade principale orientée à l'est : telle est la forme standard du temple grec. Seuls, les colonnes, les chapiteaux et l'entablement changent selon qu'ils appartiennent à l'un des trois ordres, ou styles, architecturaux grecs : dorique, ionique et corinthien.

LE STYLE DORIQUE

Colonne dorique du temple d'Aphaia à Égine.
Le style dorique se développe au cours du VIe siècle av. J.-C. à l'intérieur du pays et dans les colonies d'Italie du Sud et de Sicile.
Sobre et trapu, le fût de la colonne dorique s'affine au cours des VIe et Ve siècles av. J.-C.

LE STYLE IONIQUE

Colonne ionique de l'Artémision d'Éphèse.
Le style ionique naît en Grèce orientale et sur les côtes d'Asie Mineure (actuelle Turquie) au Ve siècle av. J.-C. Élancée et raffinée, plus élaborée que la colonne dorique, la colonne ionique est ornée d'un chapiteau à volutes et repose sur une base moulurée.

LE STYLE CORINTHIEN

Colonne corinthienne du temple rond ou tholos d'Épidaure. Attribué au bronzier Callimaque de Corinthe (Ve siècle av. J.-C.), l'ordre corinthien introduit dans le chapiteau deux rangées de feuilles stylisées d'acanthe, un chardon épineux. Le goût pour l'ordre corinthien ne se répand vraiment en Grèce qu'après la conquête romaine.

ACROPOLE D'ATHÈNES

PARTHÉNON
Temple dorique en marbre de 70 m
sur 30 environ, aux proportions parfaites,
il est consacré à la déesse Athéna, protectrice
d'Athènes. Richement décoré, il surplombe
tous les monuments.

STATUE D'ATHÉNA PROMACHOS
Statue colossale en bronze
d'Athéna Promachos
(« celle qui combat au premier
rang »), œuvre de Phidias, dont
le casque et la lance dorés,
scintillant au soleil, servaient
de repère aux navires.
Transportée à Constantinople,
elle fut détruite en 1204.

ÉRECHTHÉION
Ainsi nommé en l'honneur d'Érechthée,
roi légendaire d'Athènes, l'Érechthéion fut construit
par Philoclès en style ionique après la mort
de Phidias. Bâti sur deux niveaux, il présente
une forme inhabituelle.

Pour compenser l'illusion
d'optique créée par
la perspective, les colonnes
latérales s'inclinaient
légèrement vers l'extérieur.

MAISON DES ARRHÉPHORES
Elle était réservée aux jeunes filles
nobles qui, pendant quatre ans,
tissaient et brodaient l'immense
peplos offert à Athéna
lors des Panathénées.

Les célèbres caryatides
du portique sud
de l'Érechthéion remplaçaient
les colonnes traditionnelles.

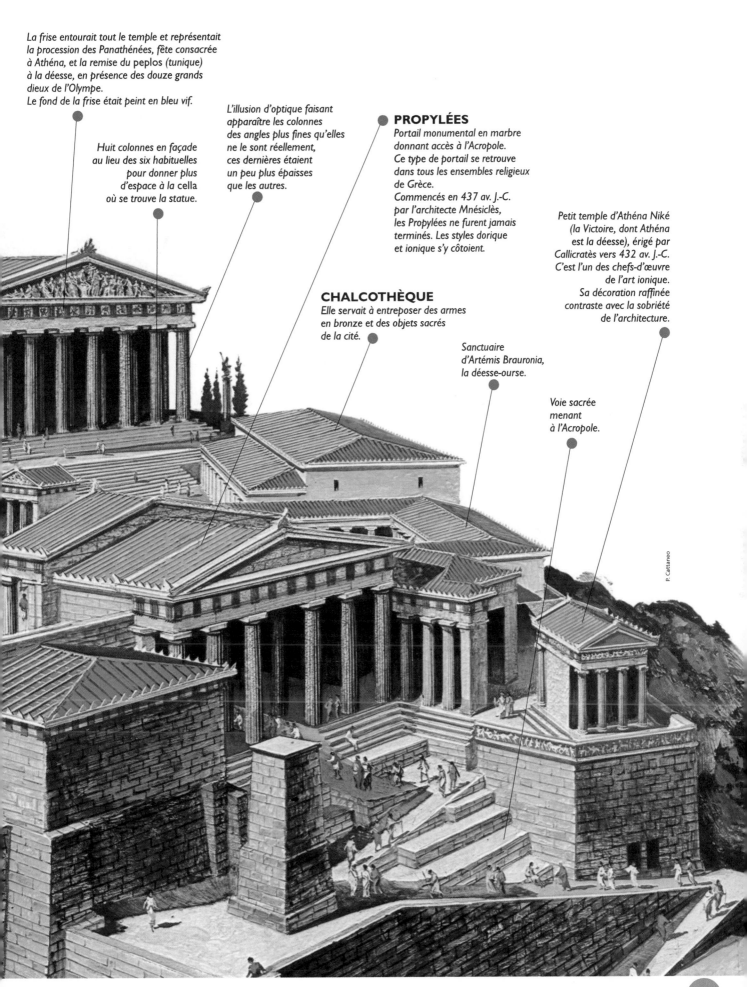

La frise entourait tout le temple et représentait
la procession des Panathénées, fête consacrée
à Athéna, et la remise du peplos (tunique)
à la déesse, en présence des douze grands
dieux de l'Olympe.
Le fond de la frise était peint en bleu vif.

Huit colonnes en façade
au lieu des six habituelles
pour donner plus
d'espace à la cella
où se trouve la statue.

L'illusion d'optique faisant
apparaître les colonnes
des angles plus fines qu'elles
ne le sont réellement,
ces dernières étaient
un peu plus épaisses
que les autres.

PROPYLÉES
Portail monumental en marbre
donnant accès à l'Acropole.
Ce type de portail se retrouve
dans tous les ensembles religieux
de Grèce.
Commencés en 437 av. J.-C.
par l'architecte Mnésiclès,
les Propylées ne furent jamais
terminés. Les styles dorique
et ionique s'y côtoient.

Petit temple d'Athéna Niké
(la Victoire, dont Athéna
est la déesse), érigé par
Callicratès vers 432 av. J.-C.
C'est l'un des chefs-d'œuvre
de l'art ionique.
Sa décoration raffinée
contraste avec la sobriété
de l'architecture.

CHALCOTHÈQUE
Elle servait à entreposer des armes
en bronze et des objets sacrés
de la cité.

Sanctuaire
d'Artémis Brauronia,
la déesse-ourse.

Voie sacrée
menant
à l'Acropole.

P. Cattaneo

La plupart des sculptures de l'Acropole se trouvent aujourd'hui à l'abri de la pollution atmosphérique qui détériore le marbre. Des six korês (jeunes filles vouées à la déesse) de l'Érechthéion, cinq ont été placées au musée de l'Acropole à Athènes. La sixième fut emportée à Londres.

Phidias avait imaginé pour le Parthénon une superbe statue chryséléphantine, c'est-à-dire en or et en ivoire, dont on voit ici une copie. Athéna Parthénos, haute de 12 m et aujourd'hui perdue, devait être taillée dans le marbre, ` mais le peuple grec la voulait d'un matériau plus noble encore ! Accusé à tort d'avoir volé de l'or devant servir pour la statue, Phidias partira à Olympie pour réaliser son célèbre Zeus.

PLAN DU PARTHÉNON

La cella ou naos accueillait la statue de la divinité. Le pronaos (vestibule) et l'opisthodome (à l'opposé du pronaos) sont séparés par une grille. L'édifice est entouré d'une double colonnade : c'est un temple péristyle.

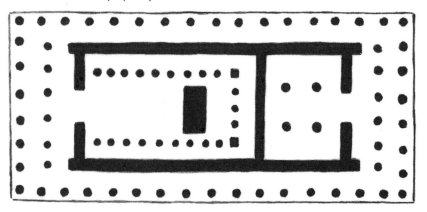

PÉRICLÈS ET L'ACROPOLE

Au Vᵉ siècle av. J.-C., Périclès, homme d'État athénien, entreprend un vaste projet de reconstruction de l'Acropole, centre religieux et culturel qui a été dévasté par les Perses. Les monuments de l'Acropole voient le jour grâce à de lourds impôts prélevés dans toutes les cités grecques, destinés au départ à poursuivre la guerre contre les Perses. Périclès fait appel au sculpteur Phidias pour diriger les travaux. Ce dernier s'entoure des meilleurs peintres, sculpteurs et architectes de Grèce. Parmi ces hommes de talent, citons les architectes Ictinos et Callicratès.

Buste de Périclès, réplique romaine de l'œuvre de Crésilas.

Les grands musées du monde

Il existe actuellement dans le monde plus de 40 000 musées.

Du squelette de dinosaure au sourire de *La Joconde*, en passant par la serrure, ils exposent tous les témoignages de la nature et de l'activité humaine. Les plus visités sont les musées d'art, où beauté et créativité circulent sans frontière.

METROPOLITAN MUSEUM OF ART

Le Metropolitan Museum of Art de New York (le Met), fondé en 1870, est un des plus importants musées des États-Unis. Consacré aux beaux-arts et à l'archéologie, il renferme des collections allant de l'Égypte ancienne aux écoles modernes européennes.

Les Cloîtres, annexe du musée, comportent plusieurs monuments médiévaux européens, démontés et reconstitués.

Musée de l'Ermitage (Saint-Pétersbourg)

MUSÉE DU PRADO

De style néoclassique, le musée du Prado à Madrid en Espagne, inauguré en 1819, doit son existence à la passion pour l'art des rois espagnols. Les collections royales forment en effet l'essentiel de ce musée, qui retrace l'histoire de toute la peinture espagnole.

Il abrite également une importante collection d'œuvres italiennes et néerlandaises.

Du palais au musée

Les musées étaient autrefois installés dans les résidences royales. C'est le cas du Louvre à Paris, de l'Ermitage à Saint-Pétersbourg en Russie, que l'on voit ci-dessus, ou du Prado à Madrid en Espagne. Au XIXᵉ siècle, on construit des bâtiments spécifiques pour conserver les œuvres d'art, qui imitent les grandes constructions du monde antique : le British Museum de Londres rappelle de toute évidence les Propylées d'Athènes.

BRITISH MUSEUM

Le British Museum de Londres, en Grande-Bretagne, créé en 1753, est un des plus riches du monde. Il renferme une prestigieuse collection archéologique égyptienne et mésopotamienne, ainsi que de nombreuses sculptures des civilisations grecque et romaine.

Les manuscrits enluminés de sa bibliothèque sont de véritables joyaux.

9

Munich : Alte Pinakothek
Musée allemand

Berlin : Pergamon
Museum
Dalhem
Museum

Ottawa :
National Gallery of Canada
Musée national de l'Homme

Montréal :
Museum of Fine Arts

2

Bâle :
Kunstmuseum

Amsterdam :
Rijksmuseum
Stedelijk Museum
Musée Van Gogh

3

Bruxelles :
Musées royaux des Beaux-Arts

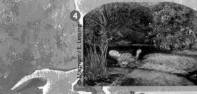
4

Londres :
British Museum
National Gallery
Tate Gallery
Science Museum

1

Boston :
Museum of Fine Arts

Poitiers :
Futuroscope

5

Barcelone :
Musée d'Art catalan

Milan :
Pinacothèque
de Brera

New York :
Museum of Modern Arts
Metropolitan Museum of Art

Washington : Musée national
d'histoire américaine

Chicago : Art Institute

6

Madrid :
Musée du Prado

Mexico : Musée national
d'Anthropologie et d'Histoire

7

Florence :
Galerie des Offices

Rome :
Musées du Vatican

Naples :
Musée national d'archéologie

Dakar :
Musée d'Art africain

Niamey :
Musée ethnographique

8

Rio de Janeiro :
Museu nacional
de Belas Artes

Paris :
Musée du Louvre
Musée d'Orsay
Musée national d'Art moderne (Centre Georges Pompidou)
Cité des Sciences et de l'Industrie
Musée de l'Homme
Palais de la Découverte

ne : Kunsthistorisches Museum

⑩

© Magnum / E. Lessing

⑪

© Giraudon / Bridgeman

Saint-Pétersbourg :
Musée de l'Ermitage
Musée d'Anthropologie
et d'Ethnologie

Moscou :
Musée Pouchkine

Kyoto :
Musée
national des
Beaux-Arts

Tokyo :
Musée national
des Beaux-Arts

⑫

© Explorer / Coll. J.B.

Shanghai :
Shanghai
Museum

Athènes :
Musée national
archéologique

New Delhi :
National Gallery
of Modern Art

Le Caire :
Musée d'Art égyptien

① Smoker number one, œuvre de Tom Wesselman, Pop'art, Museum of Modern Art, New-York.
② Autoportrait, Vincent Van Gogh, Rijksmuseum, Amsterdam.
③ La Tentation de saint Antoine, Dali, musée d'art Moderne, Bruxelles.
④ Ophelia, John Everett Millais, Tate Gallery, Londres.
⑤ Kinemax : Futuroscope de Poitiers.
⑥ Les Ménines, Vélasquez, musée du Prado, Madrid.
⑦ Vénus génitrix d'après Callimaque, Galerie des Offices, Florence.
⑧ La Joconde, Léonard de Vinci, musée du Louvre, Paris.
⑨ Rubens et sa deuxième femme au jardin, Alte Pinakothek, Munich.
⑩ Le peintre et son modèle Clio, Jan Vermeer van Delft, Kunsthistorisches Museum, Vienne.
⑪ Bacchanales, Clodion, musée de l'Ermitage, Saint-Pétersbourg.
⑫ Estampe japonaise, Outamard, musée national des Beaux-Arts, Tokyo.

Sydney :
Australian Museum

L'architecture contemporaine

Au XXᵉ siècle, on veut que le musée soit une œuvre architecturale et non seulement un lieu d'exposition, comme le montre le musée Guggenheim de New York, achevé en 1959. Cette longue rampe de béton en colimaçon de six étages permet une visite continue, mais impose un sens unique de circulation. L'espace inutilisé, à cause des murs courbes qui ne peuvent recevoir de tableaux, et le sol incliné, qui fatigue vite les visiteurs, ont souvent été critiqués. ■

LES TRÉSORS DU LOUVRE

Résidence royale, le Louvre devint musée en 1793. Les travaux du Grand Louvre, de 1983 à 1995, ont mis au jour les vestiges de la forteresse capétienne. La pyramide de l'architecte américain Pei éclaire depuis 1989 de nouveaux locaux souterrains; haute de 21 m, elle est constituée de 603 losanges et 70 triangles de verre. Le musée s'est également agrandi en 1993 avec le transfert du ministère des Finances dans le quartier de Bercy. Il abrite l'une des plus riches collections du monde.

LE MUSÉE D'ART CONTEMPORAIN LOUISIANA

Depuis les années 60, on cherche à installer les musées à l'extérieur des villes, voire dans les parcs naturels. Le but est de protéger les musées de la pollution atmosphérique, mais aussi de fournir au visiteur un cadre privilégié.

Ces musées, souvent dotés de vitrines, sont nombreux dans les pays scandinaves et anglo-saxons. Construit au milieu d'un bois, le musée d'art contemporain Louisiana près de Copenhague, au Danemark, en est un très bel exemple. ●

© Cosmos / Visum - D. Reinarzt

Le musée Guggenheim de New York

© Cosmos /Matrix / J. McNally

● LE MUSÉE D'ORSAY

Depuis une vingtaine d'années, de nombreux musées se sont installés dans un cadre ancien réaménagé. Ainsi, le musée d'art contemporain Reina Sofia à Madrid occupe un hôpital désaffecté. Menacée de démolition, la gare d'Orsay à Paris a été sauvée, et le musée abrite aujourd'hui des œuvres de la seconde moitié du XIXᵉ siècle.

© Cosmos / M. Beziat

© Explorer : F. Jalain

● LA FONDATION MAEGHT

Les musées en plein air mettent l'objet en contact direct avec le paysage : à l'intérêt pédagogique s'ajoute pour le visiteur le plaisir de la nature. La fondation Maeght, près de Saint-Paul-de-Vence dans les Alpes-Maritimes, est bâtie dans un site admirable, autour d'un patio.

Un parc expose des sculptures, des céramiques, des mobiles de Calder, et bien d'autres objets représentatifs de l'art contemporain.

L'art byzantin

Au VIᵉ siècle, Constantinople est surnommée « la Ville d'Or ».

Sur les rives du Bosphore, les toits de cinq cents églises et des principaux palais, couverts de feuilles de cuivre et parfois d'or et d'argent, étincellent au soleil. Au centre, une immense coupole les domine. Elle coiffe le plus bel édifice de tout l'Empire byzantin : la basilique Sainte-Sophie.

Le plan de Sainte-Sophie a la forme d'une croix grecque. Les quatre branches de dimension égale, 75 m chacune, s'inscrivent à l'intérieur d'un carré. L'espace central, à la croisée des branches, est surmonté d'une coupole symbolisant le ciel. Ce type de plan, inspiré de celui des baptistères romains, est la création la plus originale de l'architecture byzantine. À partir du XIᵉ siècle, presque toutes les églises byzantines l'adoptent, avec de multiples variations quant aux dimensions et au nombre de coupoles.

© Magnum / E. Lessing

Chapiteaux de la basilique Saint-Vital à Ravenne.

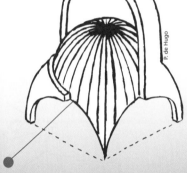

P. de Hugo

La coupole repose sur des pendentifs, des triangles aux formes arrondies situés entre les grands arcs sur lesquels elle s'appuie. Cette innovation permet de raccorder la coupole ronde au plan carré. Elle allège l'édifice et lui donne de l'élégance.

L'église byzantine

Au Vᵉ siècle, la puissance de Rome s'effondre. L'Empire romain d'Orient, dont la capitale est Byzance (plus tard appelée Constantinople, puis Istanbul), recueille l'héritage artistique de Rome. Il va le développer en un art original, très influencé par l'Orient et essentiellement religieux.

© Explorer - P. Le Floc'h

La basilique Sainte-Sophie à Istanbul, en Turquie.

La basilique Sainte-Sophie, dédiée par l'empereur Justinien à la Sagesse divine (Hagia Sophia en grec), fut bâtie de 532 à 537. Les architectes grecs Anthémios de Tralles et Isidore de Milet firent preuve d'un grand esprit novateur, combinant tradition romaine et architecture chrétienne naissante.

❶ Les murs épais sont renforcés par de puissants contreforts qui soutiennent la construction en brique d'argile, le seul matériau disponible sur place.

❷ Le rez-de-chaussée, aux grandes arcades soutenues par de fins piliers, supporte deux autres niveaux, en dehors de la coupole.

❸ Le deuxième niveau, qui reprend le motif des arcades, abrite les tribunes, réservées en général aux femmes.

❹ Au troisième niveau, quatre demi-coupoles entourent la coupole centrale.

❺ Quatre arcades soutenues par des piliers supportent la grande coupole de 33 m de diamètre, dimension à peine inférieure à celle du Panthéon, temple romain qui sert de modèle aux architectes.
Détruite par un tremblement de terre, elle est reconstruite et redécorée en 562.

6 Les 40 fenêtres, qui éclairent la coupole, alternent avec un nombre égal de nervures.

7 Le sommet culmine à 55 m du sol, avec la figure du Christ Pantocrator (Tout-puissant).

8 Les demi-coupoles, comme la coupole, sont ornées de fresques et surtout de mosaïques à fond d'or représentant des motifs végétaux, géométriques ou des scènes de la Bible et des Évangiles.

9 Contrastant avec l'aspect massif et nu de l'extérieur, le décor intérieur est somptueux : marbres polychromes, porphyre, jaspe, albâtre et autres roches précieuses venant de tout l'Empire.

10 Après la prise de Constantinople par les Turcs en 1453, la basilique devient mosquée : quatre minarets sont ajoutés ; les mosaïques sont recouvertes d'un épais badigeon, la représentation de visages humains étant interdite par l'islam. En 1932, elle est transformée en musée. Depuis, certaines mosaïques ont été restaurées.

L. M. Boschini

Mosaïques et icônes

Mosaïques ou peintures,
sculptures d'ivoire ou orfèvrerie,
soies tissées de fil d'or et d'argent...
partout se manifeste le même raffinement.
Juchés sur des échafaudages, les mosaïstes
enduisaient la surface à décorer
d'une couche de ciment, sur laquelle
ils esquissaient le motif à grands traits.
Avec beaucoup de patience,
ils assemblaient les tesselles, minuscules
cubes de pierre, de marbre ou de pâte
de verre, aux couleurs vives ou nuancées.

● **MOSAÏQUE**

Beaucoup de mosaïques étaient dorées à la feuille, notamment sur les surfaces courbes, pour obtenir des reflets chatoyants et de subtils jeux de lumière.

L'église Saint-Front à Périgueux, construite en 1120, s'inspire des églises byzantines.

IVOIRE ●

Un relief en ivoire du VIᵉ siècle, probablement romain, connu sous le nom d'Ariane.

Le modèle byzantin

À partir du IXᵉ siècle, sous l'impulsion
de moines byzantins, les peuples slaves
se convertissent au christianisme.
En Europe centrale et en Russie,
on construit des églises en forme de croix
grecque. Leurs coupoles ont la forme
de bulbes à la pointe effilée évoquant
les casques des guerriers. Leurs couleurs
vives sont symboliques : le doré évoque
l'éternité, le bleu le ciel et la Vierge, le vert
l'espoir. À l'intérieur, les murs sont décorés
d'icônes. En Sicile, Sainte-Sophie sert
de modèle à de nombreuses églises.
La cité de Venise fait venir des ouvriers
byzantins pour édifier, entre 1063 et 1085,
la basilique Saint-Marc, surmontée
de cinq coupoles et décorée de mosaïques
sur fond d'or.

● **ICÔNE**

Le Christ, Roi des Rois, icône grecque, probablement du VIIᵉ siècle, conservée à Saint-Jean-de-la-Porte-Latine (Rome). Les icônes, création originale de l'art byzantin, sont des images sacrées peintes sur un support mobile, une tablette de bois par exemple.

Art roman, art gothique

Il y a presque autant de styles que d'églises romanes ou gothiques. Souvent un édifice conserve des parties préromanes (IXe, Xe siècles), des parties romanes (X^e, XIIe siècles) et des parties gothiques (XIIe, XVIe siècles) : tantôt un mur, tantôt un chœur ou un bras de transept, tantôt des bas-côtés ou un porche.

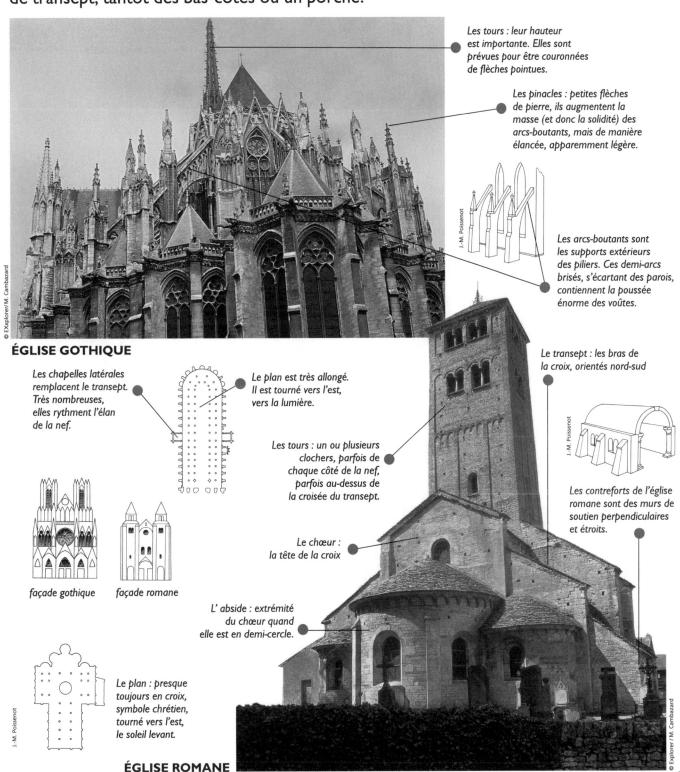

Les tours : leur hauteur est importante. Elles sont prévues pour être couronnées de flèches pointues.

Les pinacles : petites flèches de pierre, ils augmentent la masse (et donc la solidité) des arcs-boutants, mais de manière élancée, apparemment légère.

Les arcs-boutants sont les supports extérieurs des piliers. Ces demi-arcs brisés, s'écartant des parois, contiennent la poussée énorme des voûtes.

© Explorer/M. Cambazard

J.-M. Poissenot

ÉGLISE GOTHIQUE

Les chapelles latérales remplacent le transept. Très nombreuses, elles rythment l'élan de la nef.

Le plan est très allongé. Il est tourné vers l'est, vers la lumière.

Le transept : les bras de la croix, orientés nord-sud

Les tours : un ou plusieurs clochers, parfois de chaque côté de la nef, parfois au-dessus de la croisée du transept.

J.-M. Poissenot

Les contreforts de l'église romane sont des murs de soutien perpendiculaires et étroits.

façade gothique   façade romane

Le chœur : la tête de la croix

L' abside : extrémité du chœur quand elle est en demi-cercle.

Le plan : presque toujours en croix, symbole chrétien, tourné vers l'est, le soleil levant.

J.-M. Poissenot

ÉGLISE ROMANE

© Explorer / M. Cambazard

À l'intérieur de l'église gothique, le principe général est basé sur la croisée d'ogives, reposant sur des piliers.

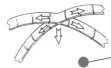

Plus encore que pour l'arc en plein cintre roman, le rôle de la clé de voûte de l'édifice gothique est essentiel dans l'équilibre des poussées.

La voûte : le plafond est une succession de nervures croisées plus ou moins nombreuses continuant les piliers.

nervures

LA CROISÉE D'OGIVES

Deux ou plusieurs arcs brisés se rejoignent en se croisant. Au sommet, une clé de voûte maintient tout ce bel équilibre.

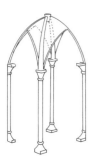

L'arc brisé de l'église gothique : résultat de la voûte croisée, il permet une hauteur plus importante et des poussées plus verticales.

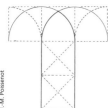

L'ÉGLISE GOTHIQUE

Les vitraux : gigantesques verrières colorées, leurs motifs figuratifs, inspirés de thèmes très variés, sont moins importants que leur structure. Leurs couleurs, filtrant la lumière du jour, expriment la richesse merveilleuse de la lumière divine parvenant aux humains.

À l'intérieur
de l'église romane,
le principe général
est basé sur
l'articulation entre
une arche en
demi-cercle et
des supports épais,
verticaux.

La voûte : plafond
de l'église, en
demi-cercle.
Faite en pierre,
elle est pesante.
Ici, plusieurs petites
voûtes parallèles
s'enchaînent.

Le chapiteau :
cette grosse pierre
sculptée assure
une meilleure
portée aux
colonnes. Transition
essentielle entre
le pilier vertical
et l'arc.

pile

L'arc en plein
cintre : en demi-
cercle, il repose
sur des murs ou
des piles de section
carrée ou circulaire.

La clé de voûte :
pièce maîtresse
de la voûte, par
son poids et sa
forme en trapèze,
elle ferme l'arc,
empêchant
les autres pierres
de glisser.

L'ÉGLISE ROMANE

Les ouvertures : elles sont constituées par les baies,
fenêtres et porches. Elles ne peuvent pas être trop
vastes pour ne pas affaiblir les murs. Elles ont
la plupart du temps un sommet en demi-cercle.

© Explorer

J.-M. Poissenot

L'art religieux

La sculpture et la peinture ont, dans l'art roman, une fonction d'enseignement religieux, d'embellissement d'un lieu sacré et de célébration de la création. Dans l'art gothique, elles ont une fonction moins pédagogique, plus merveilleuse.

Les murs de soutien ne sont plus nécessaires dans l'art gothique. Ils font place aux fenêtres. Les fresques sont donc tout naturellement remplacées par des vitraux.

LA SCULPTURE

Le tympan roman : surface en demi-cercle, incluse aux porches, sculptée de bas-reliefs. Les motifs sont des thèmes essentiels comme, par exemple, le Jugement dernier, donnant aux fidèles la dimension sacrée du lieu.

La statuaire en ronde-bosse (sculpture détachée du mur) est très importante sur les façades romanes et s'adapte aux nervures.

Les chapiteaux romans : emplacements symboliques faisant le lien entre les colonnes (le monde des hommes) et les voûtes et les arcs (le monde divin), ils sont presque toujours ornés de scènes religieuses, de motifs végétaux ou de monstres mythiques.

LA PEINTURE

Les grands murs épais et peu ouverts des églises romanes appelaient les grandes décorations peintes : thèmes religieux issus de la Bible, des Évangiles, des vies exemplaires. En France, beaucoup ont disparu, abîmées par le temps.

Les tableaux remplacent également les fresques sur les murs étroits des églises gothiques ou sur les autels. Ici, une Adoration des Mages, de Braunfelds, peinture sur bois, XVe siècle.

L'ART ROMAN

L'architecture romane (Xe-XIIe siècles) prend ses sources dans le style architectural de la fin de l'Empire romain. Au sortir de l'an mille, la société occidentale se dégage peu à peu de la féodalité et crée un langage architectural : le style dit « roman ». Après la période troublée des grandes invasions, l'Église catholique essaie de reconquérir une influence sur les populations dispersées et très divisées : en cas de besoin, l'église romane aux murs pleins et massifs est capable d'abriter et de protéger les populations. Ces édifices sont construits pour glorifier la puissance divine.

L'ART GOTHIQUE

L'église gothique (XIIe- XVIe siècles) rompt avec l'aspect fonctionnel des églises romanes. Les progrès architecturaux rendent possible l'édification d'ouvrages tout en verticalité, comme inspirés par une foi vive et triomphante.

La croisée d'ogives remplace l'arc en plein cintre et permet une meilleure répartition des poids en allégeant les piliers. Arcs-boutants et contreforts renforcent le dispositif à l'extérieur.

À partir du XIIIe siècle, le style s'affine et le gothique rayonnant laisse la place au gothique « flamboyant », dont le nom vient de ses décorations en forme de flammes.

Le catholicisme s'impose dans toute l'Europe comme religion incontournable. Architectes et bâtisseurs défient la pesanteur et le temps (un chantier durait souvent plus de cent ans).

Violon, guitare, piano

Pour s'adonner à leur art, pianistes, violonistes, guitaristes choisissent avec le plus grand soin leur instrument, qu'ils chérissent et gardent parfois toute une vie. Car certains sont d'une telle perfection qu'on peut les comparer à des œuvres d'art.

découpe du bois et mise en forme de la caisse de résonance

© Gamma / M. Deville

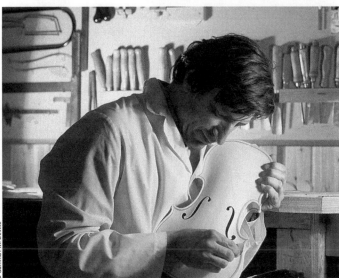

collage et ponçage de la table d'harmonie

© Gamma / M. Deville

Le luthier vérifie le placement du manche.

© Gamma / M. Deville

vernissage

© Gamma / Novosti

LA FABRICATION D'UN VIOLON

La lutherie est un artisanat d'art très méticuleux. Pour fabriquer ou réparer un instrument, le luthier attache de l'importance à tous ses éléments : même la composition du vernis compte.

GUITARE CLASSIQUE

La guitare classique se caractérise, comme le violon, par une caisse de résonance étranglée au milieu.

CORDES

Les six cordes représentent, de gauche à droite, de la plus grave à la plus aiguë, les notes mi, la, ré, sol, si et, à nouveau, mi. Les trois premières sont en soie, filées de métal, les trois dernières en boyau ou en nylon. Grâce au sillet, elles sont légèrement surélevées et ne frôlent pas la touche.

CHEVILLES D'ACCORD

Les cordes s'enroulent autour des chevilles d'accord et sont fixées sur le chevalet. Grâce à un mécanisme nommé « vis sans fin », on peut tourner les chevilles et régler ainsi la tension de la corde pour que la guitare soit bien accordée.

TOUCHE

La touche est fixée sur le manche. Elle est séparée en dix-neuf cases délimitées par des tiges de métal, les frettes. Chacune de ces cases correspond à des intervalles d'un demi-ton. Les repères, de petits points en nacre, désignent certaines notes.

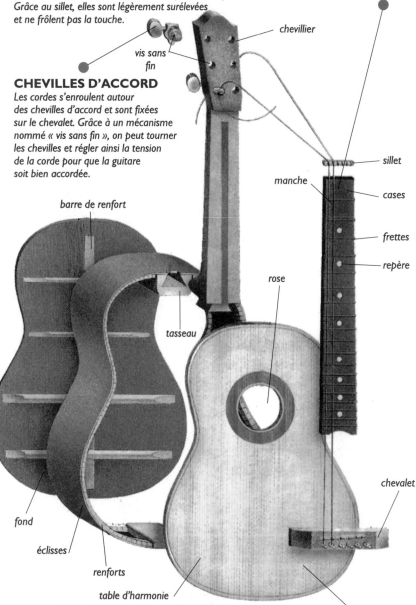

vis sans fin
chevillier
barre de renfort
tasseau
manche
sillet
cases
frettes
repère
rose
fond
éclisses
renforts
table d'harmonie
chevalet

V. Faggian

TABLE D'HARMONIE

C'est elle qui est en contact intime avec la vibration des notes. Elle est percée d'un trou, la rose, au-dessus de laquelle joue l'instrumentiste. Elle est rattachée au fond par des éclisses munies de renforts pour résister à la pression. L'ensemble, creux, forme la caisse de résonance.

L'instrumentiste pince la corde avec les doigts ou la fait vibrer avec l'ongle ou la pulpe des doigts. Il peut aussi utiliser un petit objet nommé « plectre » ou « médiator ».

PIANO

Le « grand queue de concert » est le plus gr[and] des pianos et mesure de 2,50 m à 2,75 m de long. Le pianiste dispose d'un clavier de 85 à 88 touches en sapin, allant du très grave au suraigu.

étouffoirs
clavier
chevilles
lyre

PÉDALES

Trois pédales reliées au sommier par la lyre permettent de moduler le son. La pédale douce le diminue ou l'adoucit ; la sourdine le rend plus sourd ; la pédale forte augmente la durée de résonance des notes en relevant tous les étouffoirs d'un seul coup.

pédale douce
sourdine

❶ CHEVALET

Il transmet la vibration de la corde à tout l'instrument. Il est placé au centre de la table d'harmonie. De part et d'autre se trouvent les ouïes, creusées dans le bois de sapin vern[i]. Ce sont là les trois pièces maîtresses qui déterminent la qualité sonore du violon.

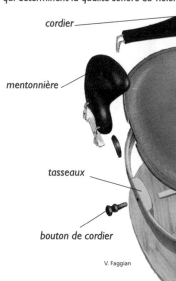

cordier
mentonnière
tasseaux
bouton de cordier

V. Faggian

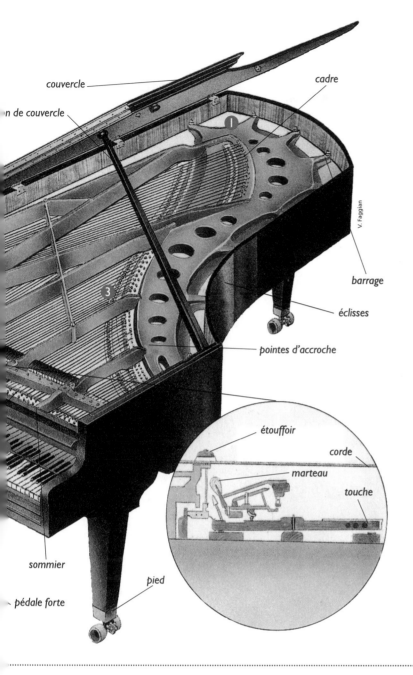

couvercle

cadre

n de couvercle

①

V. Faggian

barrage

③

éclisses

pointes d'accroche

étouffoir

corde

marteau

touche

sommier

pied

pédale forte

*Lorsque le pianiste appuie sur la touche,
un marteau recouvert d'un feutre se soulève
et vient frapper la corde correspondante.*

① TABLE D'HARMONIE

*Faite en bois d'épicéa, elle est en quelque sorte
l'âme du piano. Elle repose sur le barrage,
un ensemble de gros barreaux disposés au milieu
d'un châssis. L'ossature est notamment consolidée
par le cadre, une énorme pièce de fonte
dont la forme suit la caisse du piano.*

② TOUCHES

*Quand le pianiste enfonce une touche, il actionne
un petit marteau qui va frapper la corde.
À ce moment-là, l'étouffoir, une pièce de feutre,
se soulève. Dès que la touche est lâchée,
l'étouffoir redescend et stoppe net la résonance
de la corde.*

③ CORDES

*Elles sont fixées par les pointes d'accroche
et maintenues en place par un système
de chevilles reposant sur le sommier.
Chaque note correspond, dans l'aigu,
à trois cordes frappées en même temps,
dans le médium, à deux cordes et,
dans le grave, à une seule.
Souvent, on allie deux matériaux pour augmenter
l'épaisseur de la corde : la corde grave est ainsi
constituée d'un fil d'acier sur lequel s'enroule un fil
de cuivre. Les cordes les plus fines donnent
des sons aigus et les plus épaisses des sons graves.*

VIOLON

lon est composé de soixante-dix pièces qui sont l'objet d'un choix minutieux.
ines sont en érable, d'autres en buis, d'autres encore en sapin ou en palissandre.
urs d'entre elles sont vernies et parfois sculptées de motifs décoratifs, comme la volute.

② CORDES

*Les quatre cordes sont accordées sur sol, ré, la et mi. Comme
pour la guitare, elles sont tendues au-dessus de la touche, entre
le cordier et les chevilles. La plus aiguë, le mi, est aussi appelée
« chanterelle ».*

③ ARCHET

*Le modèle ci-contre mesure 74 cm.
L'instrumentiste s'en sert
en effectuant des mouvements
d'avant en arrière, appelés
« coups d'archet ». La mèche
en crin de cheval est enduite
d'une résine appelée « colophane »
pour bien adhérer aux cordes.
Quand il joue, le violoniste appuie
son menton sur la mentonnière.
Il peut aussi jouer sans archet,
en « pizzicato ». Il pince alors
la corde avec ses doigts.*

②

chevillier

touche

①

volute

manche

table d'harmonie

chevilles

barre d'harmonie ou barrage

éclisses

fond
ou table inférieure

ouïes

échancrures

âme

pointe

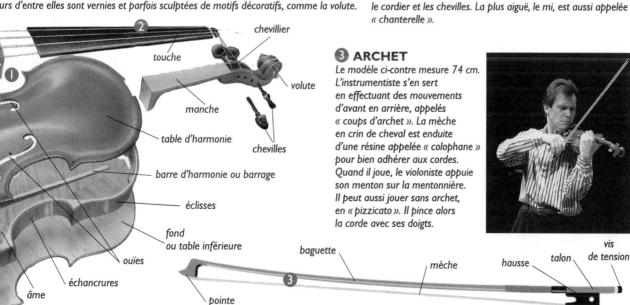

baguette

mèche

hausse

talon

vis
de tension

③

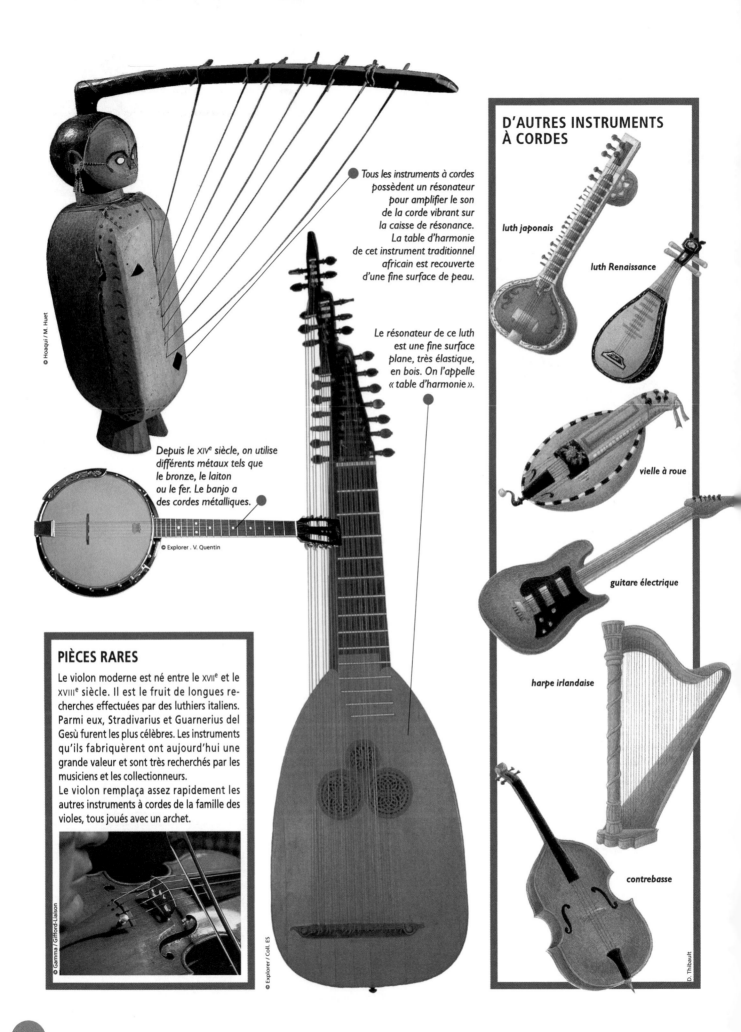

Tous les instruments à cordes possèdent un résonateur pour amplifier le son de la corde vibrant sur la caisse de résonance. La table d'harmonie de cet instrument traditionnel africain est recouverte d'une fine surface de peau.

Le résonateur de ce luth est une fine surface plane, très élastique, en bois. On l'appelle « table d'harmonie ».

Depuis le XIVe siècle, on utilise différents métaux tels que le bronze, le laiton ou le fer. Le banjo a des cordes métalliques.

© Hoaqui / M. Huet

© Explorer . V. Quentin

D'AUTRES INSTRUMENTS À CORDES

luth japonais

luth Renaissance

vielle à roue

guitare électrique

harpe irlandaise

contrebasse

D. Thibault

PIÈCES RARES

Le violon moderne est né entre le XVIIe et le XVIIIe siècle. Il est le fruit de longues recherches effectuées par des luthiers italiens. Parmi eux, Stradivarius et Guarnerius del Gesù furent les plus célèbres. Les instruments qu'ils fabriquèrent ont aujourd'hui une grande valeur et sont très recherchés par les musiciens et les collectionneurs.
Le violon remplaça assez rapidement les autres instruments à cordes de la famille des violes, tous joués avec un archet.

© Gamma / Gifford-Liaison

© Explorer / Coll. ES

L'orchestre de jazz

Dans un orchestre de jazz, chaque musicien est libre de créer des variations sur un thème donné. Un instrumentiste exécute alors avec virtuosité une improvisation, telle une voix s'élevant au-dessus des autres. Ces solos, appelés chorus, sont très appréciés des amateurs de jazz.

Ce mur peint rappelle la tradition des brass bands à La Nouvelle-Orléans.

L'ANCÊTRE

À la fin du XIXᵉ siècle, on pouvait voir déambuler dans les rues de La Nouvelle-Orléans des fanfares ou orchestres d'harmonie composés uniquement d'instruments à vent, surtout des cuivres. Les thèmes de marche étaient joués par des Noirs, qui les interprétaient et les parodiaient également. La sonorité propre à l'orchestre de jazz est née de ces brass bands (« orchestres de cuivres »), de même que certains thèmes musicaux qui inspireront les ragtimes.

LA TROMPETTE

Le tube de cuivre de la trompette est retourné sur lui-même. Le trompettiste joue les notes en modifiant la pression de ses lèvres sur l'embouchure, mais aussi grâce aux trois pistons disposés sur le dessus de l'instrument En bouchant le pavillon, on obtient un son différent.

embouchure
crochet de pouce
pavillon
sourdine
bouton de piston
piston

corps (en deux parties)
barillet
pavillon
bec à anche simple

anche simple
bec
clé de bocal
bocal
corps
mécanisme d'octave

LA CLARINETTE

Cet instrument à vent de la famille des bois est constitué d'un tuyau cylindrique percé de multiples trous. Ceux-ci sont bouchés alternativement par un système complexe de clés que le facteur allemand Böhm élabora au XIXᵉ siècle. L'air est mis en vibration par une anche simple, mince languette de bois fixée sur le bec. Il existe des clarinettes aiguës (petite clarinette en mi bémol) et des clarinettes basses.

culasse
pavillon
plateau
clé

LE SAXOPHONE

Le saxophone, bien qu'appartenant à la famille des bois, est fait de métal nickelé, argenté ou chromé. Son tuyau est percé de très gros trous obturés par des plateaux, grâce à un système de clés. Il existe 6 saxophones, qui vont du suraigu au grave. On leur donne le nom de leur tessiture (hauteur de son) : sopranino, soprano, alto, ténor, baryton et basse.

Le grand orchestre de jazz, appelé aussi jazz band, est composé presque exclusivement d'instruments à vent, choisis pour leur sonorité brillante et incisive. À la section cuivre répond celle des bois et des anches, la batterie rythmant leurs échanges. Le tout est mené alternativement par l'un des musiciens, appelé leader.

SECTION CUIVRE

❶ **Trompette :** avec le jazz, la trompette moderne est devenue un instrument d'une extrême agilité, sur laquelle on exécute des traits ultrarapides.

❷ **Trombone à coulisse :** plus grave que la trompette, il donne aux accords leur sonorité pleine et profonde.

❸ **Tuba :** c'est le cuivre le plus grave, ce qui lui confère un caractère impressionnant ou drôle.

H. Métivet

SECTION RYTHMIQUE

❹ Batterie : cet ensemble d'instruments à percussion est indispensable pour donner et maintenir une pulsation impeccable. Mais le batteur est aussi un virtuose capable de fantaisie et d'improvisation en solo (chorus). Il peut jouer avec différents types de baguettes : certaines sont dures et en bois, d'autres, appelées balais, sont souples et en métal.

SECTION BOIS ET ANCHES

❺ Clarinette : elle peut avoir des sonorités incisives proches de la trompette ou, au contraire, des sonorités moelleuses, mélancoliques.

❻ Saxophone soprano : il rassemble les qualités de la clarinette, mais sa puissance sonore est plus développée.

❼ Saxophone alto : il est plus grave et plus expressif que le saxophone soprano.

❽ Saxophone ténor : son timbre, plus grave que celui de l'alto, est propice à des phrases chantées.

© Cosmos / Popperfoto

LE HOT FIVE D'ARMSTRONG

*Le grand trompettiste Louis Armstrong fonda
en 1925 ce célèbre quintette composé
d'un piano, d'une trompette tenue par lui-même,
d'un banjo, d'un saxophone et d'un trombone
à coulisse. En 1927 vinrent s'adjoindre
un tuba et une clarinette : l'ensemble devint
alors le Hot Seven.*

© Gamma / Lannuzel

L'ORCHESTRE DE JAZZ ACTUEL

*Les petites formations de jazz ou combos offrent des combinaisons variées, du trio à l'octette
(8 musiciens). On y trouve le plus souvent le piano, la batterie, un instrument purement
mélodique – saxo ou clarinette – et la contrebasse qui, tout en assurant la ligne de basse,
peut briller dans des chorus endiablés.*

© Gamma / J.C. Francolon

LE QUINTETTE GRAPPELLI-REINHARDT

*Au début des années 30, des musiciens français
commencent à s'intéresser au jazz. Le violoniste
Stéphane Grappelli et le guitariste
Django Reinhardt ont l'idée d'associer
leurs instruments à deux autres guitares
et une contrebasse. Ce quintette du Hot Club
de France eut un très grand succès.*

LA BATTERIE (OU DRUMS)

Dans le jazz, où elle est née, la batterie permet à un seul percussionniste assis de jouer de plusieurs instruments à la fois. Tous les instruments de la fanfare sont là : le son de la caisse claire fait penser au tambour militaire ; la grosse caisse est jouée au pied ; les cymbales au son cristallin se placent sur des pieds pour rester accessibles. L'une d'elles, actionnée par une pédale, est constituée de deux parties qui s'entrechoquent : c'est la cymbale « Charleston ». Enfin, les toms (ou toms-toms) ajoutent à l'ensemble des sonorités mates, proches de celles des tambours africains.

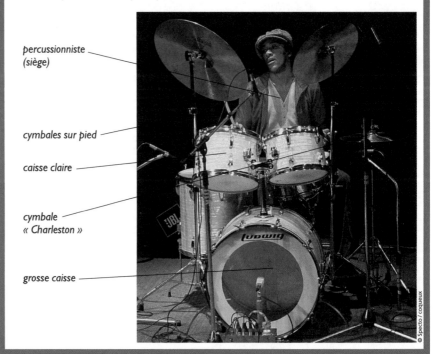

percussionniste (siège)

cymbales sur pied

caisse claire

cymbale « Charleston »

grosse caisse

© Specto / coqueux

La commedia dell'arte

Costume coloré, masque en cuir, bosse sur le dos, gros ventre… les personnages de la commedia dell'arte *représentent des types humains : le vieillard avare, le militaire fanfaron, le savant qui étale son savoir…*

Acteurs, danseurs, musiciens, acrobates, les comédiens de la commedia dell'arte *savent tout faire, un peu comme les grands clowns de notre siècle.*

Du milieu du XVIᵉ siècle au début du XVIIᵉ siècle, des comédiens italiens font rire les plus grandes cours d'Europe : ils jouent la *commedia dell'arte*. Cette nouvelle forme de théâtre, née en Italie, est l'œuvre d'acteurs professionnels (*arte* veut dire « métier ») sachant tout faire : jongler, danser, chanter, mimer, tout en improvisant la comédie. Également auteurs de leurs spectacles, ils présentent des personnages du quotidien dont ils forcent les défauts, dans le cadre d'aventures cocasses. Enfin, ils jouent avec le public : ils le prennent à témoin, lui parlent, se moquent de lui, pour son plus grand plaisir. La *commedia dell'arte* aura une influence considérable sur le théâtre européen, même après son déclin du milieu à la fin du XVIIIᵉ siècle.

La commedia dell'arte *compte aussi parmi ses personnages des « jeunes premiers », c'est-à-dire des rôles de jeunes amoureux, beaux et aimables. Ils jouent sans masque et ne sont affligés d'aucun vice ou gros défaut. Les garçons s'appellent souvent Lélio, Flavio ou Orazio, les filles Isabelle, Silvia ou Florindia. Reflets de leur époque, ils sont aujourd'hui plus démodés que leurs compagnons de scène comiques.*

On pourrait chercher les racines de la *commedia dell'arte* jusque dans l'Antiquité grecque, mais c'est avec la farce que sa parenté est particulièrement claire. Jouée notamment comme interlude aux représentations du théâtre religieux du Moyen Âge (qu'on appelle en France « mystères » ou « miracles »), la farce est un moment de détente. Elle a pour préoccupations celles du public, souvent très pauvre : survivre, souvent par de petites ruses et sans se faire prendre. Contrairement aux « farceurs », qui jouaient dans la rue, les meilleures troupes de la *commedia dell'arte* se produisaient devant les nobles et les riches.

Au milieu du XVIIe siècle, une troupe de comédiens italiens s'installe à demeure à Paris. Elle y remporte un très grand succès et réussira même à partager avec la Comédie-Française le statut de « comédiens ordinaires du roi », c'est-à-dire le monopole de la représentation officielle de la comédie. Louis XIV fera chasser les « Italiens » en 1697, mais le Régent rappellera une nouvelle troupe en 1716. Le répertoire et le jeu français se nourriront abondamment de la *commedia dell'arte*, si bien que l'on pourra, comme sur ce tableau, représenter les « farceurs » français et italiens comme appartenant à une grande famille. D'ailleurs, leurs personnages ne se ressemblent-ils pas terriblement ?

Les farceurs et comédiens français illustres du XVIIe siècle

❶ MOLIÈRE
Molière (Jean-Baptiste Poquelin, dit –), 1622-1673. Auteur de théâtre, acteur et chef de troupe, il commence sa carrière en écrivant des farces. Plus tard, il écrira des comédies si proches de la vie qu'on les joue encore, plus de trois siècles plus tard. Il redonnera ses lettres de noblesse à la comédie. Molière porte ici l'habit d'Arnolphe, le jaloux malheureux de sa comédie l'École des femmes.

❷ JODELET
Jodelet (Julien Bedeau, dit –), vers 1600-1660. Cet excellent acteur de farce, puis de comédie, incarna un valet au visage enfariné appelé Jodelet. Il interpréta des pièces de Corneille et de Scarron, souvent écrites pour son personnage, et joua dans Les Précieuses ridicules de Molière.

❸ POISSON
Poisson (Raymond Poisson, dit De Belleroche, dit –), 1630-1690. Ce grand acteur comique devint célèbre par le personnage de Crispin qu'il inventa. Crispin est, comme Scaramouche, un militaire (peut-être un déserteur espagnol) reconverti en valet. Le bégaiement de Poisson ajoutait encore à la drôlerie du personnage.

Personnages appartenant à la tradition italienne de la *commedia dell'arte*

Ⓐ LE CAPITAN MATAMORE
Le Capitan est un militaire, souvent espagnol, comme son habit le montre ici. Son nom de « Matamore » signifie « mort aux Maures » et rappelle les luttes de la Reconquista espagnole. Vantard, il est pourtant bel et bien peureux, pour le plus grand plaisir du public de l'Italie de la Renaissance dont une partie est alors rattachée à la couronne d'Espagne.

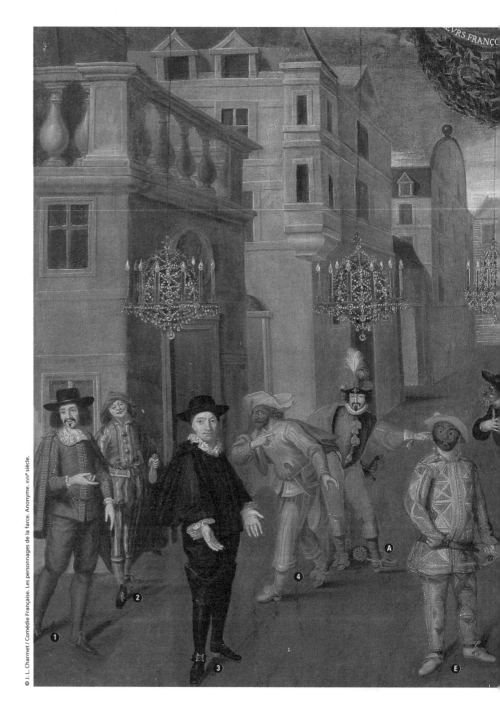

❹ TURLUPIN
Turlupin (Henri Le Grand, dit Belleville, dit –), 1587-1637. Acteur de comédie et farceur, il jouait les valets séducteurs. Bel homme, il portait un habit proche de celui de Briguelle. Il forma un trio célèbre avec Gros-Guillaume et Gaultier-Garguille.

❺ GUILLOT GORJU
Guillot Gorju (Bertrand Hardouin, dit –), 1600-1648. Fils d'un docteur de la faculté de médecine, il excella à se moquer des médecins. « Grand, maigre, osseux, vêtu de noir, il était gai à la folie avec un air d'enterrement », a-t-on dit de lui.

❸ LE DOCTEUR GRAZIAN BALOURD

Le Docteur Grazian (Il Dottore Graziano, en italien) est, selon les cas, un médecin, un homme de loi ou un homme de science. Comme eux, il est vêtu de noir. Originaire de la ville de Bologne, il s'exprime dans un mélange de dialecte bolonais et de latin humoristique.

❻ PANTALON

Pantalon (Pantalone, en italien) est un riche marchand vénitien (Venise étant très riche à la Renaissance). Vieux et avare, il tombe régulièrement amoureux de très jeunes filles et se fait aider de ses valets pour les courtiser ; il en résulte bien des bêtises !

❿ SCARAMOUCHE

Scaramouche (Scaramuccia, en italien) est un capitan, comme Matamore (peut-être un mercenaire en fuite), contraint de faire le valet. Du militaire, il a la vantardise (en parlant de son maître) et du valet, la balourdise.

Les valets (en italien zanni) sont parmi les personnages demeurés les plus connus de la commedia dell'arte :

❸ ARLEQUIN

(Arlecchino, en italien, dont Trivelin est une variante) est l'un des plus remuants de ce théâtre ; il est à la fois facétieux, comme tous les serviteurs, et naïf ; il est fainéant et rustre mais aussi serviable. Les losanges de son costume seraient, à l'origine, des pièces cousues pour masquer les trous d'un vieil habit. Né à Bergame, il parle le dialecte local.

❺ POLICHINELLE

(Pulcinella, en italien) est originaire de Naples. Il est laid, avec sa bosse et son nez crochu, mais généralement très gentil. Il ne sait malheureusement pas tenir sa langue, d'où l'expression « un secret de Polichinelle ».

❻ BRIGUELLE

(Brighella, en italien) vient aussi de Bergame. Plus fier qu'Arlequin, il est également plus roué. Son habit s'apparente à la livrée d'un domestique.

❻ GROS-GUILLAUME

Gros-Guillaume (Robert Guérin, dit Lafleur, dit –), 1554-1634. « Frère de farce » de Turlupin et Gaultier-Garguille, il se couvrait le visage de farine et ceinturait son gros ventre comme un tonneau pour jouer les docteurs « donneurs de leçons ».

❼ GAULTIER-GARGUILLE

Gaultier-Garguille (Hugues Guérin, dit Fléchelles, dit –), 1573-1633. Cet acteur jouait des rôles sérieux sous le nom de Fléchelles et le vieillard de farce sous celui de Gaultier-Garguille. On dit que les trois compères Turlupin, Gros-Guillaume et Gaultier-Garguille furent inhumés ensemble.

❽ PHILIPPIN (Claude Deschamps de Villiers, dit –), 1601-1681. Comédien de l'Hôtel de Bourgogne (théâtre français où s'installèrent notamment les acteurs de la commedia dell'arte), comme beaucoup de personnages représentés ici, il laissa cependant un souvenir moins marquant.

Il n'existe pas de texte écrit des pièces de la *commedia dell'arte*. La base du spectacle improvisé était un simple canevas, c'est-à-dire une trame sommaire de la représentation, mise au point par l'ensemble de la troupe. Les acteurs jouaient d'ailleurs souvent le même rôle toute leur vie, tant leur art était difficile. Ils disposaient également d'un recueil réunissant des tirades (longues répliques), des jeux de mots, des *lazzi* (tours, jeux, acrobaties...) qu'ils connaissaient bien et dans lequel ils pouvaient puiser en cas de panne d'inspiration.

Depuis le Moyen Âge, il existe de grandes foires à Paris : on y voit des montreurs d'animaux ou de phénomènes, des danseurs de corde, mais aussi, à partir du début du XVIIIᵉ siècle, de petites représentations dramatiques données dans des petites baraques appelées « loges ».
C'est le théâtre forain ou « théâtre libre », qui puise largement dans les traditions de la farce et de la commedia dell'arte et concurrencera bientôt sérieusement le théâtre officiel (on parle même de la « guerre des théâtres »). Le théâtre forain donnera naissance à l'opéra-comique et au théâtre de boulevard, les « forains » ayant été autorisés à s'installer sur les boulevards de Paris.

PIERROT ET COLOMBINE

Aussi étonnant que cela puisse paraître, le Pierrot « de la lune », rêveur et un peu triste que nous connaissons, créé par le mime français Gaspard Deburau au XIXᵉ siècle, a pour ancêtre... un personnage de la commedia dell'arte : Pedrolino. Perpétuellement affamé, ce valet plein d'astuce ferait tout pour un peu de polenta ou de spaghetti. Pour les enfants d'aujourd'hui, Colombine est l'amie de Pierrot, alors que, dans la tradition de la commedia dell'arte, elle est amoureuse d'Arlequin (elle porte comme lui un costume à losanges). Aussi rusée et délurée que les valets, Colombine est traditionnellement femme de chambre et parfois confidente de la jeune première.

▶ Près de cinq siècles après son invention, la *commedia dell'arte* reste encore l'une des bases de l'enseignement de l'art dramatique, pour les professionnels comme pour les amateurs. Elle continue d'être jouée par ceux qui trouvent l'art de la transposer, et elle reste d'une redoutable efficacité pour railler la société dans laquelle nous vivons.

Les lieux de théâtre

**En Occident le cadre d'une pièce
de théâtre peut être** une salle de théâtre,
mais aussi des tréteaux, une cour d'auberge,
une place de marché, ou, aujourd'hui,
une salle polyvalente ou un café.
Cet espace n'est pas choisi au hasard :
chaque époque et chaque société
donne naissance à des pièces
et à des lieux
de représentation
reflétant ses goûts
et ses préoccupations.

*Les dieux apparaissent
sur la plate-forme
du theologeion.*

autel

*Le proskenion, au niveau de la skene
(qui a donné le mot scène en français),
est l'espace réservé au héros.*

*L'orchestra est réservé
au chœur qui chante et danse
sa pitié et sa souffrance
face aux malheurs du héros ;
il formule à voix haute
les sentiments du public.*

*Le public, installé
sur les gradins qui
entourent le theatron
(l'aire de jeu), est
en véritable communion
avec la tragédie jouée
devant lui.*

Willis

Willis

THÉÂTRE DE DIONYSOS À ATHÈNES VERS LE IVe SIÈCLE
*Issu des cérémonies rituelles données
en l'honneur de Dionysos
(le dieu du vin), le théâtre grec classique est un art sacré.
Théâtre de la parole par excellence,
la tragédie grecque n'a pas besoin
de décor ; ce sont les personnages
qui, dans ce qu'ils disent,
situent l'action.*

THÉÂTRE DE POMPÉE, À ROME (55 AV. J.-C.)
*Bien que dérivé du théâtre grec, le théâtre romain n'est pas religieux.
L'orchestra du théâtre romain est réduit à un demi-cercle où s'installent les notables. Le chœur rejoint
les acteurs sur la scène, perdant son rôle de trait d'union entre le public et ces derniers. Le mur de scène
s'élève jusqu'aux plus hauts gradins et un velum (ensemble de voiles) est tendu au-dessus du théâtre.
Ce théâtre, ainsi isolé de la vie réelle et séparant scène et public, ne permet plus à la cité
de s'interroger sur elle-même et ne propose plus qu'un divertissement.*

▶ Le public s'enfuit du théâtre en hurlant...

**Les Athéniens du Ve siècle av. J.-C.,
assistant pour la première fois
à des tragédies, oubliaient parfois
que ce que qu'ils voyaient n'était pas
réel. C'est ainsi que, lorsque furent
joués les premières
scènes
de guerre,
pris de panique,
ils partirent
en courant.**

F. Joos

113

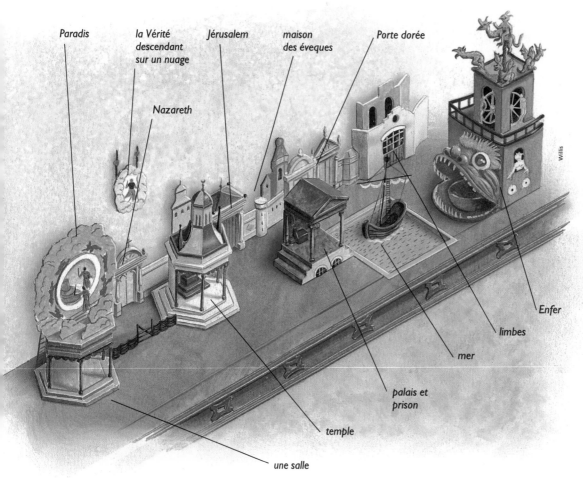

Paradis

la Vérité descendant sur un nuage

Nazareth

Jérusalem

maison des évêques

Porte dorée

Willis

Enfer

limbes

mer

palais et prison

temple

une salle

Dans toute l'Europe du Moyen Âge, le théâtre n'est plus seulement un divertissement : ses thèmes redeviennent religieux. Des passages importants de l'Évangile sont d'abord joués en latin par des membres du clergé, à l'intérieur des églises. Mais bientôt c'est l'ensemble de la cité qui s'en mêle. Les notables et les marchands confectionnent costumes et décors. Bourgeois, étudiants ou nobles interprètent dans leur langue maternelle les mystères (épisodes de la Bible) ou les miracles (vies ou interventions merveilleuses de saints), montés sur des tréteaux, en pleine ville, le plus souvent sur la place du marché.

MYSTÈRE DE LA PASSION À VALENCIENNES

Les mystères sont toujours des spectacles très longs : celui de la Passion jouée à Valenciennes en 1547 était ainsi représenté en vingt-cinq « journées ».
Voici le décor de l'une des journées, où se juxtaposent plusieurs mansions (« demeures »), devant lesquelles les acteurs jouaient successivement chaque épisode.
La scène surélevée de ce mystère avait été installée dans la cour d'un hôtel particulier, le public lui faisant face.

M. Welply

Willis

LE CHÂTEAU DE PERSÉVÉRANCE,

construit en Angleterre au Moyen Âge pour jouer la pièce qui portait son nom, constitue un exemple du théâtre médiéval en rond, borné à chaque point cardinal et au nord-est par une mansion (maison). Les acteurs effectuent leurs déplacements au milieu des spectateurs.

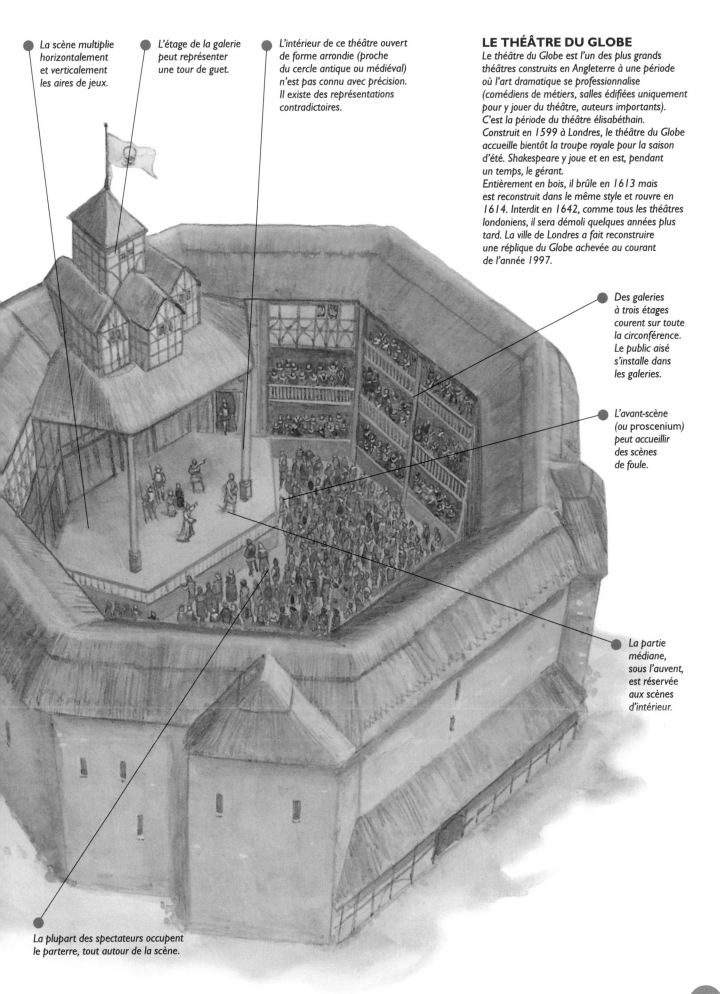

La scène multiplie horizontalement et verticalement les aires de jeux.

L'étage de la galerie peut représenter une tour de guet.

L'intérieur de ce théâtre ouvert de forme arrondie (proche du cercle antique ou médiéval) n'est pas connu avec précision. Il existe des représentations contradictoires.

LE THÉÂTRE DU GLOBE

Le théâtre du Globe est l'un des plus grands théâtres construits en Angleterre à une période où l'art dramatique se professionnalise (comédiens de métiers, salles édifiées uniquement pour y jouer du théâtre, auteurs importants). C'est la période du théâtre élisabéthain. Construit en 1599 à Londres, le théâtre du Globe accueille bientôt la troupe royale pour la saison d'été. Shakespeare y joue et en est, pendant un temps, le gérant.
Entièrement en bois, il brûle en 1613 mais est reconstruit dans le même style et rouvre en 1614. Interdit en 1642, comme tous les théâtres londoniens, il sera démoli quelques années plus tard. La ville de Londres a fait reconstruire une réplique du Globe achevée au courant de l'année 1997.

Des galeries à trois étages courent sur toute la circonférence. Le public aisé s'installe dans les galeries.

L'avant-scène (ou proscenium) peut accueillir des scènes de foule.

La partie médiane, sous l'auvent, est réservée aux scènes d'intérieur.

La plupart des spectateurs occupent le parterre, tout autour de la scène.

115

© Specto / P. Coqueux

LE THÉÂTRE À L'ITALIENNE

Le théâtre à l'italienne commence à se propager au XVIᵉ siècle. Il constituera le modèle dominant des théâtres et des opéras construits partout en Europe, à partir du XVIIᵉ siècle.

La motivation principale des architectes italiens est de donner une impression de « naturel » grâce à des décors sophistiqués et à l'utilisation de la perspective.

Pour que l'univers de la scène fasse un tout et qu'on y croie, on le sépare totalement de la salle : on entoure donc la scène d'un cadre et le public est isolé à la périphérie d'une salle carrée ou rectangulaire. Dans cette architecture, les meilleures places sont celles du parterre.

Loges ornées de sculptures, dorures, plafonds décorés de trompe-l'œil, rideaux de velours rouge : les théâtres à l'italienne sont souvent baroques.

© Specto / P. Coqueux

Une représentation des Troyens, une pièce qui, par le nombre important de figurants et l'ampleur des décors nécessaires, ne peut être montée que dans des salles immenses.

© Specto / P. Coqueux

La scène de l'Opéra Bastille à Paris, faite pour être transformée à volonté.

LE THÉÂTRE AUJOURD'HUI

Héritiers d'une tradition de plus de vingt-cinq siècles (pour ne parler que du théâtre occidental), les architectes du XXᵉ siècle ont dû relever le défi et tenter de créer de nouveaux espaces de théâtre.
Beaucoup ont essayé de concevoir des salles où l'on pourrait « tout jouer ».
Ainsi, le Corn Exchange construit à Leicester (Royaume-Uni) en 1959 propose-t-il quatre aménagements de la même salle.

Un plateau de cinéma

Le producteur s'agite, le chef opérateur fait déplacer un projecteur
par un machiniste, le décorateur vérifie si tout est en place sur le plateau,
le réalisateur fébrile demande le silence et crie : « Moteur ! », la caméra se met à tourner.
« Action ! » : un film est en train de naître.

LE PRODUCTEUR

*Le producteur est la personne qui s'occupe du financement du film.
Pour réunir la somme nécessaire, il s'adresse à des banques et, de plus
en plus, aux grandes chaînes de télévision. Surnommé « le magnat
d'Hollywood », David O. Selznick (1902-1965) est un producteur
renommé, à l'origine du film Autant en emporte le vent.*

LE RÉALISATEUR

*Le réalisateur ou metteur en scène est le maître d'œuvre
d'un film. Il en a la responsabilité artistique et dirige
l'ensemble de l'équipe de tournage. À côté de la caméra,
le célèbre réalisateur italien Federico Fellini dirige
une prise de vues de la voix et du geste !*

LE SCÉNARIO

*Un film commence par la rédaction du scénario
confié à un scénariste qui travaille en collaboration
avec le réalisateur. Ensuite chaque épisode
de l'histoire est découpé en séquences et en plans.
Parfois, pour illustrer ce découpage de façon
très précise, le déroulement de chaque scène est
dessiné sous forme d'une bande dessinée appelée
story-board.*

LA SECRÉTAIRE DE PRODUCTION

*Plus communément appelée « scripte », elle note tout ce qui se passe
sur le plateau dans le « journal du film ». En effet, les scènes ne sont pas
tournées dans l'ordre où on les voit, mais groupées selon les décors
où elles se déroulent. Il faut se souvenir de l'emplacement des objets
ou de la tenue des personnages pour éviter les fautes de raccord,
par exemple : un personnage portant un pull vert au début d'une scène
et une chemise à carreaux à la fin de la même scène.*

1 La grue, posée sur un chariot mobile surmonté d'une plate-forme où est installée la caméra. Elle permet de balayer des paysages ou de réaliser des angles de prise de vues audacieux.

2 Les machinistes déplacent les projecteurs et les caméras, montent et démontent le décor.

3 La « gamelle » ou « casserole » sont les noms familièrement donnés aux projecteurs.

4 Le chef décorateur, responsable du choix des décors extérieurs et intérieurs. Il prévoit la reconstitution en studio de décors en bois et en carton pâte.

5 L'habilleuse procède aux dernières retouches du vêtement de l'actrice.

6 L'acteur doit rejouer la scène plusieurs fois afin de permettre au réalisateur de choisir la meilleure prise.

7 La maquilleuse poudre le visage d'un acteur afin d'éviter qu'il brille sous les projecteurs.

8 L'ingénieur du son, responsable de la bande sonore.

9 La girafe, perche au bout de laquelle est fixé le micro qui permet d'enregistrer le son.

10 Le perchman déplace la perche en ayant soin de ne pas mettre le micro dans le champ de la caméra.

⑪ L'assistant réalisateur se charge des problèmes pratiques : emploi du temps de chacun, repérage des lieux de tournage, préparation des figurants.

⑫ Le réalisateur explique à un acteur la manière dont va se dérouler la scène.

⑬ La pellicule se trouve dans le magasin de la caméra, parfaitement étanche à la lumière.

⑭ Le parasoleil placé devant l'objectif de la caméra pour le protéger de la lumière des projecteurs.

⑮ Le cameraman ou cadreur est chargé de cadrer dans le viseur de la caméra la scène à filmer et de suivre les acteurs dans leurs déplacements.

⑯ Le chef opérateur ou directeur de la photographie donne ses instructions à son cadreur. C'est un personnage important, car il assure la qualité artistique des prises de vues et aussi de l'éclairage.

⑰ Avant chaque séquence est filmé le « clap », ardoise où sont inscrits le titre du film, le numéro de la scène et celui de la prise. Cela servira à retrouver la prise au moment du montage du film.

M. Welply

LES CASCADEURS

Pour les scènes dangereuses, les acteurs sont généralement remplacés par des cascadeurs. Véritables professionnels, ces casse-cou utilisent des trucs pour minimiser et contrôler les risques. Ainsi, au cours d'une scène de bagarre, lorsqu'un cascadeur passe à travers une fenêtre, les vitres sont en fait fabriquées en sucre.

LE MONTAGE

Le tournage terminé, les scènes sont classées et assemblées dans leur ordre logique sur une table de montage. Le monteur travaille sous la direction du réalisateur, car c'est le montage qui donne le rythme au film. Pour les films tournés avec une caméra vidéo, le montage se fait sans colleuse.

Petit écran pour visionner les scènes.

Colleuse pour couper les séquences choisies et les assembler morceau par morceau.

LES EFFETS SPÉCIAUX

Aujourd'hui, grâce à l'informatique, les effets spéciaux tiennent une grande place dans l'élaboration des films. L'ordinateur permet de transformer un objet en un autre ou de déformer le visage d'un homme, comme dans le film Mask (ci-dessous). Dans Jurassic Park, Steven Spielberg a créé de manière très réaliste des dinosaures en se servant d'images de synthèse.

MOTS CLÉS

● **LE CHAMP**
L'espace filmé par la caméra opposé au contre-champ. Pour donner plus de rythme à une scène de dialogue, on alterne souvent champ et contre-champ.

● **LE TRAVELLING**
Mouvement de la caméra, placée sur un chariot glissant sur un rail.

● **LA PLONGÉE ET LA CONTRE-PLONGÉE**
Une prise de vues en plongée consiste à diriger la caméra vers le bas. Lorsque la caméra est dirigée vers le haut, la prise de vues est en contre-plongée.

● **UN PLAN**
Manière dont la caméra cadre le sujet. Il existe plusieurs plans : d'ensemble, moyen, américain (personnage cadré jusqu'aux cuisses), rapproché et gros plan.

Notre époque

De l'auteur à la librairie

Le livre peut être une œuvre préparée pendant des années ou un produit d'actualité sorti en un mois.

Maintenant, de l'auteur au libraire, le temps gagné grâce à l'informatique est énorme. Cependant le livre que l'on garde est encore celui qui est le résultat d'un travail soigné et de qualité, à chaque étape de la chaîne.

casiers

caractères de plomb

Dans cette boîte appelée « casse » étaient rangés les caractères de plomb pour l'imprimerie. Ce système d'impression est aujourd'hui abandonné au profit des procédés informatiques. Cependant, les minuscules sont toujours appelées bas de casse ; ces caractères se trouvaient en effet dans les casiers inférieurs de la casse.

© J. L. Charmet

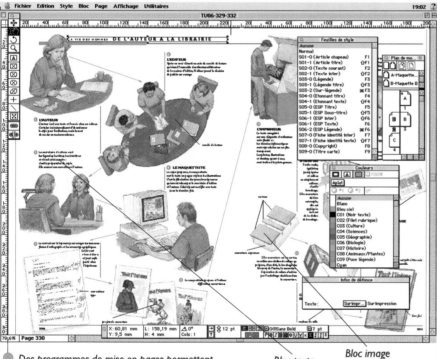

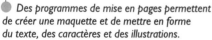

Des programmes de mise en pages permettent de créer une maquette et de mettre en forme du texte, des caractères et des illustrations.

Bloc texte

Bloc image

© Gamma / C. Vioujard

Une grande presse rotative à bobines utilisée dans les années 60 pour imprimer les livres. La préparation des « stéréos », des plaques à appliquer sur les cylindres, était longue.

© Rank Xerox

L'informatique a entièrement transformé les méthodes d'impression. Ici la Docuthèque permet d'imprimer le texte préparé sans aucune opération intermédiaire.

②
L'ÉDITEUR
Après en avoir discuté au sein du comité de lecture qui réunit l'ensemble des directeurs littéraires de la maison d'édition, l'éditeur prend la décision de publier un ouvrage.

comité de lectur

① **L'AUTEUR**
L'auteur écrit son texte et l'envoie chez un éditeur. Certains écrivains refusent d'abandonner le stylo pour l'ordinateur, mais ils sont de moins en moins nombreux.

③ *La secrétaire d'édition écrit les légendes, les titres, les intertitres et réécrit si nécessaire : c'est la préparation de copie. Elle soumet ses corrections à l'auteur.*

④ **LE MAQUETTISTE**
La copie préparée, le maquettiste met le texte en pages et place les illustrations. C'est la fabrication des premières épreuves qui seront relues par le secrétaire d'édition et l'auteur. Celui-ci peut modifier son texte pour la dernière fois.

⑤ *Le correcteur lit l'épreuve pour corriger les dernières fautes d'orthographe et les erreurs typographiques.*
Le livre est « bon à tirer » et peut enfin partir chez l'imprimeur.

corrections typo

⑥ *Le maquettiste propose à l'é différentes couvert*

projets de couverture

Mon encyclopédie

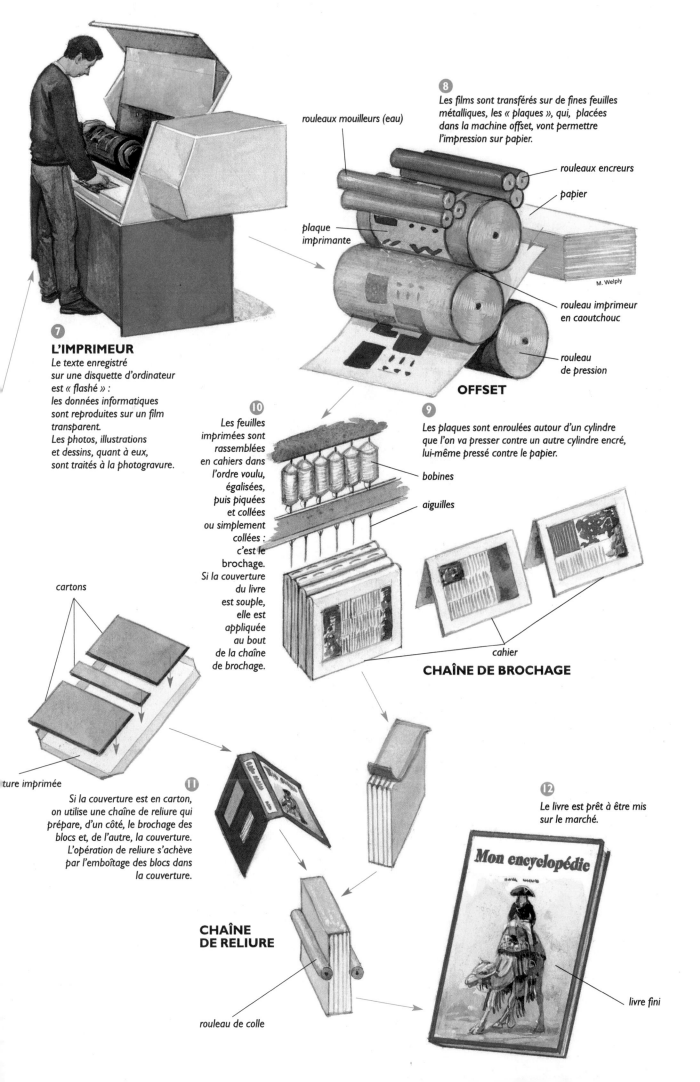

rouleaux mouilleurs (eau)

8 Les films sont transférés sur de fines feuilles métalliques, les « plaques », qui, placées dans la machine offset, vont permettre l'impression sur papier.

rouleaux encreurs

papier

plaque imprimante

M. Welply

rouleau imprimeur en caoutchouc

rouleau de pression

OFFSET

7 **L'IMPRIMEUR**
Le texte enregistré
sur une disquette d'ordinateur
est « flashé » :
les données informatiques
sont reproduites sur un film
transparent.
Les photos, illustrations
et dessins, quant à eux,
sont traités à la photogravure.

10 Les feuilles
imprimées sont
rassemblées
en cahiers dans
l'ordre voulu,
égalisées,
puis piquées
et collées
ou simplement
collées :
c'est le
brochage.
Si la couverture
du livre
est souple,
elle est
appliquée
au bout
de la chaîne
de brochage.

9 Les plaques sont enroulées autour d'un cylindre
que l'on va presser contre un autre cylindre encré,
lui-même pressé contre le papier.

bobines

aiguilles

cahier

CHAÎNE DE BROCHAGE

cartons

...ture imprimée

11 Si la couverture est en carton,
on utilise une chaîne de reliure qui
prépare, d'un côté, le brochage des
blocs et, de l'autre, la couverture.
L'opération de reliure s'achève
par l'emboîtage des blocs dans
la couverture.

12 Le livre est prêt à être mis
sur le marché.

Mon encyclopédie

**CHAÎNE
DE RELIURE**

rouleau de colle

livre fini

La diffusion

Le diffuseur fait connaître aux libraires les nouvelles parutions. Il utilise pour cela un réseau de représentants qui ont parfois dans leur catalogue les productions de plusieurs maisons d'édition.
Ils visitent tous les mois différents points de ventes de livres (librairies, grandes surfaces, etc.) pour informer les libraires.

Le représentant de la maison d'édition va voir les libraires.

E. Souppart

L'auteur participe à des émissions littéraires et à des séances de dédicace, pour aider à la promotion de son livre.

© Gamma / U. Andersen

© Gamma / S. Ferry-Liaison

La promotion

L'éditeur a un « service de presse » qui joue un rôle important. Il s'occupe de la promotion du livre en envoyant des exemplaires aux journalistes avec un « dossier de presse » sur la vie et l'œuvre de l'auteur. Il organise des tournées de promotion de l'auteur dans les médias et les librairies ou s'efforce de le faire participer à des événements culturels.

Le libraire

Il s'adresse aux distributeurs pour commander les nouveautés et le réassortiment du fonds. Il doit savoir estimer le nombre de livres qu'il vendra pour ne pas avoir un stock trop important ou insuffisant. Pour animer sa librairie et aussi pour mieux faire face à la concurrence des grandes surfaces ou des kiosques, le libraire organise des séances de lecture ou de signature avec l'auteur. ◼

© Gamma / M. Toussaint

Lors des foires du livre, les éditeurs de différents pays se rencontrent. Les auteurs dialoguent avec leurs lecteurs.

La voiture de course

Les progrès de la technique font que les voitures de course d'aujourd'hui atteignent des vitesses record allant jusqu'à 300 km/h. En effet, chaque détail technique des engins est étudié pour améliorer les performances et pour obtenir une sécurité maximale à bord.

Ferrari, 1951

Maserati, 1957

Williams, 1980

Alfa Romeo (Alfetta), 1950

Lotus-Ford, 1970

LES CATÉGORIES

Il existe deux types de voitures de courses. Les premières, en général destinées aux rallyes, sont issues de modèles produits en série et que tout le monde peut acheter dans le commerce. Elles comptent de deux à quatre places et se répartissent en groupes qui se différencient surtout par la puissance des moteurs. Les secondes, vouées uniquement aux compétitions, sont fabriquées à l'unité. Ces monoplaces prennent le nom de « formules » : formule 1, formule 3000 ou formule III. À ces deux catégories viennent s'ajouter des véhicules plus particuliers, tels que le karting, le camion ou encore les voitures électriques.

UNE FORMULE 1

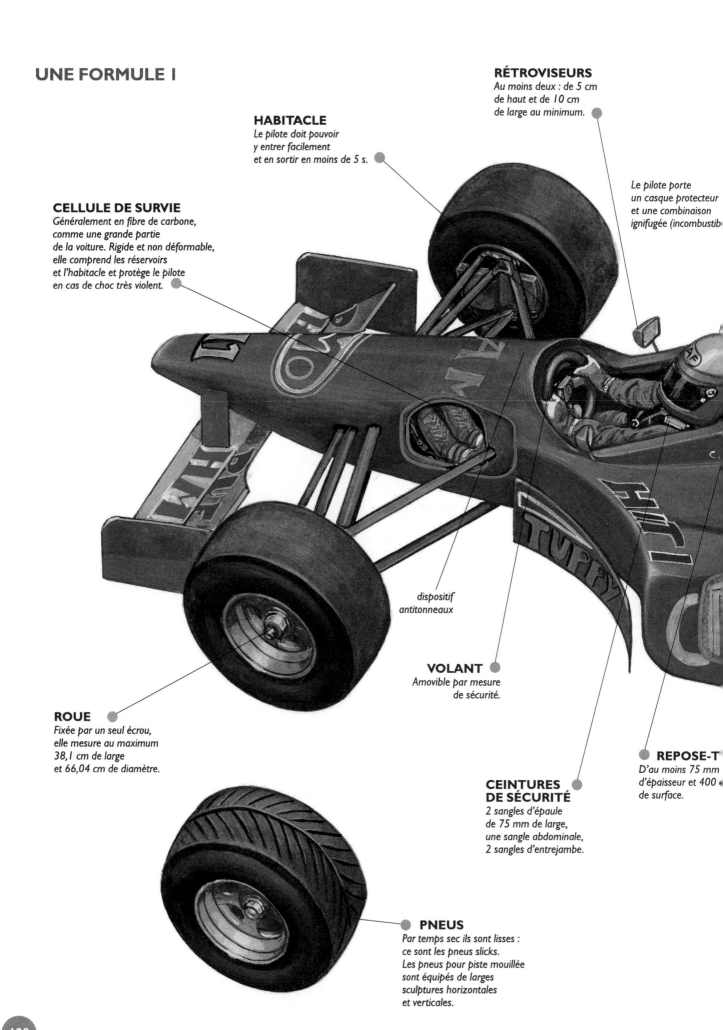

RÉTROVISEURS
Au moins deux : de 5 cm
de haut et de 10 cm
de large au minimum.

HABITACLE
Le pilote doit pouvoir
y entrer facilement
et en sortir en moins de 5 s.

Le pilote porte
un casque protecteur
et une combinaison
ignifugée (incombustib

CELLULE DE SURVIE
Généralement en fibre de carbone,
comme une grande partie
de la voiture. Rigide et non déformable,
elle comprend les réservoirs
et l'habitacle et protège le pilote
en cas de choc très violent.

dispositif
antitonneaux

VOLANT
Amovible par mesure
de sécurité.

ROUE
Fixée par un seul écrou,
elle mesure au maximum
38,1 cm de large
et 66,04 cm de diamètre.

REPOSE-T
D'au moins 75 mm
d'épaisseur et 400
de surface.

**CEINTURES
DE SÉCURITÉ**
2 sangles d'épaule
de 75 mm de large,
une sangle abdominale,
2 sangles d'entrejambe.

PNEUS
Par temps sec ils sont lisses :
ce sont les pneus slicks.
Les pneus pour piste mouillée
sont équipés de larges
sculptures horizontales
et verticales.

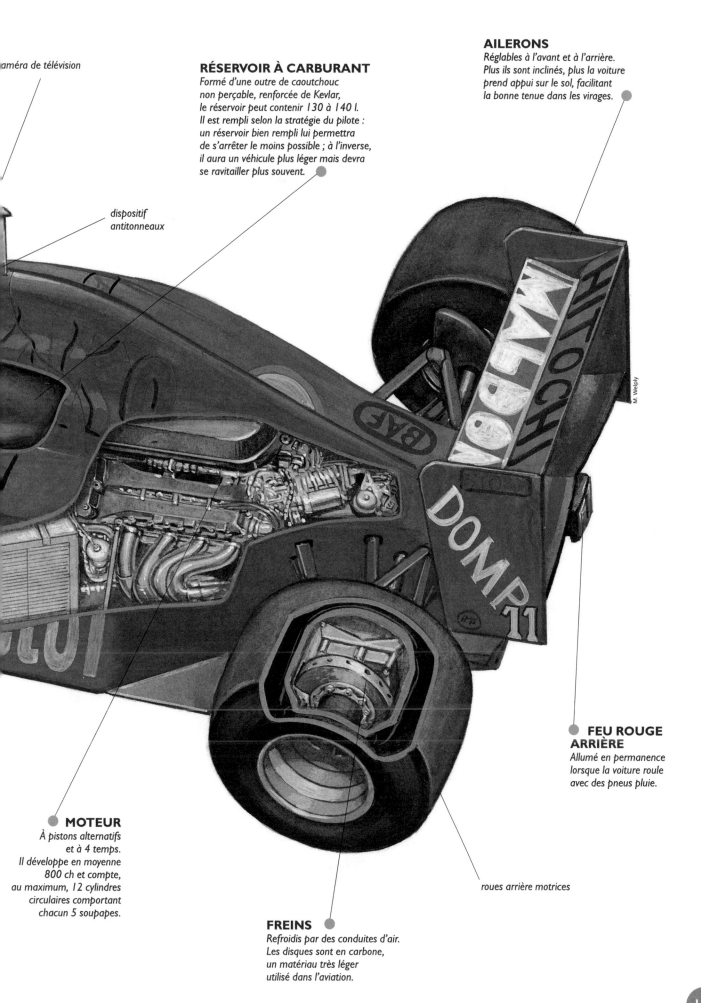

caméra de télévision

RÉSERVOIR À CARBURANT
*Formé d'une outre de caoutchouc
non perçable, renforcée de Kevlar,
le réservoir peut contenir 130 à 140 l.
Il est rempli selon la stratégie du pilote :
un réservoir bien rempli lui permettra
de s'arrêter le moins possible ; à l'inverse,
il aura un véhicule plus léger mais devra
se ravitailler plus souvent.*

dispositif
antitonneaux

AILERONS
*Réglables à l'avant et à l'arrière.
Plus ils sont inclinés, plus la voiture
prend appui sur le sol, facilitant
la bonne tenue dans les virages.*

M. Welply

**FEU ROUGE
ARRIÈRE**
*Allumé en permanence
lorsque la voiture roule
avec des pneus pluie.*

MOTEUR
*À pistons alternatifs
et à 4 temps.
Il développe en moyenne
800 ch et compte,
au maximum, 12 cylindres
circulaires comportant
chacun 5 soupapes.*

roues arrière motrices

FREINS
*Refroidis par des conduites d'air.
Les disques sont en carbone,
un matériau très léger
utilisé dans l'aviation.*

Une **voiture de rallye** comporte obligatoirement des arceaux de sécurité qui empêchent l'habitacle de se tordre en cas d'accident. Le pare-brise est en verre feuilleté. Ces autos à quatre roues motrices possèdent des moteurs atmosphériques de 1 300 cm³ à 3 500 cm³ suivant les groupes.

LES RÈGLES

Pour construire une formule 1, il faut respecter les normes fixées par la FISA (Fédération internationale des sports automobiles). Cet organisme les modifie parfois, pour des raisons de sécurité et d'équilibre entre les compétiteurs. Ainsi, le moteur turbo, qui brûle plus d'essence et qui est donc plus puissant, est interdit depuis 1989. Le règlement actuel fixe le poids du véhicule à 600 kg au minimum (avec le pilote et son équipement). La largeur maximale atteint 180 cm (roues comprises), dont 140 cm devant les roues avant et 100 cm derrière les roues arrière. La hauteur n'excède pas 95 cm, non compris les structures antitonneaux.

La sécurité est fondamentale en **formule 1**. Elle comprend deux extincteurs, un pour l'habitacle, l'autre pour le moteur, et un coupe-circuit. Le système de freinage possède au moins deux circuits séparés, commandés par la même pédale. Si l'un lâche, un autre prend la relève. La résistance de la cellule de survie subit un essai de choc : la voiture, avec un mannequin de 75 kg, percute violemment une barrière.

Le **karting** fait figure de nain à côté de bolides comme la formule 1. Qu'on ne s'y trompe pas ! Ce petit engin très maniable, équipé d'un moteur de 100 cm³, 125 cm³, allant jusqu'à 250 cm³ pour les compétitions internationales, peut atteindre 200 km/h.

La **formule 3000**, petite sœur de la formule 1, développe tout de même 450 ch. D'un poids minimal de 550 kg, elle renferme un moteur de 3 000 cm³ au plus, de 8 cylindres et capable de tourner à 9 000 tours par minute.

La moto de course

Une bicyclette équipée d'un moteur à vapeur : voilà à quoi ressemble la première moto, née en 1869. Dix ans plus tard, elle est équipée d'un moteur à essence. En 1901, les frères Werner l'allègent en trouvant une place définitive pour son moteur. Prête à toutes les aventures, elle peut enfin devenir un engin sportif.

NORTON OLD MIRACLE
(Grande-Bretagne, 1912)
monocylindre de 490 cm³

HARLEY DAVIDSON 11 F
(États-Unis, 1915)
bicylindre de 938 cm³,
puissance : 11 ch, 3 vitesses

GARELLI 350 DE COURSE
(Italie, 1924)
bicylindre de 348 cm³,
puissance : 20 ch,
3 vitesses

TRIUMPH GRAND PRIX
(Grande-Bretagne, 1947)
bicylindre de 500 cm³,
4 vitesses

BMW 90 S
(République fédérale d'Allemagne, 1975)
bicylindre de 898 cm³,
puissance : 67 ch, poids 215 kg,
vitesse : plus de 200 km/h

Illustrations Willis

La moto sportive est pour l'instant le domaine incontesté des marques japonaises, après avoir été celui des Britanniques entre les deux guerres, et celui des Italiens après 1945. Chaque discipline motocycliste a sa machine particulière. Ainsi, la moto des épreuves de vitesse ne ressemble pas à celle du trial. Mais toutes comprennent des catégories définies par la puissance exprimée en cylindrée : 80 cm³, 125 cm³, 250 cm³, 350 cm³, 500 cm³, 750 cm³ et plus.

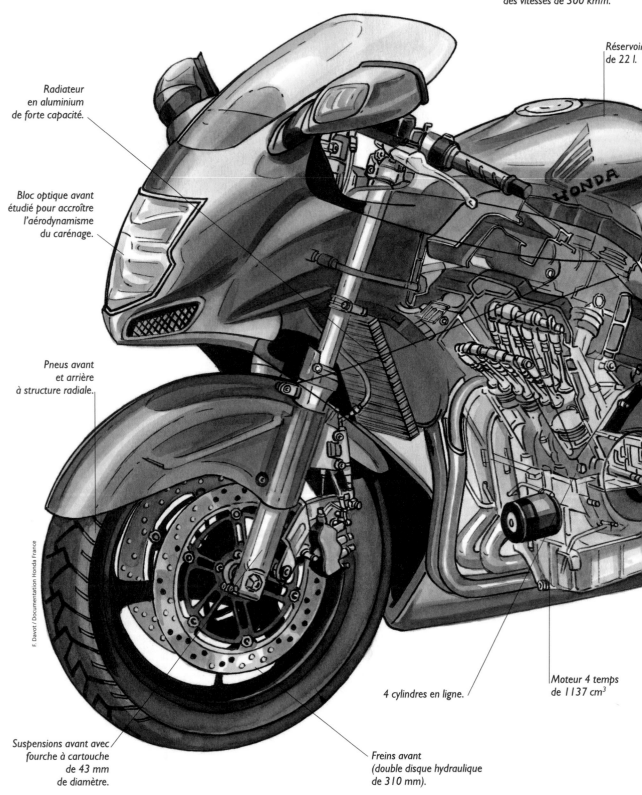

UNE MOTO DE SPORT :
LA HONDA CBR 1100 XX

La machine pèse 223 kg, sans pilote.

Caparaçonné de cuir et coiffé d'un casque « compact », le pilote conduit une 1100 cm³. Surnommées les « monstres » dans le milieu de la compétition, ces machines résultent de recherches technologiques très poussées. Puissantes, allégées, elles atteignent des vitesses de 300 km/h.

Radiateur en aluminium de forte capacité.

Bloc optique avant étudié pour accroître l'aérodynamisme du carénage.

Pneus avant et arrière à structure radiale.

Réservoir de 22 l.

F. Davot / Documentation Honda France

Suspensions avant avec fourche à cartouche de 43 mm de diamètre.

Freins avant (double disque hydraulique de 310 mm).

4 cylindres en ligne.

Moteur 4 temps de 1137 cm³

SYSTÈME DE VENTILATION

suspensions arrière

Freins arrière (simple disque hydraulique de 256 mm).

Boîte de vitesses à 6 rapports.

Roues en alliage d'aluminium.

4 carburateurs

SYSTÈME DE FREINAGE

Très proche du modèle utilisé pour les épreuves d'endurance baptisées « enduro », la moto de cross s'affirme par sa simplicité et son élégance. Le motocross peut se pratiquer très jeune (dès huit ans pour les petits modèles) avec des engins comme le Honda XR 100 R. Suivant les gabarits, cette machine au moteur deux ou quatre temps pour une cylindrée de 49 à 99,2 cm³ peut développer de 2,7 à 9 CV . Dotée d'un réservoir de 2 à 6,5 litres, elle pèse de 15 à 60 kg.

© Honda France

© Honda France

© Honda France

La Scorpa, moto française de trial, développe une puissance de 18 CV pour une cylindrée de 250 à 280 cm³. Avec ses 78 kg et ses six vitesses, elle peut atteindre 95 km/h. Sur son cadre en acier, la selle domine le sol à 68,5 cm.

Le side-car de vitesse porte le surnom de « basset », en raison de sa faible hauteur. Il est conduit par un pilote assisté d'un équipier appelé « singe », qui répartit son poids selon la configuration de la piste (virages, lignes droites…). L'engin, généralement de fabrication artisanale, comporte trois roues de formule III, pèse 235 kg sans passagers, et développe une puissance de 172 CV, ce qui lui permet de rouler jusqu'à 280 km/h. Pour qu'il puisse ralentir et s'arrêter, ses freins sont en carbone de type formule 1, très résistant.

© Photopress

Le stade et l'athlétisme

Chez les anciens Grecs, le stade était une longue chaussée où se déroulaient des épreuves sportives. C'était un lieu important car, par le sport, on honorait les dieux, mais il était à la dimension de la société de l'époque : environ 4 000 m². 28 siècles plus tard, le Grand Stade de France couvre 62 100 m², soit 15 fois plus !

Le stade d'Épidaure du IVᵉ siècle av. J.-C. possédait une piste mesurant 181,30 m de long sur 23 m de large. Cette longueur n'était pas due au hasard : elle devait correspondre à 600 fois la longueur du pied d'Héraklès (Hercule) qui, selon la légende, avait tracé de la sorte une enceinte sacrée pour que ses 4 jeunes frères puissent concourir ensemble.

Les mesures étaient assez imprécises à cette époque. Ainsi le stade de Delphes mesurait 177,92 m et celui d'Olympie 192,27 m.

Inauguré en 1994, destiné au rugby et à l'athlétisme, le stade Charléty, à Paris, peut contenir 20 000 personnes.

La conception des stades modernes remonte au début du XIXᵉ siècle et coïncide avec la reprise des jeux Olympiques en 1896, à Athènes. Celui de Berlin, considéré comme ultramoderne lors des jeux de 1936, peut contenir 105 000 spectateurs. À l'époque, la piste était recouverte de cendres.

▶ Jessie Owens

Le coureur noir Américain remporta 4 médailles d'or au Jeux de Berlin en 1936. Furieux qu'un homme de couleur batte des sportifs nazis, Hitler refusa de lui serrer la main.

LES STADES FRANÇAIS

La France compte plus de 26 000 stades, de la simple pelouse bordée de petites tribunes aux géants, comme le stade municipal de Marseille et ses 60 000 places.

● Espaces voués aux sports collectifs (rugby, football), à l'athlétisme ou aux deux, les stades peuvent remplir d'autres missions, tels que les concerts du parc des Princes, à Paris.

● Afin de relever le défi des compétitions internationales, certains font peau neuve, comme le stade Lescure de Bordeaux.

● D'autres sont construits à cette occasion, comme le Grand Stade de France.
Tous doivent recevoir l'homologation des fédérations sportives en ce qui concerne les équipements, et celle des pouvoirs publics pour les normes de sécurité.

135

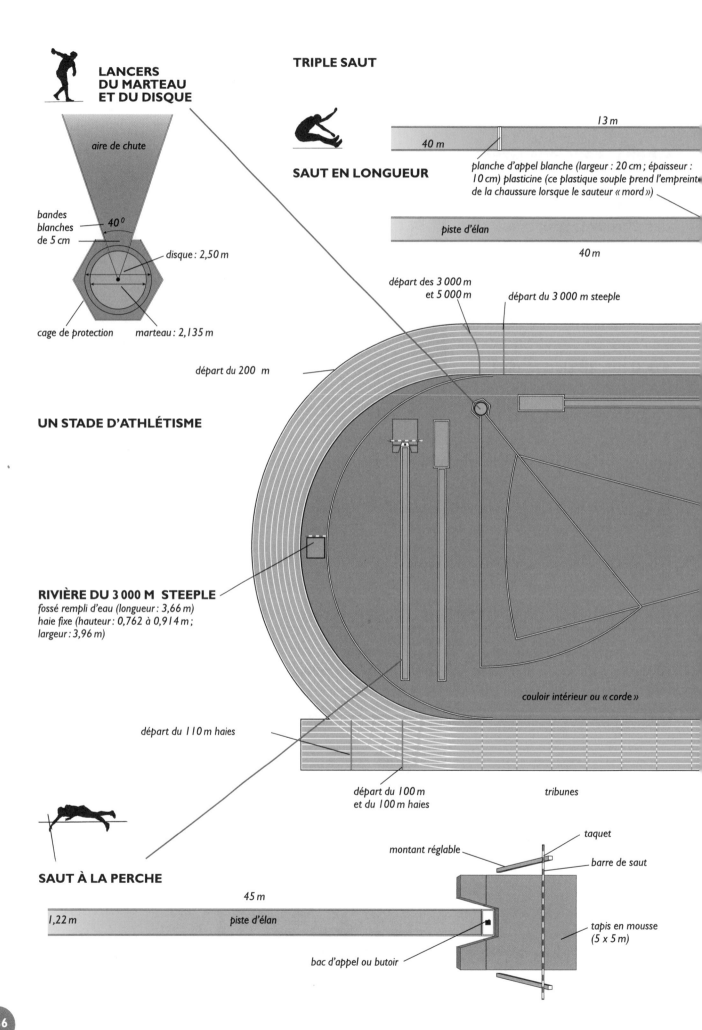

LANCERS DU MARTEAU ET DU DISQUE

aire de chute

bandes blanches de 5 cm

40°

disque : 2,50 m

cage de protection

marteau : 2,135 m

TRIPLE SAUT

SAUT EN LONGUEUR

13 m

40 m

planche d'appel blanche (largeur : 20 cm ; épaisseur : 10 cm) plasticine (ce plastique souple prend l'empreinte de la chaussure lorsque le sauteur « mord »)

piste d'élan

40 m

départ des 3 000 m et 5 000 m

départ du 3 000 m steeple

départ du 200 m

UN STADE D'ATHLÉTISME

RIVIÈRE DU 3 000 M STEEPLE
fossé rempli d'eau (longueur : 3,66 m)
haie fixe (hauteur : 0,762 à 0,914 m ;
largeur : 3,96 m)

couloir intérieur ou « corde »

départ du 110 m haies

départ du 100 m et du 100 m haies

tribunes

SAUT À LA PERCHE

montant réglable

taquet

barre de saut

45 m

1,22 m

piste d'élan

tapis en mousse (5 x 5 m)

bac d'appel ou butoir

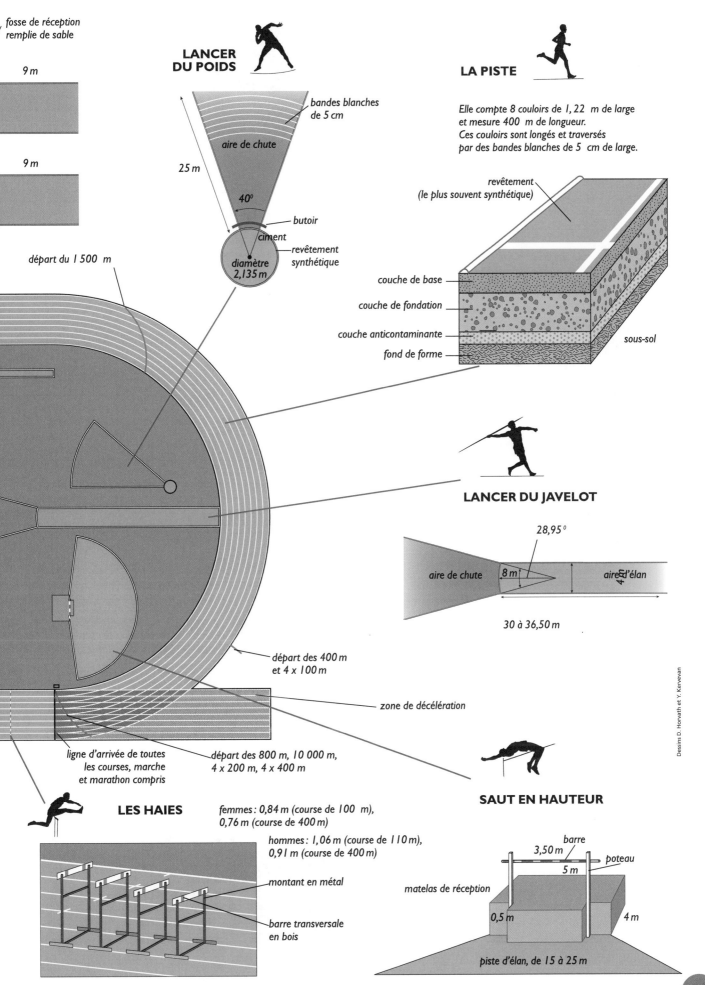

fosse de réception
remplie de sable

9 m

9 m

LANCER
DU POIDS

bandes blanches
de 5 cm

aire de chute

25 m

40°

butoir

ciment

revêtement
synthétique

diamètre
2,135 m

départ du 1 500 m

LA PISTE

Elle compte 8 couloirs de 1,22 m de large
et mesure 400 m de longueur.
Ces couloirs sont longés et traversés
par des bandes blanches de 5 cm de large.

revêtement
(le plus souvent synthétique)

couche de base

couche de fondation

couche anticontaminante

fond de forme

sous-sol

LANCER DU JAVELOT

28,95°

aire de chute

8 m

aire d'élan

4 m

30 à 36,50 m

départ des 400 m
et 4 x 100 m

zone de décélération

ligne d'arrivée de toutes
les courses, marche
et marathon compris

départ des 800 m, 10 000 m,
4 x 200 m, 4 x 400 m

SAUT EN HAUTEUR

LES HAIES

femmes : 0,84 m (course de 100 m),
0,76 m (course de 400 m)

hommes : 1,06 m (course de 110 m),
0,91 m (course de 400 m)

montant en métal

barre transversale
en bois

barre

3,50 m

poteau

5 m

matelas de réception

0,5 m

4 m

piste d'élan, de 15 à 25 m

Dessins D. Horvath et Y. Kervevan

137

LE GRAND STADE DE FRANCE

LE STADE DU FUTUR

Conçu à l'aide de technologies avancées,
il se destine aux manifestations d'envergure,
mais doit répondre aussi à des besoins dépassant
le cadre sportif. Le Grand Stade de France
en est un bon exemple.

HISTOIRE D'UN GÉANT

Ce bâtiment voit le jour à l'issue d'un concours opposant 18
projets d'architecture. Le site retenu en 1994 se trouve à 7,5 km
de Notre-Dame, sur la commune de Saint-Denis, au nord de Paris.
Ce choix répond à deux critères : géographique, grâce à la facilité
de l'accès routier et ferroviaire, et économique. Il a entraîné
de profonds réaménagements (autoroute, métro…), la création
de logements, de commerces, de bureaux…

UNE TOITURE IMPRESSIONNANTE

Suspendue à 40 m de hauteur, la toiture en acier couvre
62 000 m², dont 10 000 m² de verrière. Elle totalise
7 500 tonnes, soit l'équivalent de la tour Eiffel. Elle repose
sur 18 fins piliers d'acier espacées de 45 m. Haute de 57 m,
chacune de ces « aiguilles » pèse 120 tonnes.

DES ESCALIERS MONUMENTAUX

Point phare de la Coupe du monde de football,
en 1998, le Grand Stade est accessible par
18 escaliers monumentaux de 70 marches,
mesurant 9 m de large et 12 m de haut. Il contient
un maximum de 80 000 supporters lors
des rencontres
de football et de rugby.
Pour l'athlétisme,
les tribunes reculent
de 13 m et libèrent
la piste, la capacité
étant alors de 75 000
places. Enfin,
les spectacles peuvent
accueillir plus de
100 000 personnes.

LE GRAND STADE EN CHIFFRES

- 30 mois de travaux.
- 10 000 plans d'architectes.
- 800 000 m³, environ 2 millions de tonnes de terrassement.
- 180 000 m³ de béton.
- 300 km de câbles.
- 10 000 prises électriques.
- 270 m de longueur.
- 230 m de largeur.
- 37 km de gradins.
- 360 000 m² de planchers.
- Coût : 458 millions d'euros, dont 47 % financés par l'État.

Grades et uniformes militaires

Comment s'orienter dans la hiérarchie militaire, connaître la fonction de chacun et s'adresser à tous comme il convient ? Les grades, toujours apparents, et les uniformes, généralement complétés par des signes distinctifs, nous permettent de nous repérer dans le monde de l'armée française. En vigueur depuis 1670 à la suite d'une ordonnance de Louvois, le grand ministre de Louis XIV, ils nous convient à une « lecture » et à une reconnaissance précises.

MOUSQUETAIRE DU ROI
Avant la généralisation de l'uniforme, les mousquetaires (armés du mousqueton et de l'épée) portaient, sous le règne de Louis XIII, une casaque bleue croisée et rebrodée d'argent, des bottes à revers et un large feutre empanaché.

J. M. Poissenot

VOLONTAIRE DE L'AN II
En 1792, l'Assemblée législative décréta « la Patrie en danger », donnant le droit à tout citoyen de porter les armes pour défendre la République. Au sein de l'armée de volontaires patriotes, les « soldats de l'an II » portaient un habit blanc et bleu à boutons, et un pantalon de coutil rayé blanc et rouge. Le chapeau était orné d'une cocarde tricolore. Insuffisamment équipés, ces soldats combattirent pourtant en sabots, parfois pieds nus...

FANTASSIN DE 1914
Pendant la première année de la Première Guerre mondiale, le fantassin porte encore une tenue qui diffère peu de celle du soldat de 1870 : un képi rouge à visière noire, une tunique bleue et, surtout, le célèbre pantalon rouge garance. Très voyant, celui-ci causa à l'armée française de lourdes pertes. Dès 1915, le bleu horizon devint donc la couleur du « poilu ».

J. M. Poissenot

GRENADIER DE LA GARDE
Appartenant à un corps d'élite, les grenadiers de la garde impériale furent particulièrement populaires sous Napoléon Ier. L'uniforme du fantassin comportait un habit blanc à retroussis rouge, une culotte blanche, des guêtres et l'impressionnant bonnet d'oursin, orné d'un plumet rouge.

J. M. Poissenot

J. M. Poissenot

UN MORCEAU D'HISTOIRE

L'uniforme se caractérise par sa forme, sa coupe, ses accessoires (épaulettes, écussons, ornement de pantalon, boutons, insigne de grade).
Chaque élément rappelle un moment de l'histoire du corps dont le militaire est issu, mais aussi ses propres états de service, grâce aux insignes de décoration.

fusil FAMAS

OFFICIER DE L'ARMÉE DE TERRE

La tenue de sortie de l'armée de terre se compose d'une veste et d'un pantalon d'uniforme (orné d'un liseré qui change en fonction des grades), de couleur gris bleuté, dite « terre de France ». Officiers et sous-officiers portent le képi, frappé des étoiles s'il s'agit d'un général. Les hommes du rang portent le béret.

FANTASSIN

Dans toutes les armées existent, à côté de la tenue de sortie, une tenue moins stricte que l'on porte dans les bureaux (pull l'hiver, chemisette l'été), et une tenue de combat. Dans l'armée de terre, celle-ci est constituée d'un treillis de couleur kaki, d'un ceinturon auquel on peut fixer différents accessoires (l'arme de service pour les officiers, la pelle et la gourde pour l'homme du rang). En hiver, une parka et des brodequins montants à forte semelle, les rangers, complètent cette tenue. En campagne, la coiffure est le béret, changé pour le casque lorsque la compagnie est en dispositif de combat. Du général au soldat de 2e classe, tout le monde porte la même tenue ; seul un écusson porté sur la veste de treillis indique le grade.

J. M. Poissenot

1. Maréchal de France
2. Général d'armée
3. Général de corps d'armée
4. Général de division
5. Général de brigade
6. Colonel
7. Lieutenant-colonel
8. Chef de bataillon ou d'escadron
9. Capitaine
10. Lieutenant
11. Sous-lieutenant
12. Aspirant
13. Major
14. Adjudant-chef
15. Adjudant
16. Sergent-chef ou maréchal des logis-chef
17. Sergent ou maréchal des logis (de carrière)
18. Sergent ou maréchal des logis
19. Caporal-chef ou brigadier-chef
20. Caporal ou brigadier

ARMÉE DE TERRE

maréchal   officiers généraux

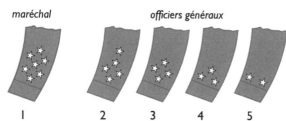

1   2   3   4   5

officiers supérieurs et subalternes

6   7   8   9   10   11   12

sous-officiers   hommes du rang

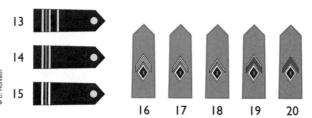

13   14   15   16   17   18   19   20

© D. Horvath

J. M. Poissenot

OFFICIER DE L'ARMÉE DE L'AIR

La couleur distinctive de l'armée de l'air est le « bleu louise ». Les officiers et sous-officiers portent la casquette, les hommes du rang le calot.

ARMÉE DE L'AIR

officiers généraux

1 2 3 4

officiers supérieurs

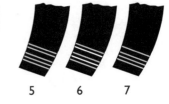

5 6 7

1. Général d'armée aérienne
2. Général de corps aérien
3. Général de division aérienne
4. Général de brigade aérienne
5. Colonel
6. Lieutenant-colonel
7. Commandant
8. Capitaine
9. Lieutenant
10. Sous-lieutenant
11. Aspirant
12. Major
13. Adjudant-chef
14. Adjudant
15. Sergent-chef
16. Sergent de carrière
17. Sergent
18. Caporal-chef
19. Caporal
20. 1re classe

officiers subalternes

8 9 10 11

sous-officiers

12 13

sous-officiers

14 15 16 17

hommes du rang

18 19 20

© D. Horvath

J. M. Poissenot

MARINE NATIONALE

officiers généraux

1 2 3 4

officiers supérieurs

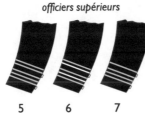

5 6 7

officiers subalternes

8 9 10 11

officiers mariniers

12 13

officiers mariniers

14 15 16

quartiers-maîtres

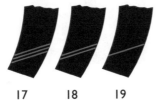

17 18 19

OFFICIER DE MARINE

Le bleu est la couleur de la marine depuis le XVIIIe siècle. L'uniforme des officiers est bleu en hiver, blanc en été. La veste est ornée de boutons dorés. Les matelots portent un maillot rayé et une vareuse bleue à revers blanc, ainsi que le célèbre béret blanc orné d'un pompon rouge.

1. Amiral
2. Vice-amiral d'escadre
3. Vice-amiral
4. Contre-amiral
5. Capitaine de vaisseau
6. Capitaine de frégate
7. Capitaine de corvette
8. Lieutenant de vaisseau
9 et 10. Enseignes de vaisseau (1re et 2e classe)
11. Aspirant
12. Major
13. Maître principal
14. Premier-maître
15. Maître
16. Second maître
17. Quartier-maître de 1re classe
18. Quartier-maître de 2e classe
19. Matelot breveté

J. M. Poissenot

QUELQUES UNIFORMES PARTICULIERS

PARACHUTISTES

Les régiments parachutistes sont apparus avec la Seconde Guerre mondiale. Leur tenue comporte un treillis à motif léopard ainsi qu'un béret rouge.

FANTASSINS DE LA GARDE RÉPUBLICAINE

Corps dépendant de la gendarmerie, la garde républicaine, dont les origines remontent au « guet royal » institué par Saint Louis, est aujourd'hui chargée des services d'honneur (escorte de prestige) pour les hautes personnalités de l'État. Les cavaliers portent un casque de cuir à crinière, les fantassins sont coiffés d'un shako orné d'un plumet rouge, vêtus d'une tunique noire à retroussis rouge et d'un pantalon bleu à bande noire.

ÉLÈVES DE L'ÉCOLE POLYTECHNIQUE

Les élèves de Polytechnique, prestigieuse école scientifique fondée en 1794, ont un statut militaire. Leur tenue de sortie comporte un uniforme noir avec pantalon à liseré, un sabre de parade et un bicorne.

LÉGIONNAIRES

La Légion étrangère a été créée par le roi Louis-Philippe en 1831. Elle est composée de volontaires, en majorité étrangers. Le képi blanc, la ceinture bleue et les épaulettes vert et rouge constituent les signes distinctifs de l'uniforme du légionnaire.

CE QU'IL FAUT DIRE

● Dans les armées de terre et de l'air, le grade de tous les officiers doit être précédé de « mon ». Mais cet usage n'est pas en cours vis-à-vis des sous-officiers. On dira ainsi « mon général », mais « sergent ».

● Attention ! Une femme qui s'adresse à un officier des armées de terre et de l'air n'emploie jamais « mon » devant le grade de l'officier.

● Dans la marine, on appelle les officiers subalternes « lieutenant » (sauf le lieutenant de vaisseau, appelé « capitaine » !), les officiers supérieurs « commandant » et les officiers généraux « amiral ».

La cour d'assises

« Messieurs, la cour. »
Les assises vont commencer : soupçonné d'avoir commis un crime, un accusé va faire son entrée dans la salle d'audience. Pendant plusieurs jours, parfois plusieurs semaines, des magistrats et des citoyens tirés au sort, les jurés, vont écouter des dizaines et des dizaines de témoins et d'experts, avant de juger si l'accusé est réellement le coupable qu'on recherche. Spectaculaire, riche en rebondissements et en émotions de toutes sortes, le procès d'assises est un moment dramatique où se joue la liberté et l'honneur d'une personne.

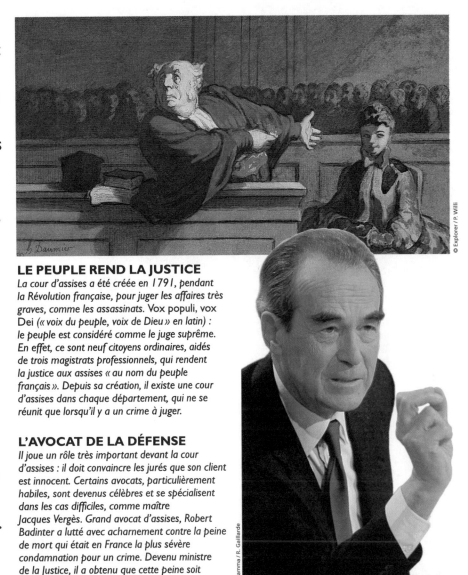

LE PEUPLE REND LA JUSTICE

La cour d'assises a été créée en 1791, pendant la Révolution française, pour juger les affaires très graves, comme les assassinats. Vox populi, vox Dei (« voix du peuple, voix de Dieu » en latin) : le peuple est considéré comme le juge suprême. En effet, ce sont neuf citoyens ordinaires, aidés de trois magistrats professionnels, qui rendent la justice aux assises « au nom du peuple français ». Depuis sa création, il existe une cour d'assises dans chaque département, qui ne se réunit que lorsqu'il y a un crime à juger.

L'AVOCAT DE LA DÉFENSE

Il joue un rôle très important devant la cour d'assises : il doit convaincre les jurés que son client est innocent. Certains avocats, particulièrement habiles, sont devenus célèbres et se spécialisent dans les cas difficiles, comme maître Jacques Vergès. Grand avocat d'assises, Robert Badinter a lutté avec acharnement contre la peine de mort qui était en France la plus sévère condamnation pour un crime. Devenu ministre de la Justice, il a obtenu que cette peine soit supprimée par la loi, le 9 octobre 1981.

AVANT LE PROCÈS

Un cadavre a été découvert, la mort paraît suspecte. Le procureur de la République, le magistrat qui représente la société, ouvre alors une information judiciaire, c'est-à-dire qu'il demande à un juge d'instruction de mener une enquête pour établir la vérité. Le juge peut convoquer des témoins, des amis, des collègues, des parents du défunt, ou encore des experts. S'il soupçonne une personne d'être coupable de meurtre ou d'assassinat (un meurtre prémédité, c'est-à-dire préparé), il peut la placer sur écoute téléphonique ou effectuer une perquisition chez elle. S'il a suffisamment de preuves, il peut ordonner que le suspect soit gardé en prison. Il a aussi la possibilité d'organiser une reconstitution sur les lieux du crime, pendant laquelle il lui demande de s'expliquer une nouvelle fois. Quand l'enquête est terminée, le juge prononce un non-lieu s'il pense que le suspect est innocent ; dans le cas contraire, il l'envoie devant la cour d'assises.

LE JURY

il est constitué de 9 personnes. Ce sont des citoyens français, âgés de plus de 22 ans, sachant lire et écrire en français. Ils sont tirés au sort sur une liste de 35 noms, elle-même établie à partir des listes électorales. Une fois désignés, ils sont obligés de siéger. En cas de refus, ils doivent payer une amende. Les jurés ne sont pas rémunérés, mais reçoivent une indemnité pour siéger, ainsi qu'une indemnité de séjour et de voyage.

L'HUISSIER

lorsque la cour entre dans la salle, il annonce : « Mesdames, messieurs, la cour. » Toute l'assistance doit alors se lever. Il est aussi chargé de faire l'appel des témoins au début de l'audience, puis de les conduire à la barre à tour de rôle.

LA SALLE DES DÉLIBÉRATIONS

où la cour et les jurés se retirent après la plaidoirie de l'avocat de la défense. Juste avant de sortir de la salle, le président lit publiquement aux jurés une liste de questions, en demandant à la fin de chacune d'elles si le jury pense que l'accusé est coupable. Isolés dans la salle des délibérations, la cour et le jury se prononcent sur la culpabilité de l'accusé (une majorité de 8 voix est nécessaire), puis, s'ils estiment l'accusé coupable, sur la peine qu'il faut lui infliger. Ils reviennent ensuite dans la salle d'audience où le président donne lecture de la décision, qu'on appelle verdict. Si l'accusé est acquitté, il est immédiatement libéré.

LE TÉMOIN

il vient déposer à la barre, mais doit d'abord prêter serment en levant la main droite après avoir entendu du président les paroles suivantes : « Jurez de parler sans haine et sans crainte, de dire toute la vérité, rien que la vérité. Dites : Je le jure. » À partir du moment où on est cité comme témoin, on est isolé dans une pièce pour ne pas risquer d'être influencé par le déroulement des débats.

L'ACCUSÉ

il se tient dans le box qui lui est réservé, mais doit comparaître sans menottes pour ne pas influencer défavorablement le jury. Il est introduit dans la salle sur ordre du président, qui prononce la phrase rituelle : « Faites entrer l'accusé. »

LE PUBLIC

constitué par les personnes directement intéressées par l'affaire, des journalistes et de simples curieux, il doit se tenir tranquille afin d'éviter que le président ne menace de faire évacuer la salle ! Sa présence est une application directe du principe selon lequel la justice doit être rendue sous les yeux de tous.

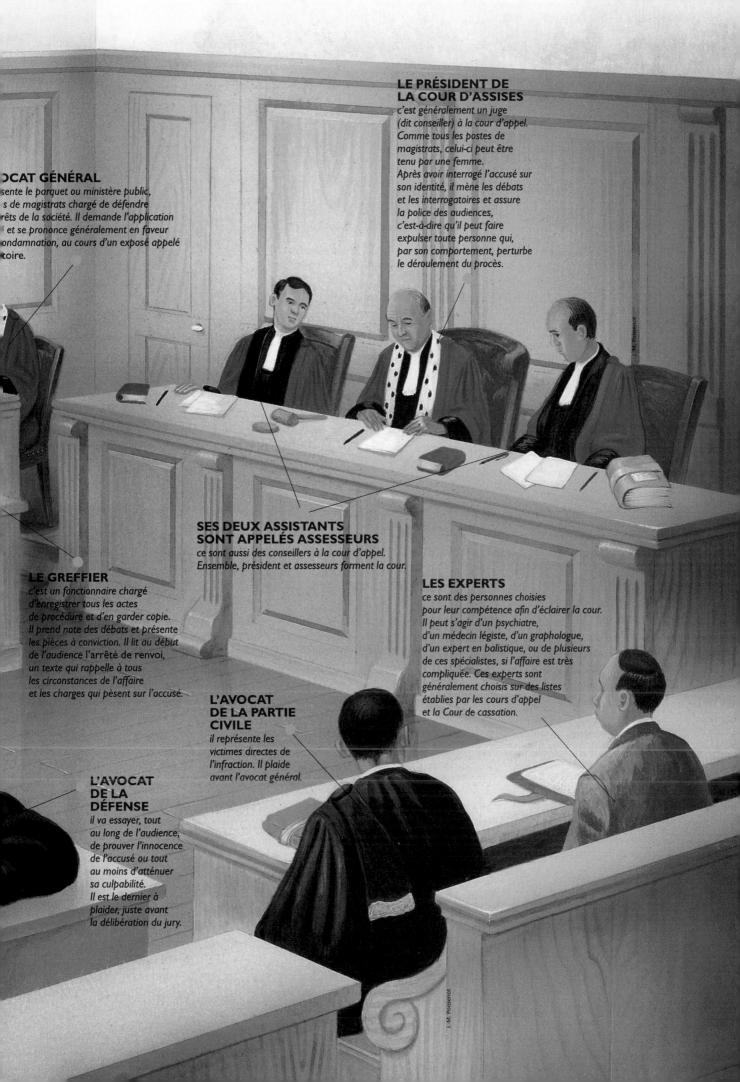

LE PRÉSIDENT DE LA COUR D'ASSISES
c'est généralement un juge (dit conseiller) à la cour d'appel. Comme tous les postes de magistrats, celui-ci peut être tenu par une femme. Après avoir interrogé l'accusé sur son identité, il mène les débats et les interrogatoires et assure la police des audiences, c'est-à-dire qu'il peut faire expulser toute personne qui, par son comportement, perturbe le déroulement du procès.

OCAT GÉNÉRAL
sente le parquet ou ministère public, s de magistrats chargé de défendre rêts de la société. Il demande l'application i et se prononce généralement en faveur ondamnation, au cours d'un exposé appelé toire.

SES DEUX ASSISTANTS SONT APPELÉS ASSESSEURS
ce sont aussi des conseillers à la cour d'appel. Ensemble, président et assesseurs forment la cour.

LE GREFFIER
c'est un fonctionnaire chargé d'enregistrer tous les actes de procédure et d'en garder copie. Il prend note des débats et présente les pièces à conviction. Il lit au début de l'audience l'arrêté de renvoi, un texte qui rappelle à tous les circonstances de l'affaire et les charges qui pèsent sur l'accusé.

LES EXPERTS
ce sont des personnes choisies pour leur compétence afin d'éclairer la cour. Il peut s'agir d'un psychiatre, d'un médecin légiste, d'un graphologue, d'un expert en balistique, ou de plusieurs de ces spécialistes, si l'affaire est très compliquée. Ces experts sont généralement choisis sur des listes établies par les cours d'appel et la Cour de cassation.

L'AVOCAT DE LA PARTIE CIVILE
il représente les victimes directes de l'infraction. Il plaide avant l'avocat général.

L'AVOCAT DE LA DÉFENSE
il va essayer, tout au long de l'audience, de prouver l'innocence de l'accusé ou tout au moins d'atténuer sa culpabilité. Il est le dernier à plaider, juste avant la délibération du jury.

Quelques procès célèbres

Landru rend ses comptes

VIOLETTE NOZIÈRES

Les assassinats célèbres ont souvent inspiré les cinéastes. Ainsi, le cas de Violette Nozières, qui, en 1933, empoisonna ses deux parents aux barbituriques et tenta de faire croire à un suicide au gaz, afin de pouvoir s'enfuir avec son amant. Alertés par l'odeur, les voisins appelèrent la police et on réussit à sauver la mère. Condamnée aux travaux forcés à perpétuité, puis grâciée en 1944, la jeune fille se maria et mourut en 1966. En 1978 Claude Chabrol en fit un film, avec Isabelle Huppert dans le rôle de Violette, Jean Carmet dans celui du père et Stéphane Audran dans celui de la mère.

« OMAR M'A TUER »

Omar Haddad, jardinier à Mougins (près de Nice), fut condamné en 1994 à 18 ans de prison pour le meurtre de sa riche patronne, Ghislaine Marchal, assassinée en 1991. Principal indice, une inscription sur un mur, tracée avec le sang de la victime : « Omar m'a tuer ». Les défenseurs du jardinier font remarquer que la victime, amatrice de mots croisés, n'aurait jamais fait une faute d'orthographe pareille...
Mais les accusateurs d'Omar rappellent que ce dernier aimait le jeu et avait donc besoin d'argent. Présentée en 1995, la demande d'annulation du procès devant la Cour de cassation a été rejetée. Beaucoup croient à une erreur judiciaire.

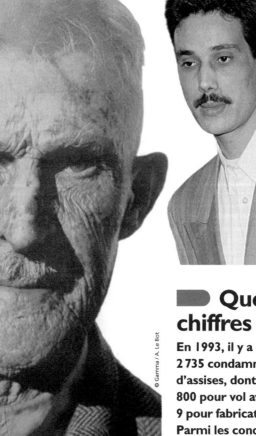

« L'OGRE DE GAMBAIS »

Élégant et charmeur, Henri Désiré Landru trouvait par petites annonces des dames seules et fortunées, auxquelles il proposait le mariage. Il attira dix malheureuses veuves dans son pavillon de Gambais, près de Versailles, de 1915 à 1919, dont on ne retrouva que des restes d'ossements brûlés dans la cuisinière. Condamné à mort, il fut exécuté en 1922. Cette histoire inspira à Charlie Chaplin le film Monsieur Verdoux (1947).

L'AFFAIRE SEZNEC : UNE ERREUR JUDICIAIRE ?

Accusé du meurtre de Pierre Quéméneur, un riche marchand de bois avec lequel il se rendait à Paris pour affaires, une nuit de 1923, Guillaume Seznec, qui ne cessa de clamer son innocence, fut condamné à perpétuité et envoyé au bagne de Cayenne. Gracié par le président de la République en 1947, il mourut en 1954. Son petit-fils a demandé la révision du procès, demande rejetée en 1996 : il est presque impossible en effet de contester les décisions des cours d'assises ; on ne peut faire appel à moins d'être en mesure de prouver qu'un fait très important n'était pas connu des jurés à l'époque du jugement.

Quelques chiffres

En 1993, il y a eu en France 2 735 condamnations devant les cours d'assises, dont 373 pour meurtre, 800 pour vol avec port d'arme et 9 pour fabrication de fausse monnaie. Parmi les condamnés, 153 étaient des mineurs de moins de 18 ans.

À la télévision, seul le plateau apparaît, mais c'est en régie que se réalise l'émission, en direct ou en différé. Le tournage en vidéo permet de faire d'importantes économies de temps et d'argent.

Un plateau de télévision

Viseur dans lequel un petit rectangle permet aussi de voir instantanément l'image enregistrée.

Casque permettant au caméraman de recevoir les instructions du réalisateur depuis la régie.

Prompteur où passe le texte à dire. Le journaliste ou l'animateur qui est devant la caméra lit, tout en regardant le viseur situé en face de lui.

Zoom pour cadrer l'image de près ou de loin.

M. Laverdet

trépied à roulette

PRÉSENTATEUR

Avant d'entrer sur le plateau, le présentateur se fait maquiller dans la loge : laque pour les cheveux, fond de teint et poudre pour le visage. Les maquilleuses effectuent aussi des « retouches » de poudre pendant le tournage pour éviter les brillances sur le visage. Marron, noir, rose, orange sont les teintes utilisées pour les yeux, le vert et le bleu donnant mauvaise mine. Pour les vêtements, les présentateurs évitent le vert par superstition et préfèrent le bleu qui « passe » bien à l'antenne.

© Cosmos / M. Wolf

STUDIO

De nombreux studios sont regroupés en banlieue parisienne, à la Plaine Saint-Denis. Sur d'anciens terrains industriels, d'immenses hangars sont occupés par plusieurs sociétés de production qui réalisent là les jeux et les émissions de débat que diffusent plusieurs chaînes de télévision.

© Gamma / M. Toussaint

CAMÉRA VIDÉO DE STUDIO

Des caméras portables peuvent aussi être utilisées en studio. De même, des caméras spéciales, telle la Louma, peuvent être disposées sur des bras articulés ou des grues afin de filmer des plans étonnants.

© Gamma / Toussaint

CHAUFFEUR

« Applaudissez ! » Pour que le public d'une émission réagisse comme il le souhaite, le producteur recrute un « chauffeur de salle ». Cet intermittent du spectacle met les spectateurs à l'aise, leur explique le déroulement de l'émission et les place sur les gradins. Il doit mettre le public dans le ton de l'émission : ambiance « plateau de variétés » ou complicité tranquille avec les invités.

MOTS CLÉS

- **FAUX DIRECT**
  une émission enregistrée en direct, mais diffusée plus tard.

- **TALK-SHOW**
  débat animé avec beaucoup de participants.

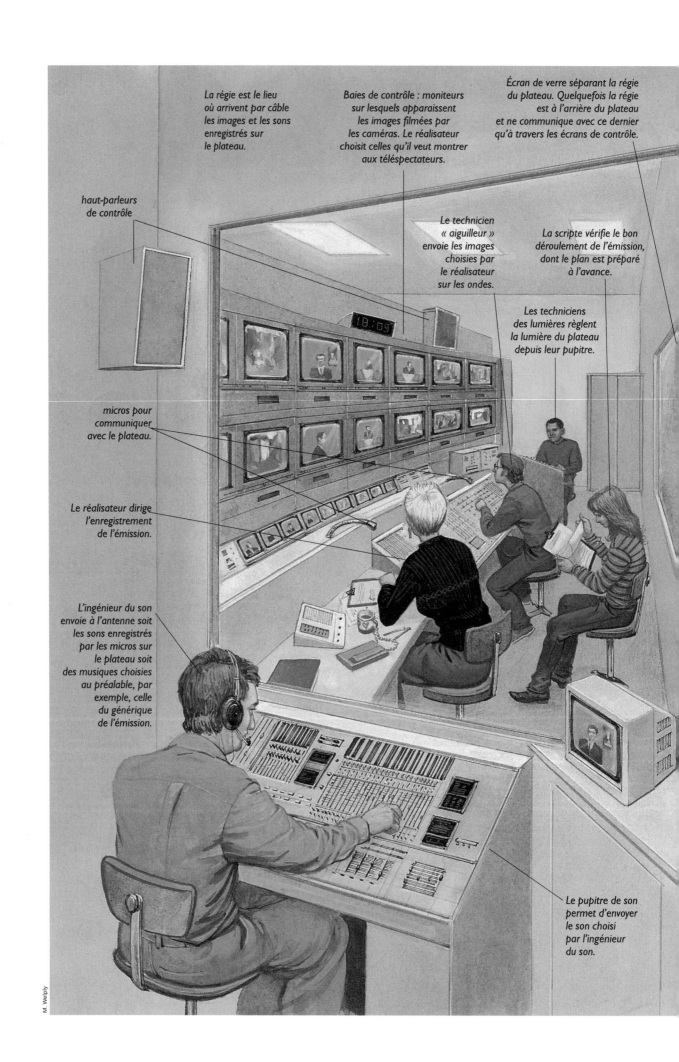

La régie est le lieu où arrivent par câble les images et les sons enregistrés sur le plateau.

Baies de contrôle : moniteurs sur lesquels apparaissent les images filmées par les caméras. Le réalisateur choisit celles qu'il veut montrer aux téléspectateurs.

Écran de verre séparant la régie du plateau. Quelquefois la régie est à l'arrière du plateau et ne communique avec ce dernier qu'à travers les écrans de contrôle.

haut-parleurs de contrôle

Le technicien « aiguilleur » envoie les images choisies par le réalisateur sur les ondes.

La scripte vérifie le bon déroulement de l'émission, dont le plan est préparé à l'avance.

Les techniciens des lumières règlent la lumière du plateau depuis leur pupitre.

micros pour communiquer avec le plateau.

Le réalisateur dirige l'enregistrement de l'émission.

L'ingénieur du son envoie à l'antenne soit les sons enregistrés par les micros sur le plateau soit des musiques choisies au préalable, par exemple, celle du générique de l'émission.

Le pupitre de son permet d'envoyer le son choisi par l'ingénieur du son.

M. Welply

148

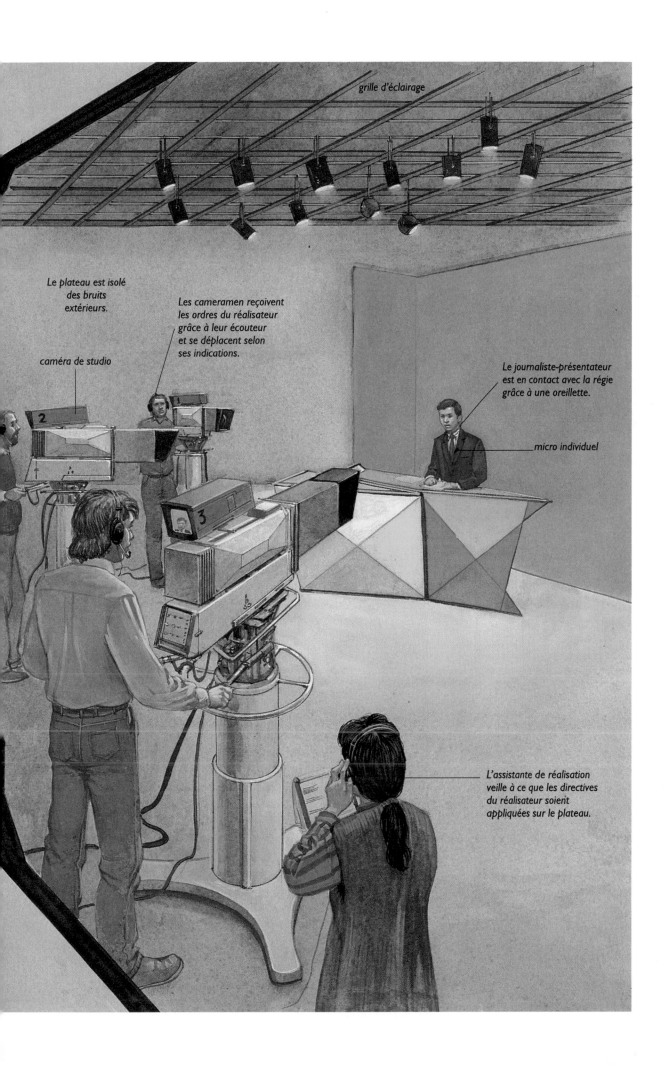

grille d'éclairage

Le plateau est isolé
des bruits
extérieurs.

Les cameramen reçoivent
les ordres du réalisateur
grâce à leur écouteur
et se déplacent selon
ses indications.

caméra de studio

Le journaliste-présentateur
est en contact avec la régie
grâce à une oreillette.

micro individuel

L'assistante de réalisation
veille à ce que les directives
du réalisateur soient
appliquées sur le plateau.

2

3

UN PLATEAU
DE VARIÉTÉS

Les déplacements des animateurs et des invités sont prévus pour que les caméras, les micros soient bien placés. Le réalisateur peut demander la reprise d'un passage de l'enregistrement. Le public est installé sur un côté du plateau et ses applaudissements sont enregistrés.

© Gamma / Benainous / Reglain

UN PLATEAU
DE *TALK-SHOW*

Cette émission est enregistrée sur un plateau avec plusieurs lieux d'intervention. Les invités interviewés par l'animateur sont installés dans une ambiance de salon, alors que sur les côtés peuvent intervenir des chroniqueurs de l'émission. Le public est régulièrement filmé, les gradins servant souvent de décor à l'émission. Une seule prise est réalisée afin de conserver l'ambiance du direct.

© Gamma / M. Toussaint

EXTÉRIEUR EN DIRECT

Une émission comme le journal télévisé peut diffuser un reportage réalisé en direct par un envoyé spécial. Depuis le perron de l'Élysée ou un stade de football, le reporter envoie ses images et son commentaire par l'intermédiaire d'un car-régie. Les envoyés spéciaux peuvent également utiliser une « valise satellite » ayant sa propre régie portative pour établir une liaison entre n'importe quel point du globe et les studios de leur chaîne.

F. Joos

© Gamma / Scorceletti

UN PLATEAU DE JOURNAL TÉLÉVISÉ

Le JT est enregistré dans les studios de la chaîne. Le journaliste présentateur est seul sur le plateau et, par moments, accompagné d'invités et de journalistes spécialisés. Pour ce direct, la régie effectue un important travail de réalisation, lançant les sujets de reportage tout juste achevés ou établissant les liaisons avec les envoyés spéciaux. L'enregistrement de la météo se fait légèrement à l'écart.

Nature

Le règne animal

Classer les animaux ? Un vrai casse-tête en apparence :
certains volent, d'autres nagent, d'autres encore marchent ou rampent.
Certains sont énormes et d'autres à peine visibles à l'œil nu. Ils sont couverts
de fourrure, d'écailles, de plumes. Ils pondent des œufs ou sont vivipares.
On compte plus de 1 200 000 espèces connues qui forment le règne animal.

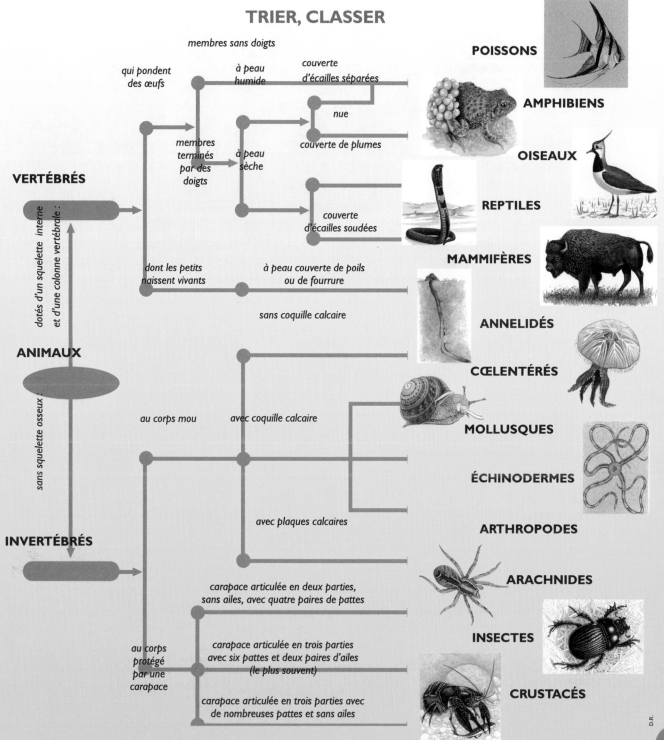

TRIER, CLASSER

membres sans doigts

qui pondent des œufs — à peau humide — couverte d'écailles séparées — POISSONS

nue — AMPHIBIENS

couverte de plumes — OISEAUX

membres terminés par des doigts — à peau sèche — couverte d'écailles soudées — REPTILES

VERTÉBRÉS — dotés d'un squelette interne et d'une colonne vertébrale :

dont les petits naissent vivants — à peau couverte de poils ou de fourrure — MAMMIFÈRES

ANIMAUX

sans coquille calcaire — ANNELIDÉS

CŒLENTÉRÉS

au corps mou — avec coquille calcaire — MOLLUSQUES

sans squelette osseux — ÉCHINODERMES

avec plaques calcaires — ARTHROPODES

INVERTÉBRÉS

carapace articulée en deux parties, sans ailes, avec quatre paires de pattes — ARACHNIDES

au corps protégé par une carapace — carapace articulée en trois parties avec six pattes et deux paires d'ailes (le plus souvent) — INSECTES

carapace articulée en trois parties avec de nombreuses pattes et sans ailes — CRUSTACÉS

D.R.

153

TOUTES SORTES D'ANIMAUX

1 autruche
2 tigre
3 baleine
4 papillon
5 crabe

6 dendrobate
7 poisson-chat
8 requin
9 cobra
10 méduse

1 L'AUTRUCHE, UN OISEAU
– Ses membres supérieurs sont des ailes.
– Son corps est couvert de plumes.
– Elle se tient sur ses membres inférieurs.
– Elle a un bec et pas des dents.
– Elle respire grâce à des poumons.
– La femelle pond des œufs.

2 LE TIGRE, UN MAMMIFÈRE
– Sa peau est couverte de fourrure.
– Il a quatre membres terminés par des doigts.
– Il respire grâce à des poumons.
– La femelle allaite ses petits.

3 LA BALEINE, UN MAMMIFÈRE MARIN
– Elle possède un squelette
  et une impressionnante colonne vertébrale.
– La femelle allaite ses petits.

– Elle respire grâce à ses poumons, en faisant surface.
– Elle ne peut vivre longtemps hors de l'eau.

4 LE PAPILLON, UN INSECTE
– Son corps mou est protégé par une carapace de chitine.
– Son abdomen est articulé.
– Il possède deux paires d'ailes.
– Il a trois paires de pattes.

5 LE CRABE, UN CRUSTACÉ
– Il vit aussi bien dans l'eau que sur la terre ferme.
– Il ne possède pas de squelette.
– Une carapace protège son corps mou.
– Il a cinq paires de pattes.

6 LA GRENOUILLE, UN AMPHIBIEN
– Sa peau est nue.
– Elle a quatre membres terminés par quatre doigts.

– Elle respire grâce à des branchies tant qu'elle n'est pas adulte, puis grâce à des poumons.
– Adulte, elle vit aussi bien dans l'eau que sur la terre ferme.

7 LE POISSON-CHAT, UN POISSON OSSEUX
– Il possède des nageoires.
– Sa peau est couverte d'écailles.
– Il respire par des branchies.
– Il vit dans l'eau.

8 LE REQUIN, UN POISSON CARTILAGINEUX
– Il possède un squelette composé de cartilage et non d'os.
– Il respire par des branchies.
– Il possède de nombreuses nageoires.

G. Fornari

⑨ LE COBRA, UN REPTILE

– *Sa peau est couverte d'écailles soudées.*
– *Il n'a pas de pattes (mais certains reptiles, comme le varan, en possèdent).*
– *Il respire grâce à des poumons.*
– *La femelle pond des œufs.*

⑩ LA MÉDUSE, UN CŒLENTÉRÉ

– *Elle ne possède pas de squelette.*
– *Son corps n'est pas protégé par une carapace.*
– *Son organisme très simple se compose essentiellement d'une bouche et d'une cavité gastrique (estomac).*
– *Des tentacules lui tiennent lieu de membres.*

L'oiseau est beaucoup plus proche du poisson que du papillon

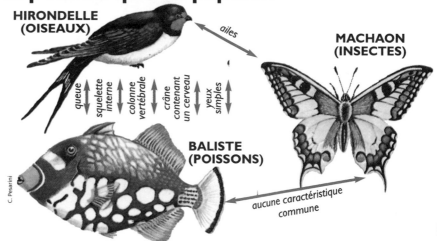

HIRONDELLE (OISEAUX)

ailes

MACHAON (INSECTES)

queue — *squelette interne* — *colonne vertébrale* — *crâne contenant un cerveau* — *yeux simples*

BALISTE (POISSONS)

aucune caractéristique commune

C. Pesarini

DE « DRÔLES D'OISEAUX »

Chaque grande famille d'animaux a ses « bêtes curieuses », ses inclassables, ses drôles d'oiseaux.

D.R.

MOLOCH

Ce reptile vivant dans les régions désertiques est tout à fait inoffensif malgré les pointes hérissées sur tout son corps.

PANGOLIN

Son corps est entièrement recouvert d'écailles et il ressemble plutôt à un gros lézard pataud qu'à un mammifère. Pourtant, la femelle allaite bien ses petits, qui naissent formés.

D.R.

LAMANTIN

Encore un curieux mammifère, marin celui-ci. Son étrange chant, qui lui vaut son nom, est sans doute aussi à l'origine du mythe des sirènes.

© Jacana / D. Faulkner

HIPPOCAMPE

C'est un poisson. Il nage « debout » et s'accroche aux herbes marines avec sa queue préhensile. À la saison de la reproduction, la femelle place ses œufs dans le ventre du père qui, au bout de quelques semaines... accouche.

© Jacana / H. Chaumeton

ARAIGNÉE FOURMILIÈRE

Un seul détail prouve que cet animal n'est pas un insecte : il a quatre paires de pattes et non trois. Cette araignée est un bel exemple de mimétisme prédateur : elle ressemble à (presque) s'y méprendre aux fourmis qui composent la plupart de ses menus.

BONELLIE

La femelle de cet invertébré de la famille des échiures a l'air d'une longue algue vert sombre. Elle mesure plus d'un mètre à l'âge adulte. Le mâle, minuscule, vit en parasite à l'intérieur du corps de la femelle.

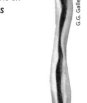

G.G. Gallerani

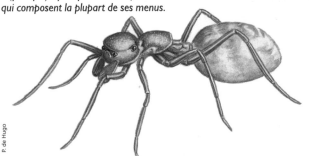

P. de Hugo

Les mammifères dans le monde

Les mammifères, ayant su s'adapter à des milieux très différents, sont présents partout sur notre planète. Selon leurs milieux de vie, ils ont pu acquérir les spécialisations qui leur offrent un maximum de chances de survie.

LES CONTINENTS DES PLACENTAIRES

*90 % des espèces de mammifères sont des placentaires : leur embryon est protégé et nourri dans un organe particulier, le placenta. N'étant pas gênés par d'autres animaux plus évolués ou plus adaptés, ils ont connu un développement sans précédent sur tous les continents. L'ancêtre de la famille des camélidés est originaire d'Amérique du Nord. Sa migration sur deux continents différents a donné naissance aux chameaux et aux dromadaires en Asie et en Afrique, et aux **lamas** en Amérique du Sud.*

Hachette

*Le **koala** se nourrit uniquement d'une espèce d'eucalyptus et ne peut donc s'adapter à d'autres milieux.*

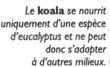

Hachette

© Jacana / J.-P. Varin

LES ÎLES DES ANCÊTRES

*Les marsupiaux, dont les petits achèvent leur développement dans une poche ventrale, sont moins évolués que les placentaires. Ils n'ont donc pu subsister et se développer que dans des points isolés, là où ils n'étaient pas en concurrence avec des placentaires, comme en Australie ou en Tasmanie. On pense qu'il pourrait encore subsister une espèce de **loup marsupial**, en Tasmanie, dans des régions boisées et inaccessibles à l'Homme.*

QUELQUES RECORDS

Le plus lourd : 120 t, la baleine bleue
Le plus rapide : 110 km/h, le guépard
Le plus haut : 5,40 m, l'*Indricotherium*, il y a 35 millions d'années
Le plus petit : 3 à 5,2 cm, la musaraigne d'Afrique du Sud

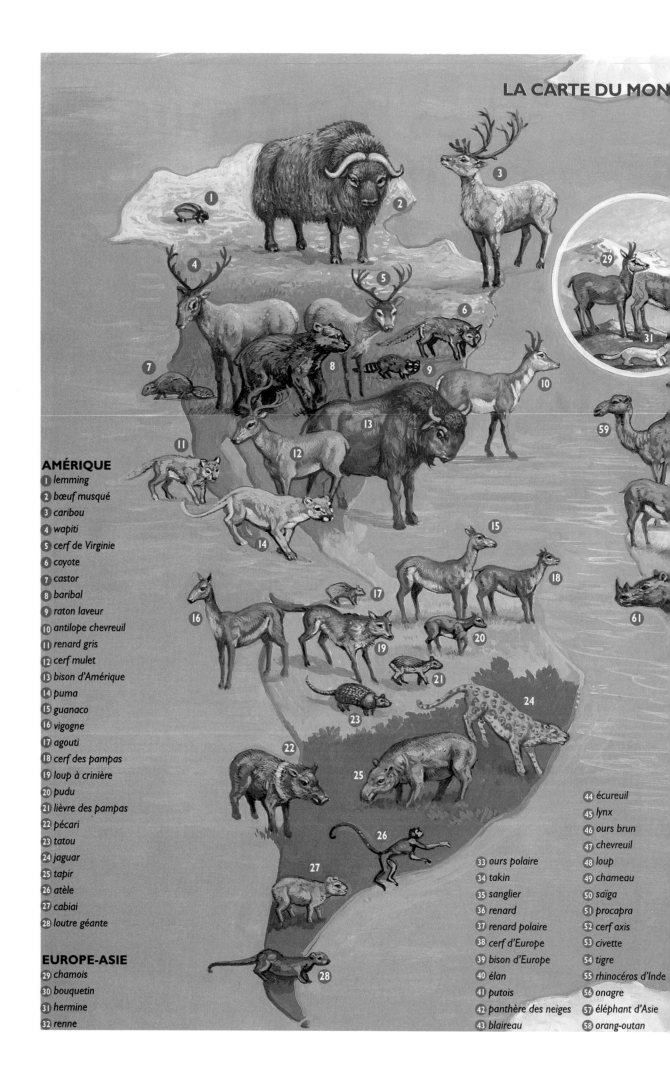

AMÉRIQUE

1. lemming
2. bœuf musqué
3. caribou
4. wapiti
5. cerf de Virginie
6. coyote
7. castor
8. baribal
9. raton laveur
10. antilope chevreuil
11. renard gris
12. cerf mulet
13. bison d'Amérique
14. puma
15. guanaco
16. vigogne
17. agouti
18. cerf des pampas
19. loup à crinière
20. pudu
21. lièvre des pampas
22. pécari
23. tatou
24. jaguar
25. tapir
26. atèle
27. cabiai
28. loutre géante

EUROPE-ASIE

29. chamois
30. bouquetin
31. hermine
32. renne

33. ours polaire
34. takin
35. sanglier
36. renard
37. renard polaire
38. cerf d'Europe
39. bison d'Europe
40. élan
41. putois
42. panthère des neiges
43. blaireau

44. écureuil
45. lynx
46. ours brun
47. chevreuil
48. loup
49. chameau
50. saïga
51. procapra
52. cerf axis
53. civette
54. tigre
55. rhinocéros d'Inde
56. onagre
57. éléphant d'Asie
58. orang-outan

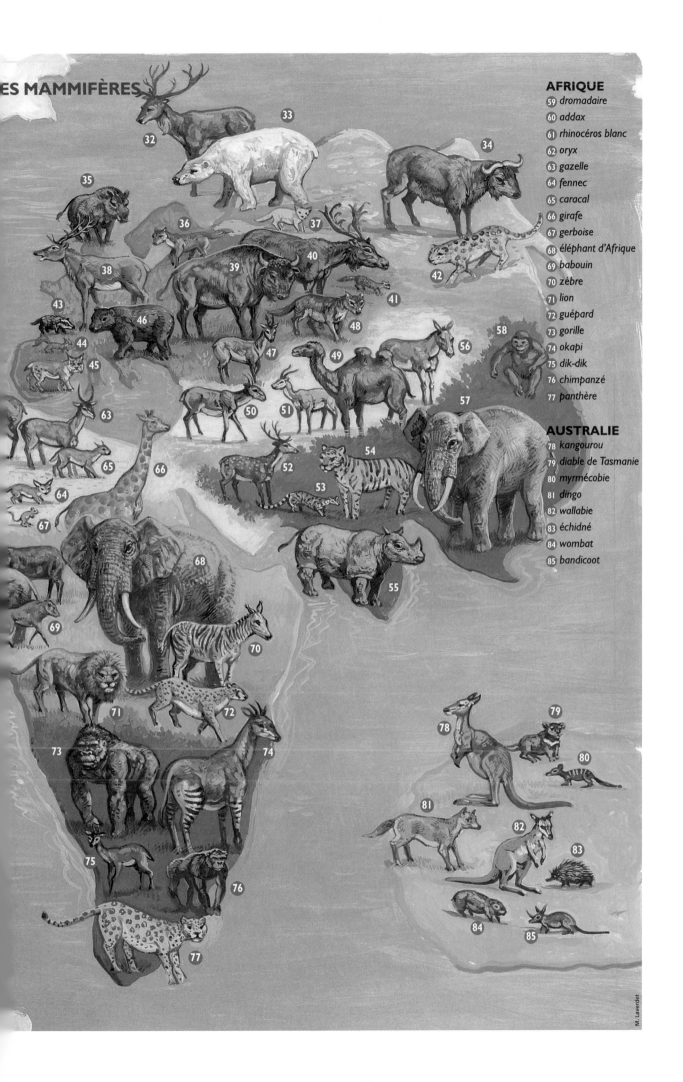

ES MAMMIFÈRES

AFRIQUE

59 dromadaire
60 addax
61 rhinocéros blanc
62 oryx
63 gazelle
64 fennec
65 caracal
66 girafe
67 gerboise
68 éléphant d'Afrique
69 babouin
70 zèbre
71 lion
72 guépard
73 gorille
74 okapi
75 dik-dik
76 chimpanzé
77 panthère

AUSTRALIE

78 kangourou
79 diable de Tasmanie
80 myrmécobie
81 dingo
82 wallabie
83 échidné
84 wombat
85 bandicoot

M. Laverdiet

CE MAMMIFÈRE POND DES ŒUFS

L'**ornithorynque**, qui vit exclusivement en Australie, est une exception parmi les mammifères puisqu'il pond des œufs. Il fait néanmoins partie de la classe des mammifères car les jeunes sont allaités par la mère à l'aide de mamelles rudimentaires.

VIVRE LA TÊTE EN BAS

En dehors du fait que les **chauves-souris** soient les seuls mammifères capables de voler grâce à leurs mains transformées en ailes, elles sont également seules à ne pas pouvoir se tenir debout. Elles se tiennent continuellement la tête en bas sauf en vol, au moment de la défécation et de la mise bas. On en rencontre sous toutes les latitudes.

POISSONS OU MAMMIFÈRES ?

Les cétacés, comme les **dauphins** ou les baleines, qui peuplent les océans du monde entier sont des mammifères : ils portent des mamelles. Ils sont néanmoins les seuls à ne pas posséder de pelage. Ce manque, ou plutôt cette adaptation particulière, leur permet d'évoluer plus facilement dans l'eau.

MAMMIFÈRE À ÉCAILLES

Les **pangolins**, que l'on rencontre en Afrique et en Asie, portent de grandes et robustes écailles cornées disposées de la même façon que des tuiles sur un toit. Elles sont assez semblables à des écailles de poisson, ce qui leur a valu l'appellation de « poisson des jungles » par les Indiens. Roulés en boule, ils sont pratiquement invulnérables.

LES PLUS RARES

Certains mammifères sont aujourd'hui très rares et ont même totalement disparu de la surface de notre planète, telle la baleine à bec de Longman (*Indopacetus pacificus*), le marsouin (*Phocoena sinus*), la chauve-souris frugivore (*Neopteryx frosti*) des îles Célèbes en Indonésie ou encore le loup rouge (*Canis rufus*) du sud-est des États-Unis.

Les grands félins

Sous leur allure de gros chats, les grands félins n'en sont pas moins de redoutables carnassiers. Leurs mâchoires puissantes, leurs crocs acérés, leurs griffes pointues, leur souplesse et leur puissante musculature en font les chasseurs les plus efficaces de tous les carnivores.

Si la viande est abondante, chacun aura sa part.

L'AVANTAGE DU NOMBRE

En chassant en groupe, les **lions** augmentent leurs chances de réussite. Mais si c'est aux lionnes que revient la corvée de la chasse, c'est le mâle dominant du groupe qui commence le festin.

La panthère hisse souvent sa victime sur un arbre pour ne pas être dérangée pendant son repas.

CHASSEUR DES CIMES

La plupart du temps, la **panthère** fond sur ses proies depuis les hauteurs d'une branche. Pour attraper les singes la méthode de chasse est un peu différente : la panthère feint de grimper à un arbre pour que les singes sautent à terre, où elle peut les attraper plus aisément !

UNE ATTAQUE SURPRISE

Le **tigre** chasse en solitaire, à la vue et à l'ouïe plutôt qu'à l'odorat. Grâce à ses pattes arrière, longues pour bondir, et ses pattes avant, très musclées pour immobiliser ses victimes, il peut attaquer des grosses proies par surprise.

DISCRET ET RAPIDE

Les **guépards** sont les seuls grands félins qui ne rugissent pas, mais émettent des sortes de glapissements. Dans les régions arides, ils se contentent de l'humidité du sang et de la chair de leurs victimes.

À l'heure de la chasse, le guépard se fait plus discret que le murmure du vent entre les herbes.

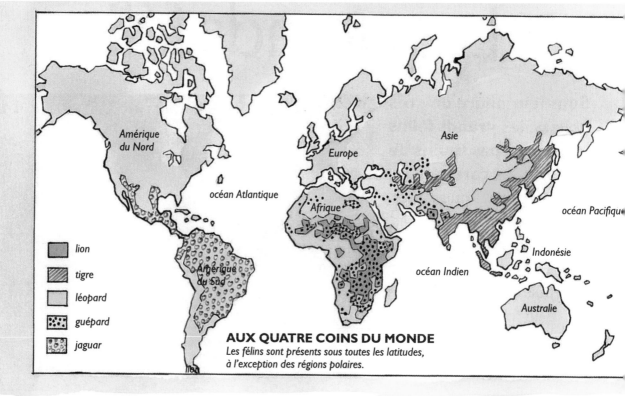

lion

tigre

léopard

guépard

jaguar

AUX QUATRE COINS DU MONDE
Les félins sont présents sous toutes les latitudes,
à l'exception des régions polaires.

crinière

pelage uni

LE LION (PANTHERA LEO)
Longueur : 2,60 à 3,30 m
Hauteur au garrot : 110 à 120 cm
Poids : jusqu'à 275 kg
Longévité : 15 à 25 ans
C'est le seul grand félin à avoir un pelage uni,
mais aussi l'unique au monde dont la queue
se termine par un pinceau de poils.

LE GUÉPARD (ACINONYX JUBAT
Longueur : 1,15 à 1,35 m
Hauteur au garrot : 65 à 85 cm
Poids : 40 à 65 kg
Longévité : 12 à 17 ans
Véritable sprinter de la savane africaine, to
corps du guépard est bâti pour la course ra
Il peut atteindre plus de 100 km/h sur que
centaines de mètres.

pelage tacheté

La queue sert de contrepoids
pour changer brusquement
de direction pendant la course.

F. Davot

pelage tacheté

ocelles avec une ou deux taches sombres centrales

LE JAGUAR *(PANTHERA ONCA)*
Longueur : 2,10 m
Hauteur au garrot : 68 à 76 cm
Poids : 70 à 130 kg
Longévité : jusqu'à 20 ans
*Le jaguar tue ses victimes d'une morsure à la tête,
à la différence des autres grands félins qui mordent
généralement à la nuque ou à la gorge.*

pelage rayé

LE TIGRE *(PANTHERA TIGRIS)*
Longueur : 2,70 à 3 m
Hauteur au garrot : 90 cm
Poids : 180 à 250 kg
Longévité : 20 à 25 ans
*Capable d'achever un cerf en lui brisant le cou d'un seul
coup de pattes, le tigre rivalise avec le lion pour le titre du
plus grand félin. Le record est détenu par un tigre sibérien,
tué en 1950, qui pesait 384 kg !*

PANTHÈRE *(PANTHERA PARDUS)*
gueur : 1 à 1,90 m
teur au garrot : 45 à 80 cm
s : 30 à 70 kg
gévité : 12 à 20 ans
*qualités de grimpeur, de sauteur
e coureur de la panthère en font
thlète complet. Elle se délecte
rosses proies comme de plus
tes tels des oiseaux.*

*pelage tacheté
en ocelles*

LE TIGRE BLANC

En Inde, il existait quelques rares tigres blancs sauvages, résultat d'une mutation génétique. L'un d'eux, capturé en 1951, est devenu le géniteur de la plupart des tigres blancs que l'on trouve aujourd'hui dans les parcs zoologiques.

▶ Un os qui fait la différence

F. Joos

Les grands félins peuvent pousser de terribles rugissements, qui s'entendent à des kilomètres, grâce à la vibration d'un petit os aux extrémités encore élastiques, situé au niveau des structures vocales. Chez les petits félins cet os est complètement ossifié et ne leur permet pas de rugir.

LE LÉOPARD DES NEIGES

L'once ou léopard des neiges, qui vit sur les hauteurs glacées de l'Himalaya, est l'un des plus agiles, mais aussi l'un des plus rares félins. Les premières photographies de ce fauve mystérieux n'ont été publiées qu'en 1971. Ses pattes, larges et couvertes d'une fourrure épaisse, l'empêchent de s'enfoncer dans la neige.

© Sunset / Marcus

LA PANTHÈRE PAS SI NOIRE

La panthère noire ne constitue pas une espèce à part. Ce n'est en fait qu'une panthère très foncée dont les ocelles sont perceptibles en pleine lumière. Sa couleur lui sert de camouflage dans les sombres forêts d'Inde, de Java et de Malaisie où elle vit.

© Sunset / G. Lacz

LES FAUVES À DENTS DE SABRE

Smilodon californus, qui vivait sur le continent américain, est un ancêtre des félins actuels. Cette espèce, éteinte depuis plus d'un million d'années, possédait sur la mâchoire supérieure des canines mesurant une vingtaine de centimètres.

P. Morin

© Sunset / G. Lacz

Tous les chevaux

Bravo

La domestication du cheval remonte à 5 000 ans environ, quand l'Homme a découvert qu'il pouvait l'utiliser pour labourer les champs ou porter de lourds fardeaux. Les chevaux actuels, le plus souvent des animaux de loisirs, sont d'une grande diversité de couleurs et de morphologies grâce aux croisements effectués par l'Homme pour créer de nouvelles races.

© Phone / R. Valter

● ROBES ET COULEURS

La robe, ou pelage, la plus fréquente est celle composée de deux couleurs. Le bai, où le corps est marron tandis que la crinière et la queue (les crins) sont noires, est de loin la plus courante.

J. Candiard

étoile

liste

On dit d'un tel cheval qu'il « boit dans son blanc »

belle face

● UNE RECONNAISSANCE SANS FAILLE

Les taches ou les bandes blanches que l'on retrouve sur la tête ou à l'extrémité des membres de nombreux chevaux permettent de les identifier et portent toutes un nom.

● LES APPALOOSAS : LES CHEVAUX DES INDIENS

On doit aux Indiens Nez-Percés d'Amérique du Nord l'élevage de ces chevaux tachetés, choisis pour se distinguer de l'ennemi dans le tumulte des combats. Les appaloosas ont tous une robe à fond uni, de teintes différentes, et recouverte de taches aux formes variées.

© Sunset / R. Maier

PAS TOUT À FAIT BLANC

Les chevaux blancs sont très rares. La plupart d'entre eux sont plutôt des chevaux albinos à la peau rose sous un poil blanc. Ils sont plus sensibles au soleil et aux maladies que les autres.

© Sunset / G. Lacz

LA ROBE DES CHEVAUX

- **Alezan :** robe brun rougeâtre.
- **Aubère :** robe mélangée de poils blancs et de poils brun rougeâtre.
- **Isabelle :** robe de couleur jaune pâle.
- **Moreau :** robe d'un noir luisant.
- **Pie :** robe noire et blanche ou fauve et blanche.
- **Pommelé :** robe couverte de taches rondes grises ou blanches.
- **Rouan :** robe mêlée de poils blancs, roux et noirs.

LE PASO FINO

Ce cheval d'origine colombienne doit son nom à une allure qu'il est le seul à posséder : le « pas fin », particulièrement confortable.

LE CAMARGUAIS

À mi-chemin entre le cheval et le poney, le camarguais est toujours utilisé par les guardians qui surveillent les troupeaux de taureaux sauvages, même si on l'utilise aujourd'hui plutôt comme monture de loisirs.

LE SELLE FRANÇAIS

Courageux, ce cheval se montre apte à toutes les disciplines. C'est un cheval très apprécié en Europe pour la compétition de saut d'obstacles. Il est aussi utilisé pour les loisirs.

LE LUSITANIEN

Au Portugal, dans les corridas (sans mise à mort), ce cheval est apprécié pour sa maniabilité. Son tempérament placide le rend également agréable en promenade.

L'ARABE

C'est le « roi » des races chevalines. Élégance, ardeur et fierté, ces qualités en ont fait le géniteur le plus recherché pour améliorer des races.

LE SHETLAND

Originaire des îles du nord de l'Écosse, ce poney est doté d'une force de traction très importante. Il n'y a qu'à regarder sa corpulence pour le savoir !

Entre le plus petit cheval, d'à peine plus de 60 cm, et le plus grand, de plus de 2 m, il existe de nombreuses races de tailles différentes, plus ou moins aptes à être montées.

PONEY OU CHEVAL ?

Les poneys sont des chevaux dont la taille maximale, au garrot (au niveau de l'encolure), varie selon les pays de 1,42 m à 1,53 m.

F. Davot

...ANDAIS

...mpte environ un poney
...e race pour cinq habitants
...ande. Il est très pratique
pour traverser
les paysages gelés.

LE MUSTANG

Son caractère fougueux et souvent
intraitable en font une monture idéale
pour les rodéos. Les Indiens
le montaient à cru après l'avoir capturé
dans les vastes espaces de l'Amérique
du Nord.

LE QUARTER HORSE

Aux États-Unis, ce cheval a
participé à la conquête de
l'Ouest et reste le cheval idéal
pour le travail avec
le bétail.

LE FALABELLA

Croisement d'un poney
Shetland et d'un pur-
sang très petit, le fala-
bella est le plus petit
cheval au monde :
il ne mesure
que 65 cm ! Inapte
à la selle, il est en
revanche apprécié
comme animal
de compagnie.

© Sunset / G. Lacz

FORT COMME UN PERCHERON

Originaire de la région du Perche, entre Île-de-France et Normandie, le percheron est un des chevaux de trait les plus populaires. À la fin du XIXᵉ siècle, il tirait encore les omnibus à Londres. Aujourd'hui, il participe plus fréquemment à des courses de traîneaux. Il détient le record de traction : 1 545 kg tirés sur un peu moins de 5 m.

© Sunset / Bringard

L'ARBRE GÉNÉALOGIQUE DU CHEVAL

zèbre - âne

cheval

pliohippus

liohippus

merychippus

eohippus

Archives Fabbri

LE « TRACTEUR » ANIMAL

L'ardennais français est sans doute l'un des chevaux les plus lourds de la création. Il a vu ses effectifs diminuer avec l'avènement des machines agricoles. Il reste cependant à ce robuste travailleur, mais également aux autres chevaux de trait, le débardage en forêt, c'est-à-dire l'acheminement du bois du lieu de coupe à un terrain carrossable, puisqu'il se faufile aisément là où un tracteur ne peut pas passer.

© Sunset / G. Lacz

© Phone / J.-M. Labar

NOBLE COMME UN BOULONNAIS

Très imprégné de sang arabe, le boulonnais est considéré comme le plus noble et le plus admirable des chevaux de trait. Il servait aussi bien aux travaux de la terre qu'au transport de différents produits comme le charbon ou le poisson, de Boulogne-sur-Mer à Paris.

PAISIBLE COMME UN COB

Trapu et obéissant, ce cheval d'origine normande est apte à l'attelage. Son large dos semble plus conçu pour la voltige que pour être monté. Néanmoins, son calme en fait une bonne monture pour les personnes âgées et les cavaliers trop nerveux.

Toutes les races de chats

Les chats sont de remarquables chasseurs.
Dotés d'un fin squelette, ils allient rapidité
et souplesse. Leurs sens en éveil, et leurs moustaches
sensorielles ouvertes en éventails, ils flairent
et repèrent leur proie avant de la capturer.

A. Horrenberger

*La chasse a souvent lieu au crépuscule
ou à la nuit tombée. Avoir des « yeux de chats »
est alors d'une grande utilité !
Le jour, le chat voit parfaitement. La pupille
(orifice au centre de l'iris) se ferme, formant
une fente verticale qui laisse pénétrer la quantité
de lumière voulue. Il peut passer de la lumière
à l'obscurité avec une grande facilité.
La nuit, la pupille se dilate, et amplifie de 40 à 50
fois la moindre lueur. À l'intérieur de l'œil, sous
la rétine (membrane qui reçoit les impressions
lumineuses) se trouve une couche réfléchissante
qui agit comme un miroir.*

*Les moustaches, ou vibrisses, du chat
sont de véritables radars. Organes
sensoriels extraordinaires,
ils prennent le relais des yeux lorsque
l'obscurité est totale. Les moustaches
détectent le moindre contact
ou mouvement de l'air,
et permettent au chat de chasser
même par nuit noire.*

*La souplesse du chat lui permet de toujours retomber
sur ses pattes.*

Les chats domestiques
ne forment qu'une espèce,
mais regroupent une centaine de races
dont certaines ont été créées
par l'Homme.

CHAT SIAMOIS
*D'origine asiatique,
il est réputé pour
la couleur de ses yeux
d'un bleu profond
et la beauté
de son pelage.*

CHAT EUROPÉEN
*C'est le plus répandu.
Sa robe peut être
tigrée, marbrée,
tricolore
ou unicolore.*

CHARTREUX
*Gris aux yeux dorés,
puissant et massif, il est
d'origine assez ancienne.
Il était élevé dans
les monastères
des moines
d'où son nom.*

CHAT PERSAN
*Descendant de l'angora
originaire de Turquie, c'est le plus
connu des chats à poils longs.*

MANX
*Originaire de l'île
de Man, le manx est
un chat sans queue.
Il possède une seconde
particularité : ses pattes
arrière sont plus longues
que ses pattes avant.*

ABYSSIN
*Ressemblant au chat
représenté sur les fresques
de l'Égypte ancienne, l'abyssin
est très proche du Mau,
certainement la plus
ancienne race
de chat.*

SPHYNX
*Le sphynx au corps nu,
est seulement
recouvert de poils
très courts sur
la face, les pattes,
la queue et l'échine.*

Illustrations : P. Morin

Essentiellement forestiers, les chats sauvages possèdent le plus souvent une robe tachetée ou rayée, qui leur permet de se dissimuler dans leur environnement. Ils sont répandus partout dans le monde, à l'exception de l'Australie, la Nouvelle-Zélande et les régions les plus froides du globe.

OCELOT (*FELIS PARDALIS*)

C'est un chat sauvage de grande taille qui vit dans les forêts et les steppes de l'Amérique centrale et du Sud.

SERVAL (*FELIS SERVAL*)

C'est un chat de grande taille, il peut atteindre 1 m de long. Il peuple la savane africaine où il s'attaque parfois à de petits ongulés.

CHAT SAUVAGE (*FELIS SYLVESTRIS*)

Il est présent en Eurasie et en Afrique. On le trouve presque partout dans le monde, c'est pourquoi il est divisé en trois sous-espèces : le chat sauvage européen, l'africain et enfin celui des steppes d'Asie méridionale.

CHAT DU DÉSERT (*FELIS MARGARITA*)

Il habite le Sahara et le Sud-Ouest de l'Asie. De petite taille, il se caractérise par de grandes oreilles pointues et un pelage uni brun-jaune ou brun-gris.

CHAT À PATTES NOIRES (*FELIS NIGRIPES*)

C'est le plus petit des félidés : il pèse à peine 2 kg. Il vit dans les savanes arides de l'Afrique australe. Il se distingue par des taches sous les pieds.

CHAUS (*FELIS CHAUS*)

C'est un chat haut sur pattes. Il peuple l'Indochine, l'Egypte et le Sri Lanka. Son pelage brun jaunâtre à gris-jaune le dissimule dans les forêt sèches et les broussailles qui constituent son territoire de chasse.

TEMMINCK (*FELIS TEMMINCKI*)

Il se rencontre dans les forêts du Népal à la Chine du sud et à Sumatra. Sa robe brun doré est uniforme, seule la tête est rayée de blanc, bleu et gris.

Illustrations : P. Morin

LYNX ET PUMAS

© Phone / H. Reinhard

© Phone / H. Reinhard

Le lynx roux, ou bobcat (Felis rufus), est strictement nord-américain. Plus petit que son cousin, il possède lui aussi une robe brune tachetée de noir. Il occupe des milieux plus variés : on le rencontre jusqu'au Mexique, où il a colonisé les déserts.

Le lynx du Nord (Felis lynx) vit au Canada, au nord des États-Unis et en Eurasie, de la Sibérie à l'Espagne. Ce chasseur exclusivement forestier, haut sur pattes, à la robe brune tachetée, possède un corps trapu terminé par une queue courte. Sa tête est caractéristique : ronde et encadrée de favoris, avec de longues oreilles dotées de poils à leur extrémité.

Le lynx chasse le lapin, le chevreuil ou le chamois la nuit, et se repose dans sa tanière le jour. Pourchassé sans relâche, il fut réintroduit en France en 1983, mais il est en permanence sur le point de disparaître.

© Phone / J.-M. Labat

Le caracal, ou lynx d'Afrique (Felis caracal), est omniprésent en Afrique et en Asie. Il peuple les déserts, les savanes et les prairies. Excellent chasseur, il capture ses proies (gerboises, petites antilopes) en les poursuivant. Comme le lynx, ses oreilles sont dotées de touffes de poils.

© Phone / F. Gohier

Les pumas ou cougars (Felis concolor) sont les plus grands des petits félidés. Ils constituent deux sous-espèces : Felis concolor cougar en Amérique de l'Est et du Nord, et Felis concolor coryi au Canada jusqu'en Patagonie. Les pumas vivent dans des endroits très divers : déserts, forêts humides, pampas, montagnes.

Le puma montagnard, bien plus grand que celui des plaines, chasse le jour, alors que le second sort principalement au crépuscule ou la nuit.

Toutes les races de chiens

Ce sont des chiens qui ont permis à l'amiral américain Peary d'atteindre le pôle Nord le 6 avril 1909. Ce sont encore eux qui permirent, le 14 décembre 1911, à Amundsen de planter au pôle Sud le drapeau de la Norvège. Alors que son malheureux adversaire, un Anglais, avait tout misé sur les poneys. Cette erreur lui fut fatale : dans le désert glacé de l'Antarctique, attelage et conducteur périrent...

© Cosmos / B. & C. Alexander

DES CHIENS AU TRAVAIL

*Il existe plus d'une soixantaine de races de **chiens de berger**. Leur rôle : faire sortir et rentrer le troupeau de la bergerie ou de l'étable, rassembler les moutons ou les vaches, les conduire, les protéger, et enfin ramener les bêtes égarées.*

*Depuis des siècles, pour tirer leurs traîneaux, les Esquimaux utilisent des **chiens polaires**. Ces derniers peuvent supporter des températures avoisinant – 40 °C.*
La nuit, ils creusent un trou dans la neige, et s'y blottissent.

© Jacana / Nadeau

© Sunset / G. Lacz

*Pour retrouver des personnes ensevelies sous des décombres, après un tremblement de terre ou une explosion, ou sous la neige après une avalanche, on utilise des **chiens de sauvetage**. Grâce à leur puissant flair et à un bon dressage, ils repèrent les victimes, puis les signalent en grattant le sol ou en tournant en rond.*

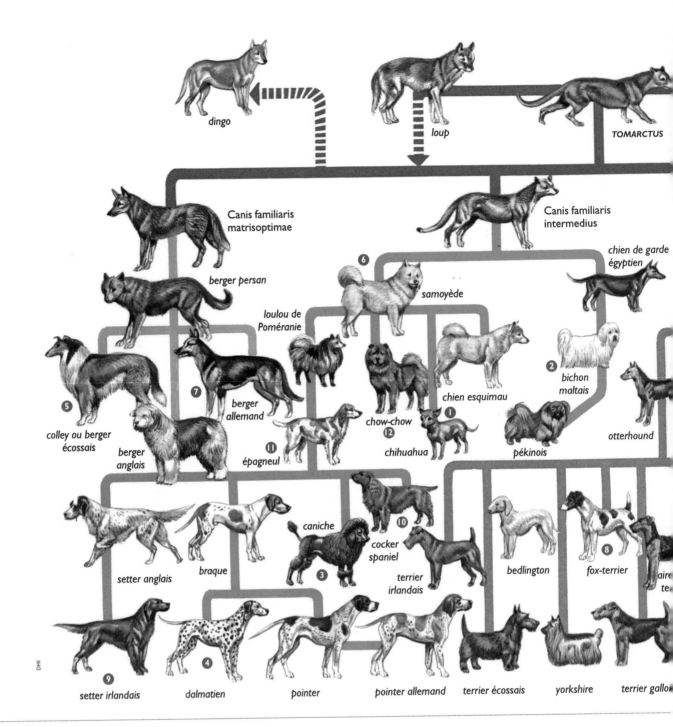

dingo

loup

TOMARCTUS

Canis familiaris matrisoptimae

Canis familiaris intermedius

berger persan

chien de garde égyptien

loulou de Poméranie

6 samoyède

berger allemand **7**

chien esquimau

2 bichon maltais

5 colley ou berger écossais

berger anglais

épagneul **11**

chow-chow **12**

chihuahua **1**

pékinois

otterhound

caniche

cocker spaniel **10**

terrier irlandais

bedlington

fox-terrier **8**

aire te

setter anglais

braque

3

9

setter irlandais

dalmatien **4**

pointer

pointer allemand

terrier écossais

yorkshire

terrier gallo

DHI

---

1 CHIHUAHUA

Le chihuahua est le plus petit chien du monde, avec ses 16 à 20 cm de hauteur. Il en existe une variété à poil long et une à poil court. On connaît mal ses origines. Pour certains, il s'agirait d'un descendant des chiens sacrés des Aztèques.

2 BICHON MALTAIS

Ce chien était déjà connu en Égypte il y a 3 400 ans. Il pourrait avoir été introduit en Europe par les légions romaines. Au Moyen Âge, il eut un franc succès. Ce fut l'un des premiers chiens à participer à une exposition canine.

3 CANICHE

Le caniche est un chien très joueur. Il en existe plusieurs variétés, qui ne diffèrent que par la taille. Autrefois, en France, on utilisait les caniches pour aller rechercher le gibier dans l'eau.

4 DALMATIEN

Les dalmatiens naissent tout blancs : les taches n'apparaissent qu'au bout de 2 semaines. Jadis, ils trottaient aux côtés des chevaux des diligences, pour protéger les voyageurs des éventuels bandits. À Londres, ils accompagnaient les pompiers au feu.

5 COLLEY

Né au XVIIIᵉ siècle en Écosse, le colley est l'une des plus belles races de chiens de berger. Intelligent, docile, à l'allure élégante, il a des yeux en amande, mesure entre 56 et 61 cm et sa couleur la plus courante est le doré avec un collier blanc.

6 SAMOYÈDE

Le nom de ce chien vient d'une tribu nomade de Sibérie, les Samoyèdes, qui l'utilisaient beaucoup pour conduire les troupeaux de rennes. Très endurant, c'est lui qui accompagne les expéditions polaires.

7 BERGER ALLEMAND

Cette race, créée en 1880, est la plus importante en France. Très active, elle a besoin d'espace. On l'utilise pour se défendre, pour garder les troupeaux, détecter de la drogue ou guider les aveugles.

8 FOX-TERRIER

Le fox-terrier à poil dur a été créé pour la chasse au renard. Celui à poil lisse est à l'origine un excellent chasseur de rats. Tous deux débordent d'énergie.

9 SETTER IRLANDAIS

Les setters tiennent leur nom de leur façon de s'arrêter - ils se couchent presque (« to set » signifie se coucher). Le setter irlandais se différencie du setter anglais par sa robe rouge acajou. Il a des instincts de chasse fort marqués et aime aller dans l'eau.

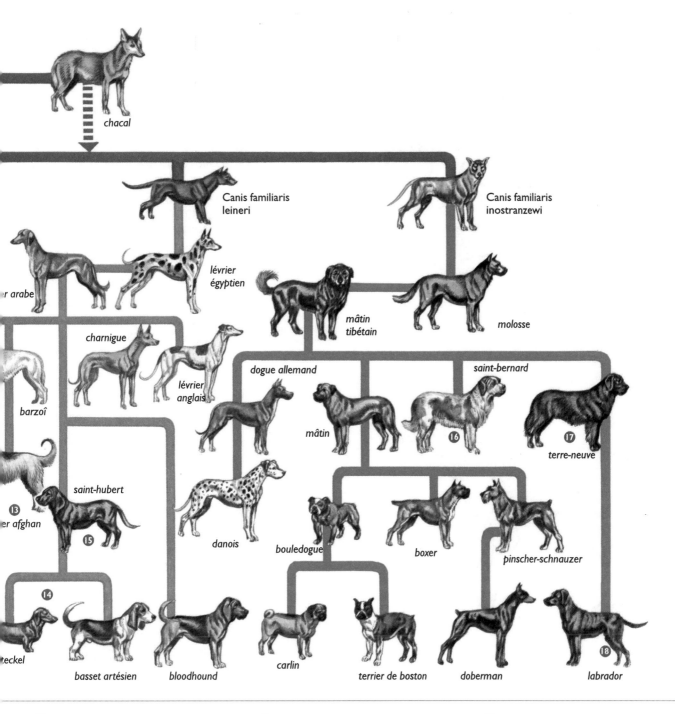

chacal

Canis familiaris leineri

Canis familiaris inostranzewi

lévrier égyptien

r arabe

charnigue

lévrier anglais

barzoî

mâtin tibétain

molosse

dogue allemand

saint-bernard

mâtin

16

17

terre-neuve

saint-hubert

13

r afghan

15

danois

bouledogue

boxer

pinscher-schnauzer

14

eckel

basset artésien

bloodhound

carlin

terrier de boston

doberman

labrador

🔟 COCKER SPANIEL

Le cocker est l'une des plus anciennes races de chiens de chasse : il a un flair excellent et pousse le gibier vers le chasseur à grand renfort d'aboiements. De petite taille (40 cm), il a de grandes et longues oreilles et un poil soyeux.

⑪ ÉPAGNEUL BRETON

L'épagneul breton est un chien d'arrêt. Dès qu'il flaire du gibier, il se fige sur place, debout, une patte avant levée, ou couché. Il attend ainsi l'ordre de faire fuir le gibier pour que son maître puisse le tirer.

⑫ CHOW-CHOW

Cette race vivait en Chine il y a plus de 4000 ans. Dès 1887, il devint à la mode en Europe, sa fourrure exceptionnelle et son allure attirant tous les regards. Chien de chasse à l'origine, il est extrêmement fort et difficile à dresser.

⑬ LÉVRIER AFGHAN

Agile et robuste, le lévrier afghan était jadis utilisé pour chasser antilopes, gazelles, loups… Il s'agit d'une race ancienne, dont on a retrouvé une représentation sur une peinture afghane datant de 4 000 ans.

⑭ TECKEL

Il existe 3 variétés de teckels : à poil ras, à poil dur et à poil long. Endurant et tenace, le teckel est très utile aux chasseurs. Il parvient à pousser les renards dans des tanières étroites, à les bloquer, puis à les faire sortir en les attrapant à la gorge.

⑮ SAINT-HUBERT

Ce chien tient son nom de l'abbaye de Saint-Hubert, dont les moines améliorèrent la race. C'est le plus ancien des chiens courants : il suit au flair la trace du gibier, et le poursuit en aboyant pour indiquer sa position aux chasseurs.

⑯ SAINT-BERNARD

Pour porter secours aux personnes en montagne, les saint-bernard fonctionnaient par équipe : deux s'occupaient de réchauffer la victime, un de la ranimer en lui léchant le visage, un autre de chercher des soins.

⑰ TERRE-NEUVE

À la fin du XIXᵉ siècle, des marins anglais et français rapportèrent de Terre-Neuve de grands chiens à poil long. Habitués à pêcher avec les hommes, excellents nageurs, ils furent rapidement utilisés pour sauver des personnes de la noyade.

⑱ LABRADOR

Autrefois, ce chien aidait les pêcheurs de Terre-Neuve à tirer leurs filets. Aujourd'hui, on s'en sert beaucoup comme chien policier ou comme guide d'aveugle. On le dresse aussi pour rapporter le gibier aux chasseurs.

DES POSTURES QUI EN DISENT LONG

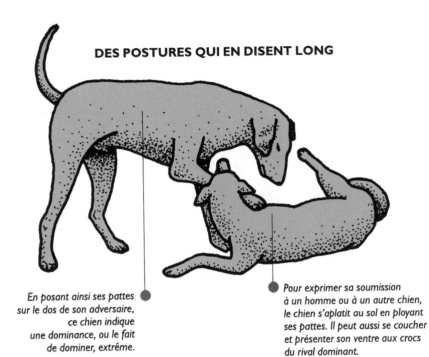

En posant ainsi ses pattes sur le dos de son adversaire, ce chien indique une dominance, ou le fait de dominer, extrême.

Pour exprimer sa soumission à un homme ou à un autre chien, le chien s'aplatit au sol en ployant ses pattes. Il peut aussi se coucher et présenter son ventre aux crocs du rival dominant.

Queue levée, dents exhibées, poils hérissés, c'est ainsi que le chien manifeste une dominance agressive. Le tout s'accompagne souvent de grognements.

A. Horrenberger

Pour manifester son envie de jouer ou de faire la course avec un congénère, ce chien maintient ses pattes antérieures courbées, dresse l'arrière-train, et aboie joyeusement.

CLASSIFICATION INTERNATIONALE

Les races de chiens sont classées en dix groupes, selon leurs aptitudes et les services qu'ils rendent à l'Homme.

- **CHIEN DE BERGER**
  berger allemand, collie, bobtail...

- **CHIEN DE GARDE, DE PROTECTION ET DE TRAIT**
  doberman, saint-bernard, esquimau...

- **TERRIERS**
  fox-terrier, airedale, cairn...

- **TECKELS**
  teckel à poil ras, teckel nain...

- **CHIENS COURANTS POUR GROS GIBIERS**
  poitevin, fox-hound, chien de saint-hubert...

- **CHIENS COURANTS POUR PETITS GIBIERS**
  griffon nivernais, basset artésien normand, basenji...

- **CHIENS DE CHASSE (SAUF RACES BRITANNIQUES) ET CHIENS D'ARRÊT**
  épagneul breton, griffon, barbet...

- **CHIENS DE CHASSE BRITANNIQUES**
  pointer, setter irlandais, labrador...

- **CHIENS D'AGRÉMENT OU DE COMPAGNIE**
  chow-chow, dalmatien, caniche...

- **LÉVRIERS**
  saluki, barzoï, afghan...

© Sunset / G. Lacz

Un concours canin.

Les étages de la mer

Dans les océans, qui représentent une gigantesque masse d'eau, animaux et végétaux se répartissent de la surface jusqu'aux grands fonds inaccessibles à l'homme. Jusqu'à 100 mètres de profondeur, la vie grouille car la nourriture ne manque pas. Au-delà, elle diminue de plus en plus. En dessous de 10 km de profondeur, des organismes vivants ont su s'adapter à des conditions de vie extrêmes.

© Phone

● **LE PLANCTON VÉGÉTAL**
On parle de phytoplancton quand il s'agit de végétaux.
Il s'agit d'un ensemble d'organismes que l'on trouve à toutes les profondeurs. Leur taille varie de quelques micromètres à quelques centimètres.

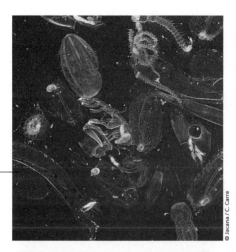

© Jacana / C. Carre

LE PLANCTON ANIMAL ●
On parle de zooplancton quand il s'agit d'animaux.
Végétaux ou animaux, tous ces organismes constituent la matière première nécessaire à la vie sous-marine. Leur présence détermine la survie de tous les autres habitants de l'océan.

LA MER POUBELLE

© Jacana / T. Walker

Une victime de la marée noire

Les pollutions accidentelles : les marées noires causées par le naufrage des cargos transporteurs de pétrole sont une catastrophe pour le milieu marin.

Les pollutions voulues : beaucoup d'industries de bord de mer ont rejeté leurs déchets sans se soucier des dommages qu'elles causaient. Actuellement des lois interdisent ce procédé.

Les pollutions tolérées : certains déchets nucléaires sont stockés dans de lourds cylindres en béton déposés sur les fonds marins. Mais la mer ronge les matériaux, de sorte que leur étanchéité n'est pas illimitée : des fuites radioactives sont à craindre pour les générations futures.

© Explorer / Y. Gladu

L'HOMME ET LA MER ●
Jusqu'au début du XIXe siècle, les abysses, les zones très profondes des océans, étaient encore un univers mystérieux. Pour les étudier, les savants plongeaient des filets à différentes profondeurs afin de recueillir des échantillons. Ce n'est qu'au début du XXe siècle, avec la construction d'engins sous-marins de haute technologie, tel que le Nautile, que l'on voit ici en train de plonger, ou la soucoupe Cyana que l'homme a pu se rendre sur place.

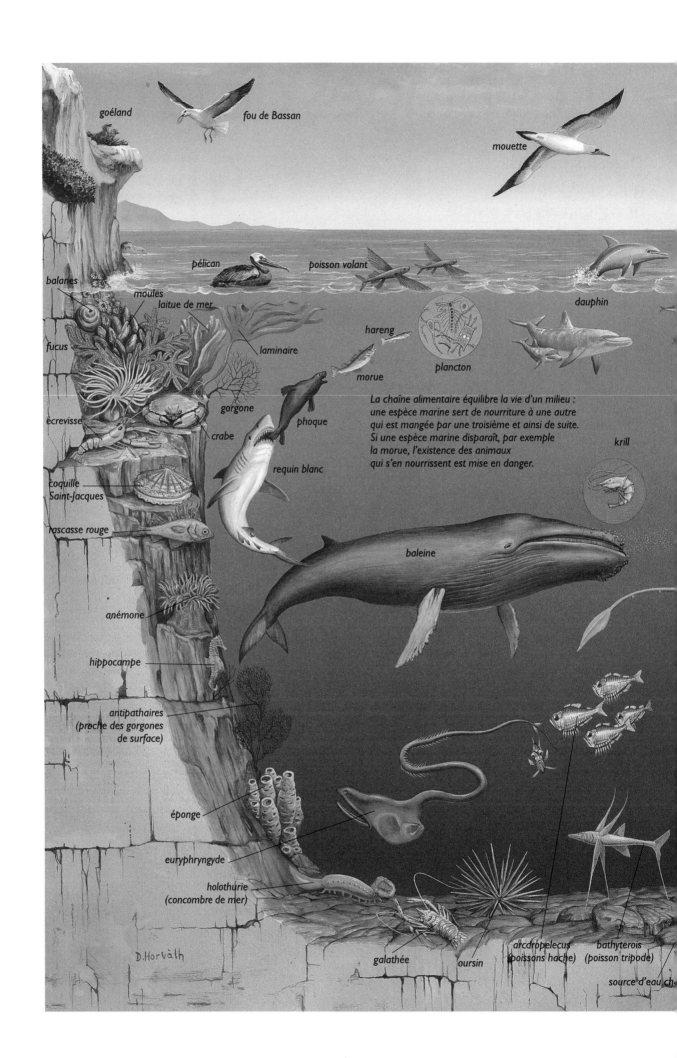

goéland

fou de Bassan

mouette

pélican

poisson volant

dauphin

balanes

moules

laitue de mer

laminaire

hareng

plancton

fucus

morue

gorgone

écrevisse

phoque

crabe

requin blanc

La chaîne alimentaire équilibre la vie d'un milieu :
une espèce marine sert de nourriture à une autre
qui est mangée par une troisième et ainsi de suite.
Si une espèce marine disparaît, par exemple
la morue, l'existence des animaux
qui s'en nourrissent est mise en danger.

krill

Coquille
Saint-Jacques

rascasse rouge

baleine

anémone

hippocampe

antipathaires
(proche des gorgones
de surface)

éponge

euryphryngyde

holothurie
(concombre de mer)

D.Horváth

galathée

oursin

arcdropelecus
(poissons hache)

bathyterois
(poisson tripode)

source d'eau ch...

D. Horvath

navire scientifique

macareux

tortue de mer

sardines

méduse

crevettes

homme-grenouille

maquereaux

pieuvre

calmar géant

cachalot

soucoupe
plongeante
Cyana

sous-marin
le Nautile

NAUTIL

vers tubicoles

galion échoué

picnogonides

melanocetus Johnson
(poisson pêcheur)

AINE ABYSSALE

FOSSES
SOUS-MARINES

zone

0

épipélagique

100m

mézopélagique

1200m

bathypélagique

2000m

abyssopélagique

4000m

6000m
et plus

LA BIOLUMINESCENCE

Dans les profondeurs marines, l'obscurité n'est pas totale car de nombreux animaux produisent de la lumière : ils sont luminescents. Le poisson cérate, par exemple, porte une petite lanterne qui contient des bactéries lumineuses et sert à attirer des proies. D'autres portent des cellules lumineuses qu'ils peuvent allumer ou éteindre selon leurs besoins : les photophores, que nous voyons ici. Ces émissions lumineuses constitueraient un signal de reconnaissance entre poissons de la même espèce.

© Jacana / C. Carre

LES OISEAUX DE MER

Les oiseaux de mer ont différentes manières de se nourrir. Les cormorans sont de très bons plongeurs qui poursuivent leur proie sous l'eau. Les fous de Bassan, après avoir localisé leur proie, se laissent tomber dans l'eau comme une pierre de 20 à 30 m de haut. Les macareux, surnommés « perroquets de mer » parce qu'ils utilisent leur bec en guise de pioche et leur pattes en guise de pelles pour creuser leur nid à même la falaise, pêchent aussi sous l'eau. Les mouettes ne savent pas plonger ; pour pêcher, elles survolent l'eau et attrapent un poisson au passage.

F. Joos

© Phone / S. DE Wilde

LES SOURCES HYDROTHERMALES

Dans les abysses, les ressources alimentaires sont rares, donc les êtres vivants peu nombreux et souvent éloignés les uns des autres. Mais, curieusement, on a découvert au milieu de ce désert, à des endroits précis, de véritables oasis de vie : près des volcans sous-marins existent des sources d'où s'échappe une eau riche en soufre à une température de 15 à 20 °C. De nombreuses bactéries y ont élu domicile, offrant une nourriture abondante à d'autres organismes, tels ces vers tibicoles de Méditerranée.

© Jacana / R. Konig

LES ÉPONGES

Ces animaux fixés sur les roches sont les aspirateurs de la mer. Par de petits orifices, ils aspirent de l'eau qu'ils filtrent ensuite : ils retiennent et assimilent les particules comestibles qui s'y trouvent, puis la rejettent. Une petite éponge de 10 cm filtre de 100 à 200 l d'eau par heure. Ces organismes ont la capacité de se régénérer s'ils restent dans la mer : même broyées, écrasées, tamisées, leurs cellules se réassocient spontanément pour former une nouvelle éponge.

Les poissons de mer

LE DIABLE DES MERS

La raie manta propulse gracieusement ses deux tonnes dans l'eau des mers tropicales en battant des nageoires comme le font les oiseaux avec leurs ailes. Située entre deux cornes, sa bouche avale plancton et petits poissons. L'eau est ensuite chassée par les fentes situées sous son ventre.

L'aile-nageoire du poisson volant.

La raie manta, de même que certaines espèces de poissons, peut faire des bonds de deux mètres et semble avoir des ailes. Il n'empêche que les poissons vivent… dans l'eau. Mais laquelle ? Eaux presque douces ou fortement salées, mers froides, tempérées ou chaudes, étangs côtiers ou profondeurs abyssales : les poissons sont partout !

D.R.

POISSON VOLE !

Poissons des mers tropicales et tempérées, les exocets sont dotés de curieuses nageoires qu'ils déplient en sortant de l'eau, afin d'effectuer de longs vols planés. Ils cherchent ainsi à échapper à leurs prédateurs, notamment les thons.

Le voilier vit surtout en haute mer dans l'Atlantique. Lorsqu'il nage en surface, il déploie sa haute nageoire dorsale qui ressemble à la voile d'un bateau. Il peut bondir brusquement hors de l'eau à 100 km/h.

181

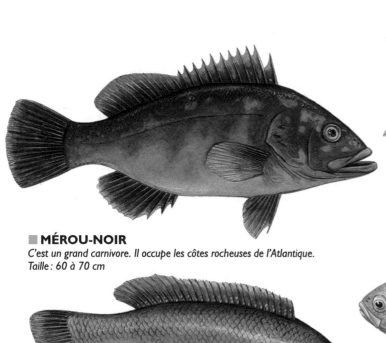

■ DAURADE

La daurade (ou dorade) vit dans l'Atlantique, la Méditerranée et en mer Noire. Toutes les daurades naissent mâles et deviennent ensuite des femelles. Taille : 60 à 70 cm

■ MÉROU-NOIR

C'est un grand carnivore. Il occupe les côtes rocheuses de l'Atlantique. Taille : 60 à 70 cm

■ BARBIER

Le barbier se rencontre à 30 ou 40 m de profondeur, en Méditerranée et en Afrique subtropicale. Il vit en bancs sédentaires. Taille : 20 à 25 cm

■ LABRE VERT

On le rencontre en Méditerranée et dans l'Atlantique. Sa couleur lui permet de se cacher parfaitement dans les herbiers. Taille : 45 cm

■ RASCASSE BRUNE

Son mimétisme lui permet de se dissimuler dans son environnement de rochers et d'algues. Elle fréquente les eaux littorales de la Méditerranée et de l'Atlantique. Taille : 30 cm

■ GRONDIN STRIÉ

C'est l'hôte du fond des eaux côtières atlantiques et méditerranéennes. Son nom vient du grognement qu'émet sa vessie natatoire. Taille : 40 cm

■ POISSON-PERROQUET

Pour s'alimenter, il broute les algues sur les récifs de l'Indo-Pacifique et de la mer Rouge. En raclant les coraux, il produit du sable. Taille : 50 à 70 cm

■ POISSON PORC-ÉPIC

Poisson de l'Indo-Pacifique, il a élaboré diverses défenses : sa chair est toxique et, en cas de danger, il se gonfle d'eau, faisant se dresser les épines de ses écailles. Taille : 50 cm

■ PÉRIOPHTALME

Ce poisson de l'océan Indien vit dans les mangroves. Capable de rester à l'air libre, il se déplace à grande vitesse et poursuit des insectes dans la vase. Taille : 15 cm

■ POISSON-RASOIR

Le poisson-rasoir nage verticalement et la tête en bas, pour passer inaperçu dans les herbes. En cas de danger, il se réfugie entre les piquants d'un oursin. Taille : 15 cm

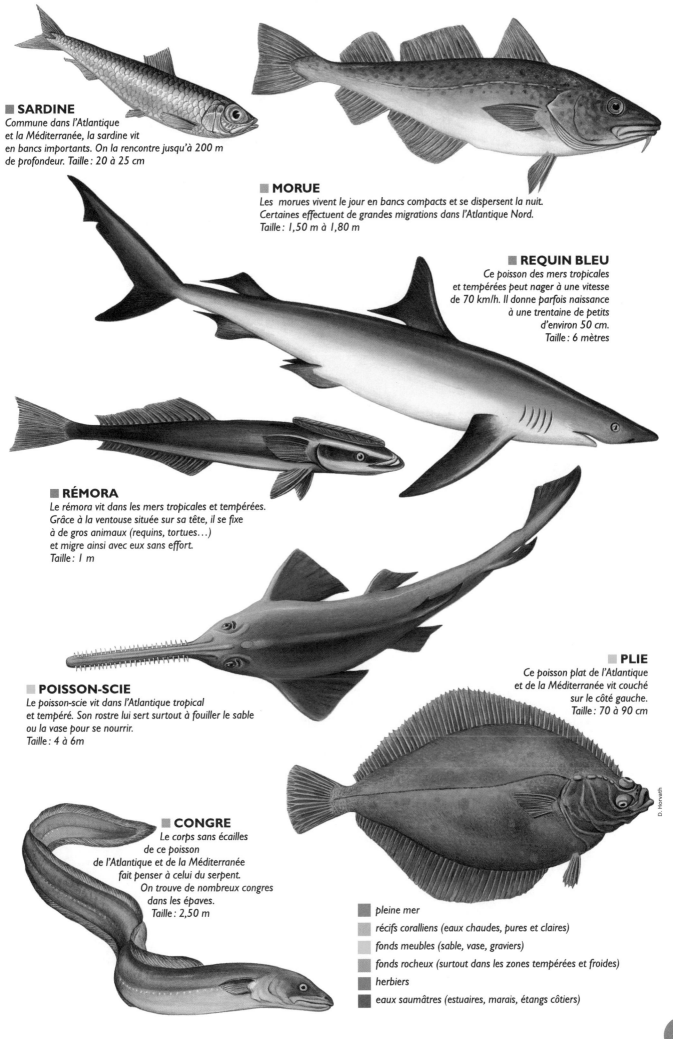

SARDINE

*Commune dans l'Atlantique
et la Méditerranée, la sardine vit
en bancs importants. On la rencontre jusqu'à 200 m
de profondeur. Taille : 20 à 25 cm*

MORUE

*Les morues vivent le jour en bancs compacts et se dispersent la nuit.
Certaines effectuent de grandes migrations dans l'Atlantique Nord.
Taille : 1,50 m à 1,80 m*

REQUIN BLEU

*Ce poisson des mers tropicales
et tempérées peut nager à une vitesse
de 70 km/h. Il donne parfois naissance
à une trentaine de petits
d'environ 50 cm.
Taille : 6 mètres*

RÉMORA

*Le rémora vit dans les mers tropicales et tempérées.
Grâce à la ventouse située sur sa tête, il se fixe
à de gros animaux (requins, tortues…)
et migre ainsi avec eux sans effort.
Taille : 1 m*

POISSON-SCIE

*Le poisson-scie vit dans l'Atlantique tropical
et tempéré. Son rostre lui sert surtout à fouiller le sable
ou la vase pour se nourrir.
Taille : 4 à 6m*

PLIE

*Ce poisson plat de l'Atlantique
et de la Méditerranée vit couché
sur le côté gauche.
Taille : 70 à 90 cm*

CONGRE

*Le corps sans écailles
de ce poisson
de l'Atlantique et de la Méditerranée
fait penser à celui du serpent.
On trouve de nombreux congres
dans les épaves.
Taille : 2,50 m*

D. Horvath

- pleine mer
- récifs coralliens (eaux chaudes, pures et claires)
- fonds meubles (sable, vase, graviers)
- fonds rocheux (surtout dans les zones tempérées et froides)
- herbiers
- eaux saumâtres (estuaires, marais, étangs côtiers)

CHEVAL DE MER

L'hippocampe vit sur les fonds sablonneux. Dans les herbiers, il s'accroche aux feuilles avec sa queue préhensile et avance en position verticale. Malgré les apparences, c'est un poisson, qui respire à l'aide de branchies.

© Sunset / Moutain stock

© Jacana / H. Berthoule

© Sunset / Moutain stock

ENTRE MER ET FLEUVE

L'anguille vit en eau douce pendant 6 à 10 ans, puis part se reproduire en mer. Emportées vers les côtes par les courants, les larves, appelées civelles, nagent vers les fleuves pour y grandir.

Le saumon, contrairement à l'anguille, naît dans l'eau douce des fleuves. À deux ou trois ans, il rejoint l'océan pour se développer. Quelques années plus tard, il revient se reproduire là où il est né, remontant les courants les plus violents.

Le philloptéryx appartient à la même famille que les hippocampes : les syngnathidés. Son corps, vert ou rouge, constitue une exceptionnelle tenue de camouflage et affecte la forme de feuillages. Difficile de ne pas le prendre pour une algue !

POISSONS DES ABYSSES

Le poisson-vipère vit, le jour, entre 1 000 et 3 000 m de profondeur. La nuit, il remonte près de la surface, où la nourriture est plus abondante. Sur son corps, de petites « lumières » attirent les proies.

Le poisson-pêcheur se tient, bouche ouverte, prêt à absorber les proies qui s'approchent, attirées par les filaments lumineux de sa tête et de sa barbe.

La baudroie femelle peut atteindre une taille jusqu'à 20 fois plus grosse que celle du mâle. Ce dernier, après l'accouplement, reste attaché à la femelle qu'il parasite entièrement. Sans elle, il serait incapable de se nourrir et il mourrait.

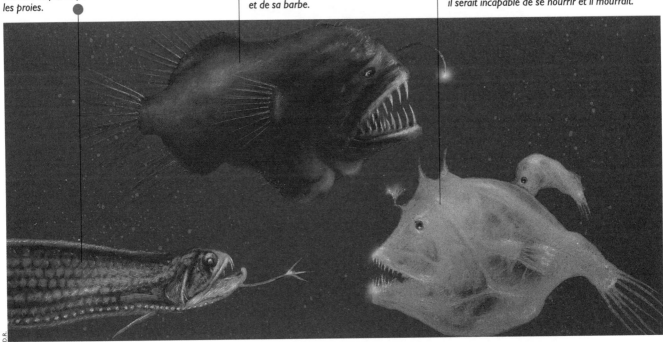

D.R.

Tous les oiseaux de mer

De nombreux oiseaux de mer effectuent de grandes migrations, ou affectionnent particulièrement le large. Mais il en est qui ne s'aventurent jamais plus loin que le rivage, arpentant les plages et les baies délaissées par la marée. Le nom de certains leur vient de leur préférence alimentaire : huîtrier-pie, pluvier-crabier...

© Jacana / J.-F. / N. Van Ingen

*Oiseau du littoral, l'**huîtrier-pie** (Haematopus ostrolegus) se déplace en bande sur les rivages découverts et les estuaires à la recherche de coques, petits poissons et crabes.*

Il déguste les mollusques bivalves (huître, moule), dont il est particulièrement friand, en glissant son bec effilé entre les deux parties entrebâillées de l'animal, ou en perçant sa coquille lorsqu'elle est close. Paré du costume de sa lointaine cousine la pie, il porte sur le bec et les pattes une éclatante couleur orange foncé.

© Sunset / Hosking

*Unique représentant de sa famille, le **pluvier-crabier** (Dromas ardeola) déambule sur le sable et la vase des littoraux africains et asiatiques, grâce à ses longues pattes d'échassier. Comme son nom l'indique, son menu de prédilection est le crabe, qu'il broie à l'aide de son bec puissant.*

Cet oiseau forme des colonies de milliers d'individus en période de reproduction. Il construit d'étranges nids dans le sable, composés d'une chambre et d'un tunnel de 2 m de long.

© Phone / R. Valter

*Les **flamants roses** (Phoenicoptridae cruber roseus) vivent sur les lacs, lagunes et eaux côtières peu profondes (en France, la Camargue). Ils se nourrissent de petits invertébrés en filtrant l'eau de leur gros bec recourbé vers le bas.*

Ils apprécient tout particulièrement les crevettes qui leur donnent cette belle couleur... rose.

QUELQUES LIMICOLES

© Jacan / P. Prigent

Bécasseau sanderling (Calibris alba)

Échasse blanche (Himantopus himantopus)

Barge rousse (Limosa laponica)

© Phone / Ferrero / Labat

De nombreux oiseaux limicoles (animal vivant sur la vase des mers et des lacs) fréquentent les rivages maritimes, ou les eaux saumâtres (deltas, estuaires, marais salants) à proximité de la mer. Ils sondent la vase avec leur long bec, afin de capturer vers et mollusques.

© Jacana / J. Trotignon

MOUETTE ROSÉE
De petite taille, la mouette rosée (Rhodostethia rosea) est parée d'un plumage rosâtre sur le tête et le dos. Cet oiseau des régions arctiques aux grands yeux possède un petit bec fin.

GOÉLAND
Goélands (Larus argentus) et mouettes ont des formes de becs variées, de couleurs souvent vives : rose, rouge ou jaune. Le goéland austral est celu dont le bec est le plus massif.

**TADORNE
DE BELON MÂLE**
Le mâle tardone de Belon (Tardona tardona) est doté d'un bec rouge vif long et fin qui est incurvé sur le dessus avec une excroissance à la base. Il se nourrit de petits invertébrés aquatiques et d'algues.

FRÉGATE SUPERBE
La frégate superbe (Fregata magnificus) fait partie du même ordre que les pélicans. Comme ces derniers, son sac gulaire est particulièrement bien développé. Mais le mâle s'en sert uniquement pour attirer la femelle, en le gonflant.

FOU DE BASSAN
Le magnifique fou de bassan (Sula bassana), au masque bien reconnaissable, possède un bec très puissant de couleur bleu-gris. Long, épais, pointu, il est finement dentelé sur les bords, ce qui lui permet de couper sa nourriture.

**BEC-EN-CISEAUX
D'AMÉRIQUE**
Comme ses cousins d'Asie et d'Afrique, le bec-en-ciseaux (Rynchops niger) d'Amérique est doté d'un bec dont la mandibule inférieure est beaucoup plus longue que la supérieure.

MACAREUX MOIN
Les alcidés ont des becs viv colorés. Celui du macareux moine (Fratercula artica) de forme conique est rouge et bleu. Il est recouvert de plaques cornées renouvelé chaque année pendant la r

PÉTREL GÉANT

Les pétrels ont les narines réunies dans un tube qui se trouve au sommet du bec. Le pétrel géant (Macronectes giganteus) possède un bec particulièrement robuste, dur, crochu et acéré à son extrémité.

GAGIS BLANCHE

La gagis blanche (Gygis alba), proche des sternes, possède un plumage immaculé, qui contraste avec son bec effilé de couleur foncé.

COURLIS CENDRÉ

Le très long bec mince et recourbé du courlis cendré (Numenius arquata) lui sert à capturer insectes, vers et mollusques.

ALBATROS

L'albatros (Diamedea epomorphora) est particulièrement friand de calmars. C'est grâce à son long bec robuste et fortement crochu à son extrémité qu'il peut saisir ses proies glissantes.

SPATULE BLANCHE

La spatule blanche (Platalea leucori- dia) possède un bec noir large et plat à l'extrémité jaune, muni de terminaisons nerveuses lui permettant de pêcher dans les eaux troubles et boueuses de faible profondeur. La spatule sonde la vase et attrape ses proies en balançant son bec de gauche à droite sous l'eau.

PINGOUIN TORDA

...ilement reconnaissable avec ...on bec épais barré d'un trait ...anc, le pingouin torda (Alca ...) se rencontre dans le nord- ...est de la France, où il niche.

AVOCETTE ÉLÉGANTE

Juchée sur ses longues pattes bleues, l'avocette élégante (Recuvirostra avosetta) se déplace dans les marais salants à la recherche de minuscules crustacés. Son long bec fin et noir est retroussé.

DES VACANCES
AU BORD DE LA MER !

Certains oiseaux partagent leur existence
entre les eaux douces et la mer.
Ces oiseaux de mer occasionnels colonisent
les rivages marins seulement
une partie de l'année.

*Si les grèbes,
notamment le **grèbe
huppé** (Podicipedae
cristatus), sont
essentiellement des
oiseaux d'eau douce,
ils viennent parfois
en hiver sur le littoral.
Ces oiseaux, qui volent
rarement, sont très
bien adaptés
à la pêche sous-
marine.*

*Les **pélicans
blancs** (Pelicanus
onocrotalus) sont,
comme tous les
pélécanidés, des
oiseaux des régions chaudes qui s'établissent en grandes colonies au bord des lacs et des côtes.*

*Ils se servent de leur grande poche (située sous la mandibule inférieure) comme d'un filet
de pêche : les poissons n'y sont pas transportés, mais immédiatement ingurgités.
La pêche peut être solitaire ou, cas très rare chez les oiseaux, collective pour encercler
un banc de poissons.*

*Les **plongeons** (Gavia stellata)
passent l'été sur les lacs des forêts
boréales. En hiver, la plupart migrent
en mer. Ce sont des spécialistes
de la nage et surtout de la plongée.
Ils se déplacent rapidement et avec
précision sous l'eau.*

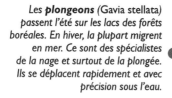

Un certain nombre d'anatidés (cygnes, canards, oies...)
fréquente épisodiquement les eaux côtières. L'**eider à duvet**
(Somateria mollisina) passe une grande partie
de son existence sur la mer, mais vient se reproduire à proximité
des eaux douces. Comme tous les individus de sa famille,
il possède un corps large et plat recouvert d'un plumage
imperméable conçu pour bien flotter sur l'eau.

*Les **phalaropes à bec étroit**
(Phalaropodidae lobatus)
nichent notamment dans le nord
de l'Amérique, au Groenland
et en Islande. Migrant plus
au sud, ils passent l'hiver en
pleine mer où ils se nourrissent
de plancton océanique.*

*Ils peuvent se passer d'eau douce
indéfiniment, grâce à des glandes
(situés à la base du bec)
qui filtrent le sel accumulé dans
le sang puis le rejettent dans
l'eau par le bec.*

Les coquillages du monde entier

Dans la mythologie grecque, Triton, divinité marine à tête d'homme et une queue de poisson, soufflait dans une conque, afin d'apaiser les flots déchaînés. La musique est toujours liée aux coquillages. Il suffit d'en porter un à son oreille pour s'en convaincre : on y entend le bruit de la mer !

LA MAISON S'AGRANDIT

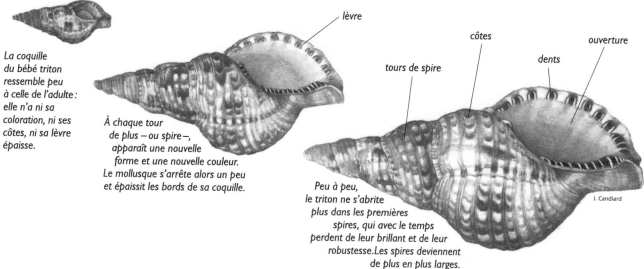

La coquille du bébé triton ressemble peu à celle de l'adulte : elle n'a ni sa coloration, ni ses côtes, ni sa lèvre épaisse.

À chaque tour de plus — ou spire —, apparaît une nouvelle forme et une nouvelle couleur. Le mollusque s'arrête alors un peu et épaissit les bords de sa coquille.

lèvre

côtes

ouverture

dents

tours de spire

Peu à peu, le triton ne s'abrite plus dans les premières spires, qui avec le temps perdent de leur brillant et de leur robustesse. Les spires deviennent de plus en plus larges.

J. Candiard

Devenue adulte, la lourde coquille du triton adopte une coloration très soutenue.

▶ Des anneaux de croisssance

Chez les huîtres, les traces de croissance sont bien visibles, et font penser aux cernes des arbres. Ces anneaux sont d'ailleurs parfois si réguliers chez certaines espèces qu'ils servent à les identifier.

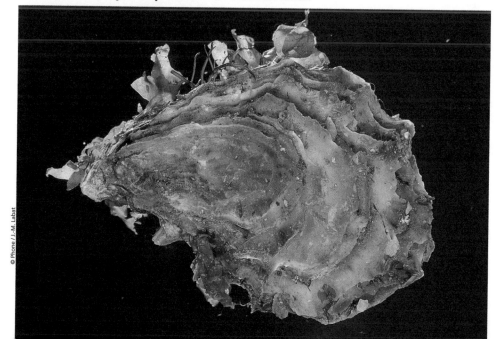

gastéropodes

bivalves

PORCELAINE TIGRE
(CYPRAEA TIGRIS)
*Ce coquillage courant
de l'Indo-Pacifique vit sous
les coraux.
Taille : 9 cm*

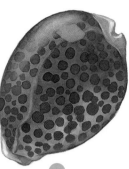

PORCELAINE DORÉE
(CYPRAEA AURANTIUM)
*Le porcelaine dorée se rencontre à l'extérieur
des récifs, dans le Pacifique Sud-Ouest.
Taille : 9 cm*

PORCELAINE CARTE
(CYPRAEA MAPPA)
*Le porcelaine carte se rencontre
sous le corail, dans l'Indo-Pacifique.
Taille : 7,5 cm*

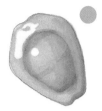

PORCELAINE
MONNAIE
(CYPRAEA MONETA)
*Également nommés cauris,
ces coquillages de l'Indo-
Pacifique tropical peuvent
adopter des formes différentes.
Ils servaient autrefois de pièces
de monnaie.
Taille : 2, 5 cm*

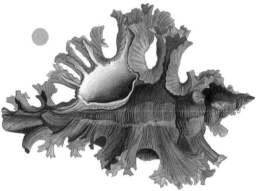

MUREX PÉTALES DE ROSE
(CHICOREUS PALMAROSAE)
*Ce murex, qui ressemble à une sculpture,
vit au Sri Lanka et aux Philippines.
Taille : 10 cm*

MUREX
POURPRE
(BOLINUS
BRANDARIS)
*Il est très commun
en Méditerranée et dans
le nord-ouest de l'Afrique.
Taille : 7 cm*

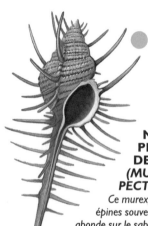

MUREX
PEIGNE
DE VÉNUS
(MUREX
PECTEN)
*Ce murex, aux longues
épines souvent incurvées,
abonde sur le sable au large
des côtes de l'Indo-Pacifique.
Taille : 15 cm*

GLOIRE
DE LA MER
(CONUS GLORIAMARIS)
*Le gloire de la mer vit dans les eaux
profondes du Pacifique occidental.
Taille : 11 cm*

CÔNE MARBRÉ
(CONUS MARMOREUS)
*Le cône marbré est la seule espèce
du groupe présente dans toute la région
indo-pacifique.
Taille : 10 cm*

CÔNE GÉOGRAPHE
(CONUS GEOGRAPHUS)
*Cette espèce vit dans les récifs
de coraux de l'Indo-Pacifique tropical.
La piqûre du géographe peut tuer
un homme.
Taille : 9 cm*

DOLIUM GÉANT
(TONNA GALEA)
*Il fréquente la plupart des mers
car ses larves, qui restent
longtemps à ce stade,
se laissent dériver.
Taille : 15 cm*

M. Tabourin

HARPE
(HARPA HARPA)
*Il est courant
sur les fonds vaseux
dans les eaux profondes
de l'Indo-Pacifique.
Taille : 7 cm*

MITRE ÉPISCOPALE
(MITRA MITRA)
*Ce coquillage vit dans les eaux
sableuses peu profondes
de l'Indo-Pacifique.
Taille : 10 cm*

GRAND
STROMBE
DU PACIFIQUE
(STROMBUS
LATISSIMUS)
*Le grand strombe vit dans le sable,
autour des récifs de coraux
du Pacifique occidental.
Taille : 15 cm*

PATTE-DE-LION
(LYROPECTEN NODOSUS)
*Le patte-de-lion se rencontre au large
des côtes, du sud-est
des États-Unis au
Brésil, et jusqu'à
30 m de fond.
Taille : 11 cm*

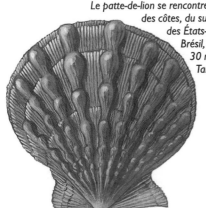

PEIGNE AUSTRAL
(CHLAMYS AUSTRALIS)
*Oranges, pourpres ou jaunes, ces coquillages australiens
disposent d'une coquille brillante et unie.
Taille : 7, 5 cm*

BÉNITIER GÉANT
(TRIDACNA GIGAS)
*Ce géant des récifs coralliens
est le plus grand bivalve
du monde. Il peut peser
jusqu'à 250 kg.
Taille : 1, 30 m*

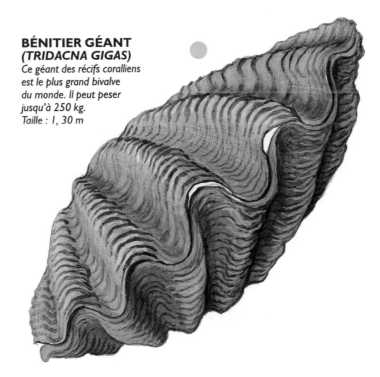

COQUILLE
SAINT-JACQUES
(PECTEN MAXIMUS)
*Ce mollusque, dont la valve
supérieure est plate,
vit de la Norvège aux Canaries,
et en Méditerranée.
Taille : 13 cm*

M. Tabourin

191

DES MOLLUSQUES EN ARMURE

Le chiton des Antilles se rencontre
sur les côtes rocheuses de la Floride au sud
des Caraïbes. La rangée centrale
de sa coquille formée de huit plaques
est lisse. Tout autour, la ceinture est,
au contraire, couverte de petites écailles.

Le chiton papillon, qui ressemble à une
sculpture de bois poli, vit en Afrique du Sud.
On le trouve sous les rochers à marée basse.
Sa ceinture est large et couverte
de poils durs. Les plaques de ce coquillage
de 6 cm sont bien polies.

© Sunset / NHPA

DES COQUILLAGES ÉLÉPHANTINS

La coquille des dentales se compose d'un simple tube
ouvert à chaque bout. Ce dentale de la Méditerranée
et de l'Adriatique, nommé dentale européen,
vit en colonies, enfoui dans le sable ou la vase
à des profondeurs inférieures à 6 m. Il mesure 3 cm.

Le dentale éléphant mesure plus de 7 cm, et vit aux
Philippines, au Japon et en Australie. D'un vert foncé
près de l'ouverture, sa couleur s'éclaircit en un beau
dégradé vers l'autre extrémité. Comme les autres
dentales, il est carnivore et porte la nourriture
à sa bouche à l'aide de ses tentacules.

© Jacana / F. Winner

CÉPHALOPODES AUX NOMS DE LÉGENDE

Les nautiles faisaient autrefois partie des invertébrés
marins dominants. Aujourd'hui, il n'en existe plus que cinq
espèces, dans le Pacifique Ouest. Nocturnes, il vivent
à plusieurs centaines de mètres de profondeur et remontent
rarement à la surface. Leur corps présente 40 à 50
tentacules sans ventouse. Jules Verne a donné leur nom
au fameux sous-marin du capitaine Nemo, le Nautilus.

© Jacana / Laboute

© Jacana / R. Konig

On croyait jadis que les argonautes naviguaient en se servant de leur coquille comme
d'un bateau et de leurs tentacules comme de voiles. En fait, il ne s'agit pas d'une vraie
coquille. Seule la femelle en fabrique une pour y déposer ses œufs. À sa mort
– après la couvaison – la coquille dérive. Dans la mythologie grecque, les Argonautes,
dirigé par Jason, partirent sur les mers à la recherche de la Toison d'or, dépouille
d'un bélier ailé offert au roi Ætes.

Tous les poissons d'eau douce

Quelle diversité ! Petits, grands, plats, hauts, allongés, bossus, argentés, colorés... les poissons d'eau douce ont des formes, des couleurs, mais aussi des comportements fort différents.

© Sunset / G. Lacz

LES AVANTAGES DU BANC

*Dès leur éclosion, les alevins du **gardon** (Rutilus rutilus) commencent à se déplacer en groupe. Pour ces poissons, vivre en banc est un moyen de protection contre les prédateurs qui ont du mal à s'approcher sans être vus. D'autre part, quand une nouvelle source de nourriture est découverte, c'est tout le groupe qui en profite.*

UNE VIE EN SOLITAIRE... OU PRESQUE

*La plupart des poissons solitaires, comme le **brochet** (Esox lucius) sont de grands prédateurs. Ils se réunissent avec des membres du sexe opposé uniquement pendant la période de reproduction.*

© Sunset / G. Lacz

UNE RESPIRATION DE SECOURS

*Tous les poissons ont des branchies pour extraire l'oxygène de l'eau. Néanmoins, dans des eaux stagnantes où cet oxygène est parfois très rare, les membres de la famille des cobitidés, comme la **loche franche** (Nemacheilus barbatulus), peuvent aspirer de l'air à la surface. L'oxygène est alors absorbé par l'intestin, et le reste du mélange gazeux évacué par l'anus.*

J. Candiard

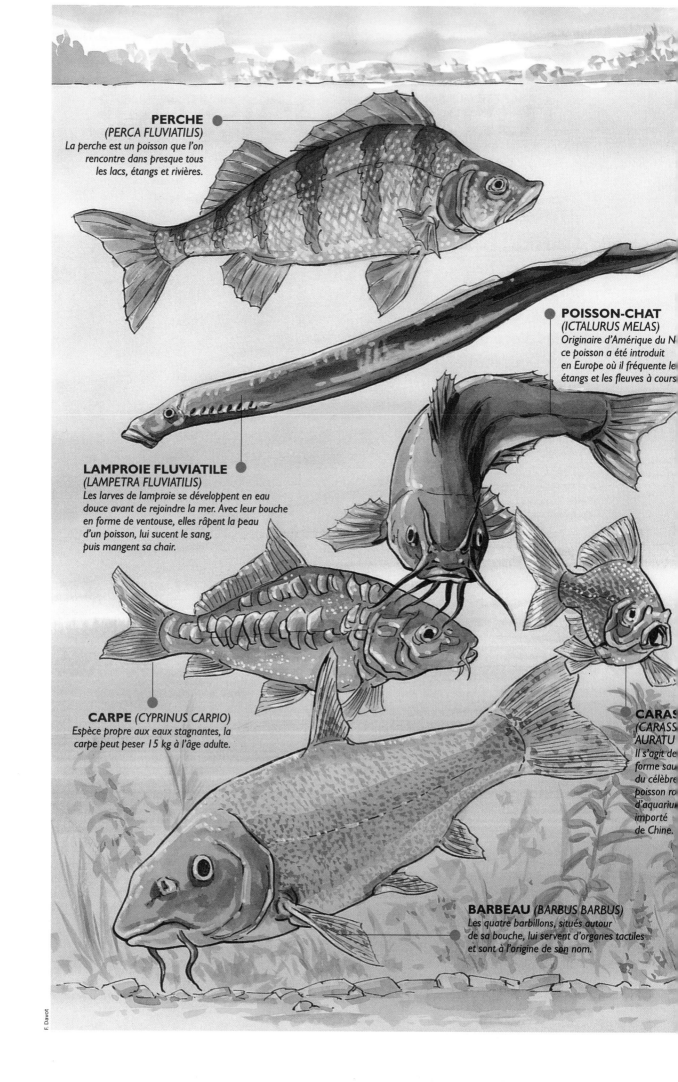

PERCHE
(PERCA FLUVIATILIS)
La perche est un poisson que l'on
rencontre dans presque tous
les lacs, étangs et rivières.

POISSON-CHAT
(ICTALURUS MELAS)
Originaire d'Amérique du N
ce poisson a été introduit
en Europe où il fréquente le
étangs et les fleuves à cours

LAMPROIE FLUVIATILE
(LAMPETRA FLUVIATILIS)
Les larves de lamproie se développent en eau
douce avant de rejoindre la mer. Avec leur bouche
en forme de ventouse, elles râpent la peau
d'un poisson, lui sucent le sang,
puis mangent sa chair.

CARPE *(CYPRINUS CARPIO)*
Espèce propre aux eaux stagnantes, la
carpe peut peser 15 kg à l'âge adulte.

CARAS
*(CARASS
AURATU*
Il s'agit de
forme sau
du célèbre
poisson ro
d'aquarium
importé
de Chine.

BARBEAU *(BARBUS BARBUS)*
Les quatre barbillons, situés autour
de sa bouche, lui servent d'organes tactiles
et sont à l'origine de son nom.

F. Davot

194

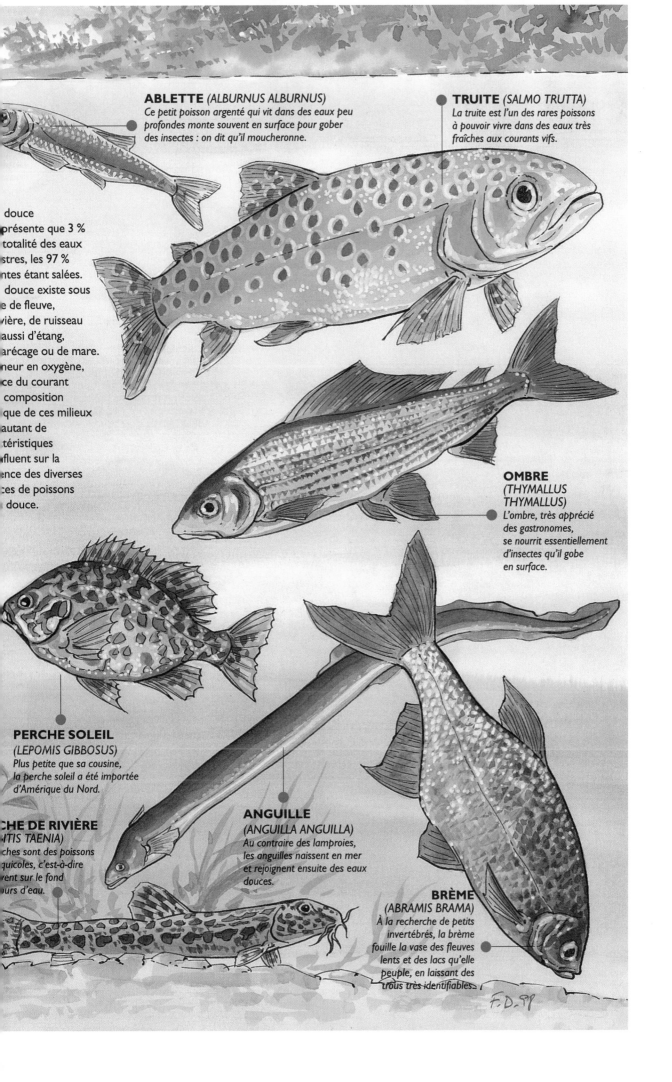

ABLETTE *(ALBURNUS ALBURNUS)*
Ce petit poisson argenté qui vit dans des eaux peu
profondes monte souvent en surface pour gober
des insectes : on dit qu'il moucheronne.

TRUITE *(SALMO TRUTTA)*
La truite est l'un des rares poissons
à pouvoir vivre dans des eaux très
fraîches aux courants vifs.

douce
présente que 3 %
totalité des eaux
stres, les 97 %
ntes étant salées.

douce existe sous
e de fleuve,
vière, de ruisseau
aussi d'étang,
arécage ou de mare.
neur en oxygène,
ce du courant
composition
que de ces milieux
autant de
téristiques
fluent sur la
ence des diverses
ces de poissons
douce.

OMBRE
*(THYMALLUS
THYMALLUS)*
L'ombre, très apprécié
des gastronomes,
se nourrit essentiellement
d'insectes qu'il gobe
en surface.

PERCHE SOLEIL
(LEPOMIS GIBBOSUS)
Plus petite que sa cousine,
la perche soleil a été importée
d'Amérique du Nord.

CHE DE RIVIÈRE
ITIS TAENIA)
ches sont des poissons
quicoles, c'est-à-dire
vent sur le fond
urs d'eau.

ANGUILLE
(ANGUILLA ANGUILLA)
Au contraire des lamproies,
les anguilles naissent en mer
et rejoignent ensuite des eaux
douces.

BRÈME
(ABRAMIS BRAMA)
À la recherche de petits
invertébrés, la brème
fouille la vase des fleuves
lents et des lacs qu'elle
peuple, en laissant des
trous très identifiables.

F.D.98

DES POISSONS TÉMÉRAIRES

*Après avoir parcouru, depuis les océans, des centaines de kilomètres, les **saumons** rejoignent les cours d'eau douce où ils sont nés. Ils y creusent une tranchée pour déposer leurs œufs, environ 100 000 par femelle, qu'ils recouvrent ensuite d'une fine couche de sable.*

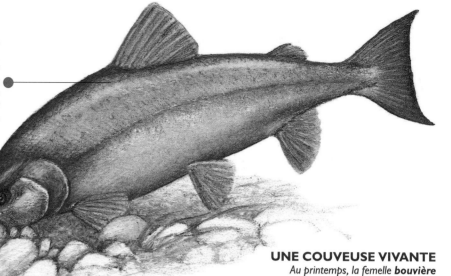

J. Candiard

UNE COUVEUSE VIVANTE

*Au printemps, la femelle **bouvière** (Rhodeus sericeus) développe un tube de ponte qui lui permet de déposer les œufs dans une moule d'eau douce vivante. Les œufs, environ 40 par femelle, sont ainsi protégés et oxygénés par les courants que provoque la moule, jusqu'au moment où les alevins éclosent et quittent leur « couveuse ».*

© Sunset / NHPA

J. Candiard

Des œufs « adhésifs » !

Quelques espèces, comme la loche de rivière, pondent des œufs qui adhèrent aux roches, tandis que d'autres, telle la perche, en pondent des chapelets qui s'emmêlent dans la végétation.

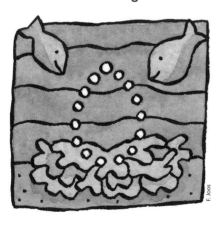

F. Joos

PAPA POULE

*À l'intérieur de son territoire, le mâle **épinoche** (Gasterosteus aculeatus) construit un nid en forme de tube à l'aide de débris végétaux. Puis il attire plusieurs femelles, qu'il chasse aussitôt après leur ponte. Le mâle défend ensuite le nid contre tout intrus, jusqu'à ce que les alevins puissent se débrouiller seuls.*

© Jacana / H. Berthoule

UNE PONTE AU HASARD

*Certaines espèces de poissons pondent en pleine eau, laissant au courant le soin de disperser les œufs. Chez la **vandoise** (Leiciscus leuciscus), les 2 000 à 25 000 œufs pondus par chaque femelle descendent dans le fond.*

Les insectes d'eau

Parmi les insectes qui volent, certains tels les libellules, les éphémères, quelques diptères et coléoptères... sont en réalité des animaux parvenus à l'âge adulte après avoir passé toute leur « enfance » dans des milieux aquatiques les plus divers. Le mode de vie de ces larves est très différent de celui qu'elles adopteront quand elles se seront métamorphosées.

*Il existe 2 500 espèces d'**éphémères**. Au terme de sa courte vie, l'éphémère se reproduit en vol et pond immédiatement ses œufs dans l'eau (300 à 8 000). Il les dépose en grappe ou un par un à la surface de la mare ou de la rivière. Certaines espèces pénètrent sous l'eau afin de fixer leurs œufs aux plantes aquatiques.*

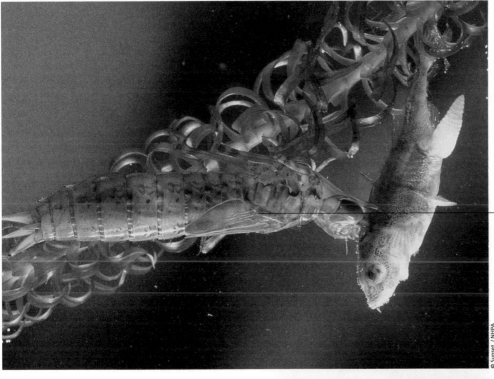

*Comme leurs aînées, les larves de **libellules** sont de redoutables carnivores. Dissimulées derrière un brin d'herbe, enfouies dans la vase ou le sable, elles attendent patiemment qu'une proie passe à proximité pour s'en saisir, avec une rapidité foudroyante, à l'aide de leur « bras mentonnier » : un appendice articulé qui se replie à la base de la tête.*

*Les larves de certains insectes vont passer jusqu'à trois ans dans le milieu aquatique. Chez ce **moustique,** Aedes luteocephalus, l'instant délicat de la dernière métamorphose est arrivé. S'appuyant sur la surface de l'eau avec ses pattes antérieures, il s'extirpe doucement de sa chrysalide, quitte les eaux stagnantes de son passé pour connaître son premier envol.*

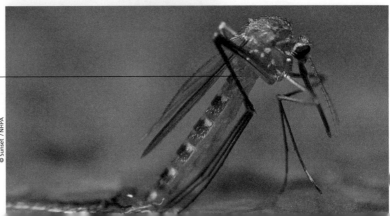

Certains insectes fréquentent les milieux aquatiques et sont hydrofuges : leur corps est protégé de l'eau par un revêtement épais de poils, d'écailles ou de substances grasses. Ce qui n'empêche pas un grand nombre d'entre eux, nageurs ou patineurs, de voler.

❶ LIBELLULE
(CALOPTERYX VIRGO),
De 3 cm d'envergure, elle a une vie aérienne. On la rencontre habituellement au bord des rivières aux eaux limpides.

❷ LARVE DE LIBELLULE,
Au contraire de l'adulte, elle vit dans l'eau où elle se nourrit des proies qu'elle attrape. Comme son aînée, c'est une carnassière.

❸ HYDROPHILE
(HYDROUS PICEUS)
C'est un gros insecte proche du scarabée. Son corps ovale et luisant est doté d'une épine acérée sous le thorax.

❹ ACILIUS
(ACILIUS SULCATUS)

❺ HALIPLE
(HALIPLUS LINEATICOLLIS)

❻ HYDROMÈTRE
(HYDROMETRA STAGNORUM)
Il se déplace à la surface de l'eau très lentement.

❼ NÈPE (NEPA RUBRA)
Appelée aussi scorpion d'eau, elle possède un corps plat et assez large. Commune dans les étangs, elle se déplace surtout en marchant. Comme les mantes, elle est munie de pattes antérieures « ravisseuses » (qui servent à attraper des proies).

❽ GYRINS
(GYRINUS SUBSTRIATUS)
Ils sont surnommés tourniquets, car ils nagent à la surface de l'eau en tournoyant. Il en existe 500 espèces. La plupart vivent dans les régions tropicales.

⑨ GERRIS
(GERRIS MAJOR)
Ou « ciseaux », c'est un insecte amphibie capable de voler, malgré ses courtes ailes.
Son corps très fin et allongé est couvert de duvet.

⑩ DYTIQUE
(DYSTICUS MARGINALIS)
Il nage rapidement grâce à un corps hydrodynamique. Ce prédateur s'attaque parfois à des petits poissons.

⑪ CORISE
(CORIXA GEOFFROYI)
Elle se nourrit d'algues qu'elle racle à l'aide de ses pattes antérieures en forme de palettes.

⑫ NOTONECTE
(NOTONECTA GLAUCA)
Fréquentant les eaux calmes, elle nage souvent sur son dos bombé. Insecte vorace, elle apprécie notamment les têtards d'amphibiens, les insectes et les petits crustacés.

⑬ VÉLIE
(VELIA RIVYLORUM)
Comme les hydromètres et les gerris, elle patine sur la surface de l'eau à l'aide de ses pattes médianes et postérieures.

⑭ PHRYGANE
(PHRYGANEA GRANDIS)
Pourvu de longues antennes, il vole essentiellement la nuit ou au crépuscule.

⑮ LARVE DE PHRYGANE
Elle est aquatique et se réfugie à l'intérieur d'un fourreau qu'elle fabrique avec des débris végétaux et de sable, afin de se protéger des prédateurs. À la manière des araignées, elle confectionne des filets de soie pour capturer ses proies.

⑯ RANATRE
(RANATRA LINEARIS)
Dite également « punaise aquatique », elle possède une silhouette particulière, avec son corps et ses pattes très allongés.

⑰ NAUCORE
(NAUCORIS CIMICOIDES)
Ressemblant à un coléoptère, c'est un nageur très adroit.

LA RESPIRATION
DES INSECTES AQUATIQUES

Insectes et larves aquatiques doivent se procurer de l'oxygène afin de pouvoir vivre sous l'eau. Selon les espèces, ils utilisent des méthodes très différentes.

La plupart des larves aquatiques respirent à l'aide de branchies : elles absorbent l'oxygène contenu dans l'eau à travers la surface de leur corps, grâce à de petits sacs situés sous la peau, les branchies sanguines. Ces branchies sont placées sous chaque segments de l'abdomen chez les éphémères et au bout de celui-ci chez les libellules.

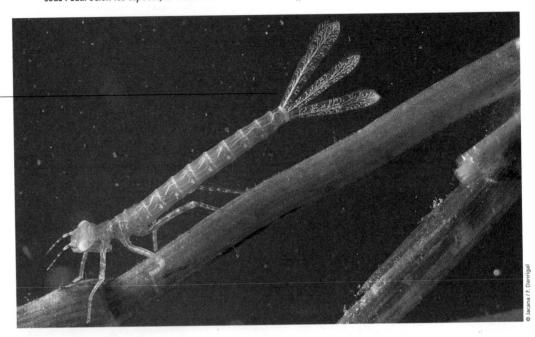

© Jacana / F. Danrigal

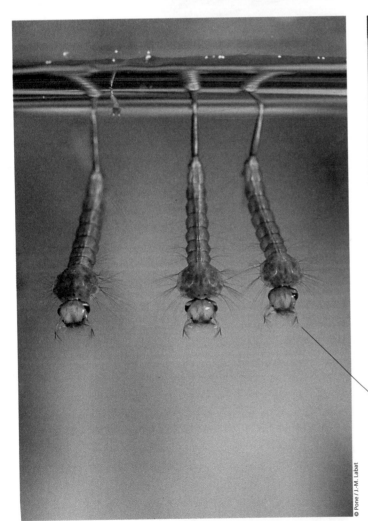

© Pone / J.-M. Labat

© Pone / J.-M. Labat

À l'image de ce **dytique** recouvert d'un manteau argenté constitué de bulles d'air, la notonecte, le naucoer et l'hydrophile constituent des réserves d'air, qu'ils vont chercher à la surface et qu'ils emprisonnent sous leurs élytres, ou dans les soies (poils) qui recouvrent leur corps.

Les larves et les nymphes aquatiques de **moustiques** se tiennent suspendues sous la surface de l'eau et respirent l'oxygène de l'air par des sortes de tubas. De même les nèpes et les ranatres remontent régulièrement à la surface, ne laissant dépasser que leur siphon pour respirer.

La forêt

Sous terre et dans l'humus – la litière résultant de la décomposition des feuilles mortes – fourmille une vie intense, souvent méconnue. Elle représente pourtant la part la plus importante des 4 000 espèces animales vivant en forêt.

DANS LES FEUILLES MORTES

*Ces minuscules **araignées** (ordre des acariens) s'alimentent de débris végétaux qui forment l'humus. Ils consomment jusqu'à 50 % de cette litière.*

*Les **diploures** comme les collemboles font partie des insectes les plus primitifs. Le Campodea fragilis se déplace parfois en courant par soubresauts.*

*Paré d'une coquille jaune couverte de bandes foncées, l'**escargot des bois** (Cepaea nemoralis) participe lui aussi au recyclage des matières végétales, en consommant des feuilles en décomposition.*

*Le **polydesme** (Polydesmus angustus) apprécie la litière et le bois en décomposition.*

*Le gloméris marginata ou **faux cloporte** se roule en boule lorsqu'il se sent en danger.*

*Les vers sont abondants en forêt. Le **lombric**, ou vers de terre (Lumbricus herculeus), peut mesurer jusqu'à 25 cm de long. Il vit dans le sol et se nourrit de particules organiques contenues dans la terre.*

PLUSIEURS TYPES DE FORÊTS

- **FORÊT MÉDITERRANÉENNE**
  chaud et sec, chêne vert, chêne liège, genévrier, pin parasol

- **FORÊT TROPICALE**
  chaud et humide, arbres élevés (50 m)

- **FORÊT BORÉALE**
  très froid et assez humide. Composée essentiellement de conifères (épicéas, mélèzes, pins, sapins)

- **FORÊT TEMPÉRÉE**
  essentiellement composée de feuillus.

J. Candiard

DHI

Dans la fraîcheur du petit matin, la forêt s'éveille. À tous les étages, des sous-bois à la cime des grands arbres, chaque animal rampe, trotte, ou vole vers sa principale activité : se nourrir.

❶ C'est au printemps, de retour d'Afrique, que le **coucou gris** (Cuculus canorus) pousse, à l'abri du feuillage, son célèbre chant.

❷ Le **geai des chênes** (Garralus glandrius) construit son nid à la cime des arbres. Il se nourrit essentiellement de glands.

❸ **Mésange charbonnière** (Parus major)

❹ **Mésange bleue** (Parus caeruleus)

❺ **Mésange à longue queue** (Aegithalos caudatus). Les mésanges ne quittent pas les hauteurs des arbres où elles attrapent insectes et larves.

❻ Rapide et agile, l'**écureuil roux** (Sciurus vulgaris) se déplace sur les troncs et dans les branches. Matinal, il fait sa toilette avant de se lancer à la recherche de graines, fruits, noix, insectes et œufs d'oiseaux.

❼ Discrète, la **fauvette des jardins** (Sylvia borin) n'est souvent reconnaissable qu'à son chant mélodieux.

❽ Le **pouillot véloce** (Philloscopus collybita), qui signifie inspecteur des feuilles, ne descend dans les sous-bois que pour y nicher.

❾ Le **rossignol philomène** (Luscinia megaehynchos) vit caché dans les buissons à terre ou à quelques mètres au-dessus du sol. Au printemps, il fait entendre son chant de longues heures durant.

❿ Le **rouge-gorge** (Erithacus rubecula) construit son nid à même la terre. C'est essentiellement le soir et le matin qu'il se met à chanter.

⓫ Le **troglodyte** (Troglodytes troglodyte) fouille fréquemment dans les feuilles mortes pour trouver insectes et araignées.

⓬ Le **pic épeiche** (Picoides major) tambourine contre le tronc des arbres.

⓭ Le **merle** (Turdus merula) cueille les fruits sur les branches, mais se pose parfois au sol pour y dénicher des vers de terre.

⓮ Le **cerf élaphe** (Cervus elaphus) n'habite que les grandes forêts où il se déplace en harde. Il se nourrit de plantes herbacées, mais aussi de feuilles, pousses, champignons, lichens et fruits.

⓯ Hôte populaire des forêts, le **sanglier** (Sus scrofa) vit en famille. Il se déplace de jour comme de nuit à la recherche de végétaux et de mares boueuses, les « souilles », dans lesquelles il se roule.

⓰ Si le **renard** (Vulpes vulpes) chasse surtout au crépuscule, les renardeaux, eux, passent une partie de la journée à jouer au soleil. Mais ils ne s'aventurent jamais bien loin de la tanière.

⓱ Plus gros que le chat domestique, le **chat sauvage** (Felis silvestris) fréquente les forêts, où il chasse le jour comme la nuit les petits rongeurs.

⓲ Le **chevreuil** (Capreolus capreolus) possède des bois moins importants que le cerf élaphe, mais qui, comme chez ce dernier, tombent en automne et repoussent durant l'hiver. Il passe une grande partie de sa vie dans les clairières.

⓳ La **grenouille agile** (Rana dalmatina) a besoin d'humidité, mais l'eau ne lui est nécessaire qu'au moment de la reproduction. Cet animal essentiellement nocturne sort cependant les jours de pluie.

20 *Active le jour, la **belette** (Mustela nivalis) est bonne grimpeuse et nageuse. En cas de danger, elle pousse un sifflement strident : on dit qu'elle belotte.*

21 *Le **campagnol roussâtre** (Clethrionomys glareolus), excellent grimpeur, escalade les buissons afin de se nourrir de baies parfumées.*

22 *Vivant dans les arbres, le **hanneton commun** (Melolontha melolontha) passe son temps à manger les feuilles et les pousses. Les larves, elles, dévorent les racines, les œufs étant pondus dans le sol.*

23 *L'**épeire diadème** (Araneus diadematus) bâtit sa toile entre les branches des arbustes, mais c'est sous l'écorce des arbres qu'elle glisse son cocon rempli d'œufs.*

24 *Grimpant le long des troncs, le **lucane cerf-volant** (Lucanus cervus) se nourrit du suc qui s'écoule des fentes de l'écorce. À la fin du printemps, le mâle vole le soir, en quête de partenaire.*

25 *__Fougère mâle__ (Dryopteris lilix-mars)*

26 *Mousse : **polytrics** (Polytrichum)*

27 *Champignon : **trompette de la mort** (Craterellus cornucopioides)*

28 *__Violettes des bois__ (Viola riviniana)*

29 *__Narcisse__ (Narcissus pseudonarcissus)*

LA FORÊT LA NUIT

Lorsque le jour décline, certains occupants de la forêt vont se coucher, quand d'autres, les animaux nocturnes, émergent à peine de leur sommeil.

CHOUETTE HULOTTE
(STRIX ALUCO)
Ouh...Ouh ! Le hululement de la chouette hulotte est si populaire que beaucoup pensent à tort que tous les rapaces nocturnes poussent le même cri. Abondante mais discrète, la chouette hulotte est une familière des forêts, où elle niche dans les trous d'arbres creux et les vieux nids abandonnés de grands oiseaux.

HIBOU MOYEN DUC
(ASIO OTUS)
Comme tous les rapaces nocturnes, le hibou moyen duc (Asio otus) vit en couple, et adopte un territoire qu'il occupe toute sa vie. Sociable, il forme en hiver des groupes de 20 à 60 individus. Grâce à son vol très silencieux, il fond sur les petits mammifères, grenouilles et lézards, qu'il avale tout entiers. Il est facilement reconnaissable à ses grandes aigrettes.

MULOT GRIS
(APODEMUS SILVATICUS)
Le mulot gris creuse un terrier entre les racines des arbres, où il installe son nid d'herbes sèches. Ce petit rongeur sort au crépuscule afin de récolter baies, graines, champignons, insectes et bourgeons. Mis en réserve, il dégustera ensuite ces mets dans son abri.

BLAIREAU *(MELES MELES)*
Grand et costaud (18 kg), le blaireau explore durant quatre à cinq heures son domaine, et peut parcourir plusieurs kilomètres en quête de nourriture. Celle-ci est très variée : petits rongeurs, batraciens, œufs, fruits..., mais son mets de prédilection reste les vers de terre. Le blaireau construit un terrier pouvant s'enfoncer jusqu'à cinq mètres sous terre, qu'il occupe seul ou en famille.

GENETTE
(GENETTA GENETTA)
La genette, comme l'hermine, la fouine et le putois, se faufile discrètement parmi les fourrés. Importée d'Afrique par les Sarrasins, cet animal solitaire est répandu essentiellement dans le sud-ouest de la France.

NOCTULE
(NYCTALUS NOCTULA)
La noctule sort dès le crépuscule. De son vol rapide, elle poursuit les insectes volants. En hiver, elle hiberne en groupe dans les troncs d'arbres creux.

La moyenne montagne

La moyenne montage désigne, pour les géographes, les étages qui grimpent de 800 m à 2 000 m d'altitude. Vastes forêts de feuillus et de conifères ; cultures dans les parties les plus basses ; rochers, landes, prairies et tourbières aux sommets… Loin d'être uniforme, la végétation de la moyenne montagne varie en fonction de l'altitude, mais aussi de l'exposition et de la nature du sol.

QUELQUES PLANTES CARACTÉRISTIQUES

ADRET ET UBAC

À la même altitude, l'exposition des versants opposés d'une montagne est à l'origine d'une végétation très différente. Exposé au nord, l'ubac est plus à l'ombre. Humide et froid, il se couvre de bois jusqu'à son sommet. L'adret, tourné vers le sud, est plus ensoleillé. Généralement plus sec, soumis à d'importantes variations de température, il est plus souvent couvert de pelouses et d'éboulis.

DANS LES FORÊTS

La centaurée des montagnes, commune dans les bois et les prairies d'altitude, est une plante de 80 cm de haut dont la tige est recouverte de poils en toile d'araignée. Son nom viendrait du centaure Chiron, qui, dans l'Antiquité, passait pour être un des inventeurs de la médecine et de la chirurgie.

DANS LES TOURBIÈRES

Le rossolis à feuilles rondes est une petite plante carnivore. Elle piège les insectes par des poils visqueux qui recouvrent ses feuilles. Elle sécrète ensuite un liquide qui favorise la décomposition et la « digestion » de l'animal.

DANS LES PRAIRIES

Plante velue, l'arnica des montagnes, ou tabac des Vosges, est répandue dans les alpages et les bois clairs à partir de 600 m d'altitude. Utilisée pour soigner bosses et contusions, elle est aujourd'hui menacée d'extinction.

SUR LES PELOUSES CALCAIRES

L'hélianthème vulgaire est un arbuste nain qui aime particulièrement le soleil. C'est la raison pour laquelle on le trouve notamment sur les pelouses sèches exposées au sud. Ses feuilles jaunes, à l'aspect de papier froissé, lui ont valu le terme « d'herbe d'or ». Elles s'ouvrent au soleil et tombent en quelques heures.

205

Bec-croisé des sapins.
À l'aide de ses mandibules
caractéristiques, il extrait
les graines d'épicéas,
sa principale source
de nourriture.

Grand corbeau. Il se nourrit
surtout de cadavres d'animaux
(petits rongeurs, hérissons,
lapins).

Chevreuil. Il peut grimper
jusqu'à 2 000 m d'altitude,
mais uniquement là où il y a
de la forêt.

Lynx boréal. Il vit très
caché dans les vastes forêts
des Vosges et du Jura, de
préférence sur des versants
accidentés.

**Rhododendron
ferrugineux.**
Ses fleurs rouge
éclatent aux beau
jours sur les ébou
rocheux et dans
sous-bois clairs, j
2500 m d'altitu

Castor. Protégés depuis 1905
en France, les castors sont
aujourd'hui près de 5 000
dans notre pays.

Loutre. Devenue très rare, elle
se nourrit essentiellement de poissons,
occupe des cavités creusées dans les
berges et ne sort qu'à la nuit tombée.

Callune. Caractéristique
des landes, elle est souvent
associée à des bruyères.
Autrefois ses rameaux servaient
à fabriquer des balais.

Myrtille. Ce petit arbrisseau aux
baies très recherchées prospère
dans les forêts et les landes où l'été
est humide ou froid.

Mouflon. Originaire de Corse, il a été réintroduit dans diverses régions du sud de la France, notamment dans les Cévennes. Petit et trapu, il passe facilement inaperçu grâce à son pelage fauve.

Chouette de Tegmalm. Elle vit uniquement en forêt, où elle recherche souvent les cavités abandonnées, pour y faire son nid et y déposer ses œufs.

e pédonculé. ommun, il s'élève 1600 m d'altitude. sée, son écorce sert r les peaux.

Hêtre. Il peut atteindre 40 m de hauteur. Il aime l'ombre et les climats humides.

Châtaignier. Il a été introduit en France par les Romains. On ne le rencontre pas au-delà de 1300 m d'altitude.

Grand tétras. Au printemps, les mâles paradent sur des «places de chant», où, ailes pendantes et queue en éventail, ils rivalisent pour séduire les femelles.

Cerf élaphe. Hôte des grands massifs forestiers (plus de 5 000 ha) à sous-bois épais et parsemé de clairières, jusqu'à 2 500 m d'altitude.

Cincle plongeur. Il est le seul passereau à pouvoir plonger, nager et marcher au fond des torrents. Il chasse des invertébrés en retournant les pierres, particulièrement dans les courants rapides.

Gentiane jaune. Les racines de cette grande plante (1,50 m de hauteur) servent à élaborer une boisson apéritive à la saveur amère.

Lys martagon. La beauté de cette fleur a provoqué un tel pillage qu'elle est maintenant strictement protégée.

J. Candiard

QUELQUES PETITS ANIMAUX

LÉZARD VIVIPARE

D'une quinzaine de centimètres de long, il apprécie les endroits humides, surtout parmi les arbustes nains au-dessus de la limite des forêts. Il n'hésite pas à se mettre à l'eau, où il nage avec aisance, mais s'expose aussi volontiers au soleil sur une pierre ou un tronc d'arbre.

© Sunset / J.-M. Prevot

L'APOLLON

C'est un papillon commun à partir de 1 000 m d'altitude. Il est visible de juin à août, sur les pelouses et les prairies des versants montagneux, où il se chauffe longuement au soleil, ailes étendues.

© Jacana/ C. & M. Moiton

MONTAGNE OU COLLINE ?

F. Joos

Dans les régions tempérées, la moyenne montagne correspond en gros aux étages baptisés « montagnard » (de 800 m à 1 200 m) et « subalpin » (de 1 200 m à 2 000 m). Au-delà commence la haute montagne.

Cette classification ne s'applique pas au relief des montagnes situées plus près de l'équateur. Au Népal, par exemple, dans la chaîne de l'Himalaya, les « collines » verdoyantes et aux formes arrondies culminent à plus de 3 000 m. Des conifères poussent jusqu'à leur sommet, alors que ces arbres ne se développent pas au-delà de 2 000 m en Europe.

© Pjo. N E/ C. Courteau

GRENOUILLE ROUSSE

Le mâle arbore au printemps une gorge bleutée. Elle est présente dans les plaines, mais vit surtout dans les forêts jusqu'à 3 000 m d'altitude. Elle reste à sec en été et en automne, et fréquente les zones peu profondes des mares et des étangs pendant la reproduction.

© Jacana

CROSSOPE DE MILLER

Ce petit mammifère au nez pointu et aux dents acérées, mesure une quinzaine de centimètres. Fréquentant les forêts, les tourbières et les prairies humides, elle creuse des galeries parmi les racines ou sous les tas de branchages, ou emprunte celles d'autres petits mammifères.

Le désert, le jour

Les déserts sont des lieux où il ne tombe pas plus de 250 ml d'eau par an. Durant le jour, la température de l'air dépasse parfois plus de 50 °C, et celle du sol 70 °C. Pour résister à la chaleur et au manque d'eau, les bêtes et les plantes ont chacune des stratégies bien particulières.

UNE QUEUE COMME PARASOL
Quand la chaleur du jour devient trop grande, les écureuils (Atlantoxerus) du désert du Kalahari, en Afrique du Sud, utilisent leur queue en guise de parasol. De cette façon, ils peuvent résister plus longtemps à la chaleur pour faire des provisions de graines, de baies et de racines.

UNE COULEUR POUR CHAQUE TEMPÉRATURE
Les dragons barbus du centre de l'Australie ont une couleur foncée en début de journée pour absorber efficacement la chaleur du soleil. Plus le jour avance, plus ils deviennent pâles de façon à réfléchir la lumière.

RIEN NE SERT DE COURIR
Quand elle est surprise par le soleil, la tortue (Gopherus agassizii) du désert du Mexique vide sa vessie sur ses pattes arrière pour les rafraîchir. Pour la même raison, elle salive abondamment pour humidifier sa tête et son cou.

LES TRACES DE LA NUIT
Dans ces dunes apparemment vides, l'activité des animaux nocturnes est révélée par les empreintes qu'ils laissent.

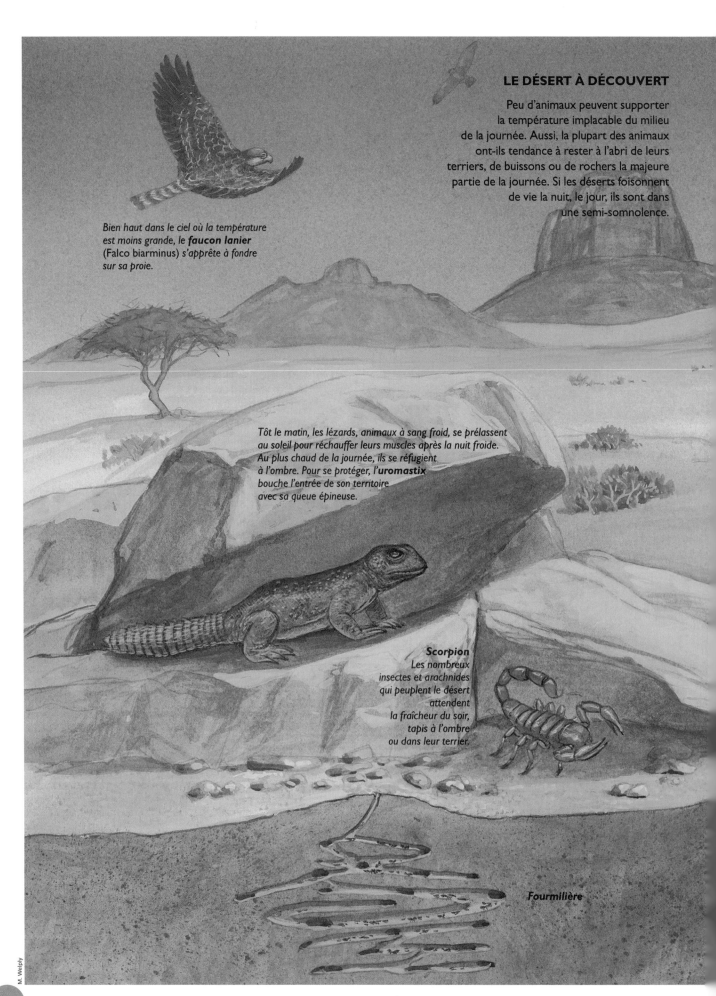

LE DÉSERT À DÉCOUVERT

Peu d'animaux peuvent supporter la température implacable du milieu de la journée. Aussi, la plupart des animaux ont-ils tendance à rester à l'abri de leurs terriers, de buissons ou de rochers la majeure partie de la journée. Si les déserts foisonnent de vie la nuit, le jour, ils sont dans une semi-somnolence.

Bien haut dans le ciel où la température est moins grande, le **faucon lanier** (Falco biarminus) s'apprête à fondre sur sa proie.

Tôt le matin, les lézards, animaux à sang froid, se prélassent au soleil pour réchauffer leurs muscles après la nuit froide. Au plus chaud de la journée, ils se réfugient à l'ombre. Pour se protéger, l'**uromastix** bouche l'entrée de son territoire avec sa queue épineuse.

Scorpion
Les nombreux insectes et arachnides qui peuplent le désert attendent la fraîcheur du soir, tapis à l'ombre ou dans leur terrier.

Fourmilière

M. Welply

Les **chameaux** (Asie) et les **dromadaires** (Afrique) peuvent rester sans boire pendant plusieurs semaines grâce aux réserves de graisses contenues dans leur bosse. Leur haute stature, les éloignant du sol, leur permet d'avoir un peu moins chaud.

Ces **gazelles dorcas**, qui ne peuvent se terrer, profitent de l'ombre de cet acacia.

Les **plantes du désert** sont très espacées de manière à ce que chacune d'elles ait suffisamment d'eau.

Les **suricates**, petits mammifères carnassiers ressemblant à la mangouste, sont actifs dans la journée. L'un des membres du groupe se poste en sentinelle pour prévenir les autres d'un danger immédiat.

Comme la plupart des mammifères, cette **gerboise** (Jaculus jaculus) passe sa journée dans son terrier où la température est plus fraîche. À un mètre de profondeur, elle bénéficie d'une température de 30 °C.

DE L'EAU SOUS UNE FORME PARTICULIÈRE

*Comme beaucoup de lézards et presque tous les carnivores du désert, le **scinque** (Scincus scincus) ou poisson des sables se contente de l'eau contenue dans ses proies. Après une nuit passée sous le sable, il surgit au grand jour pour se nourrir. À la moindre alerte, il plonge la tête la première dans le sable, d'où son appellation de poisson des sables.*

UNE VIE SOUS TERRE

*Dans la fraîcheur des galeries de leur nid, ces **fourmis-à-miel** ne sont pas atteintes par la canicule du jour. Certaines sont accrochées au plafond du nid avec leur abdomen gonflé de substances sucrées. Elles sont chargées de nourrir les autres individus de la fourmilière durant la saison sèche.*

LE DÉSERT TRANSFORMÉ

Dès les premières pluies importantes, les plantes germent, fleurissent et donnent des graines en quelques semaines. Le désert devient très vite, mais pour peu de temps, un paradis grouillant de fleurs et offrant aux herbivores une source abondante de nourriture et d'eau.

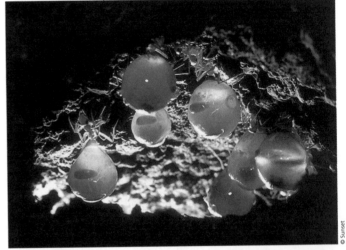

LES CRUSTACÉS DU DÉSERT

*Certains œufs de crustacés, comme ceux des **artémies**, peuvent rester viables plusieurs années dans des lacs asséchés. Ranimés par une violente averse, ils donnent naissance à des crevettes qui produisent rapidement des œufs avant que le lac ne se dessèche à nouveau.*

La savane

Vastes prairies dominées par les hautes herbes et les graminées, la savane se compose aussi d'arbres et d'arbustes disséminés, résistant à la sécheresse. C'est uniquement l'été que des pluies torrentielles s'abattent sur ces immenses étendues, renouvelant la végétation.

© Explorer / H. Veiller

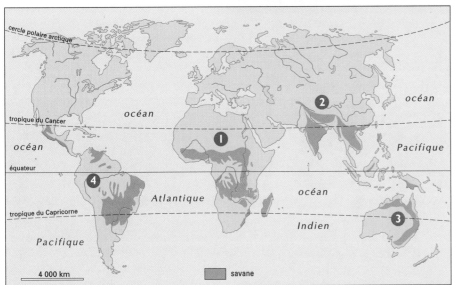

● Durant **la saison sèche** la savane prend des tons ocre, jaunes et roux. La différence de température entre la chaleur torride du sol et les masses d'air plus froides crée des typhons de poussière. Les cours d'eau s'assèchent, la végétation semble brûlée. Un grand nombre d'herbivores fuient en troupeaux et migrent vers des lieux où nourriture et eau sont abondantes, mais les plus faibles succombent bien souvent.

Avec **la saison des pluies,** la végétation « ressuscite ». La savane desséchée s'inonde sous les averses violentes, créant mares et points d'eau. Le sol se couvre alors très rapidement d'herbe tendre, et parfois comme en Australie d'un tapis de fleurs multicolores. En quelques jours la nature se métamorphose, tandis que les animaux migrateurs retournent vers ces prairies redevenues hospitalières. ●

❶ S'étendant au nord et au sud de la forêt équatoriale, **la savane africaine** couvre plus d'un tiers du continent.

❷ **La savane asiatique,** qui se situe essentiellement en Inde, a été créée par l'homme.

❸ **En Australie,** la savane est surtout répartie dans le nord du pays.

❹ **La savane sud-américaine** est composée de la pampa argentine, des campos du Brésil et des llanos du Venezuela. La première très sèche et chaude est balayée par un vent violent : le pampéro. Elle s'étend de l'Atlantique aux Andes. Les secondes sont coupées par des forêts.

© Explorer / L. Peneau

1. Zèbres de Burchell (Equus burchelli)
2. Gnous à queue noire (Connochaetes taurinus)
3. Gazelles de Grant (Gazella granti)
4. Impalas (Alcelaphus lichensteini)
5. Rhinocéros noir (Diceros bicornis)
6. Buffle de savane (Syncerus caffer caffer)
7. Eléphant (Loxodonta africana)
8. Lion (Panthera leo)
9. Guépard (Acynonyx jubatus jubatus)
10. Lycaon (Lycaon pictus)
11. Hyène tachetée (Crocuta crocuta)
12. Chacal rayé (Canis adustsus)
13. Vautour de rüppell (Gyps ruppelli)
14. Autruche (Struthio calelus)

Sous un soleil de plomb, la savane arbustive d'Afrique s'embrase et disparaît chaque année un peu plus, remplacée par la savane herbeuse. Malgré les risques d'incendie, un nombre étonnant d'animaux peuplent ce milieu si particulier.

Il y a peu de concurrence entre les herbivores qui se nourrissent de plantes diverses, ou des différentes parties d'une même plante.

Les baobabs (Adansonia digitata) à l'allure étrange, possèdent des troncs énormes et une ramure étalée.

Les zèbres forment avec les gnous et les gazelles des troupeaux de grande ampleur lorsque la nourriture est abondante.

Les prédateurs et charognards régulent les populations et nettoient la savane des cadavres.

15 *Le serpentaire (Sagittarius serpentarius) est un planeur médiocre. Ce rapace vit et chasse au sol. De ses longues pattes munis de griffes puissantes, il piétine ses proies, y compris les serpents, pour les tuer.*

16 *Les babouins cynocéphales (Papio cynocephalus) font partie des rares singes vivant en terrain découvert. Ils forment de grands groupes.*

17 *Dressés sur leurs pattes arrières, les suricates (Suricata suricata) surveillent les alentours.*

18 *Les fourmis légionnaires (Dorylus) peuvent former des colonnes de 1 000 m de long. À l'aide de leurs puissantes mandibules, elles dévorent tout sur leur passage, et n'hésitent pas à s'attaquer à d'énormes termitières.*

19 *Gazelle de Thomson (Gazella thomsoni)*

20 *Calao à bec rouge (Buceros bucorvus)*

21 *Girafe (Giraffa camelopardalis)*

euilles et les
de l'acacia
fe sont une
e de nourriture
les grands
aux.

rbe aux éléphants atteint
u'à 3 m de haut.

Moins peuplées que la savane africaine, les plaines sèches d'Australie, d'Asie et d'Amérique du Sud n'en possèdent pas moins des populations animales variées. ▪

Petit félin, le **caracal** (Félis caracal), comme le renard du Bengale et le chat sauvage, est un carnivore de la savane indienne.

Recouvert d'écailles, le **pangolin** (Manis crassicaudata) est un mammifère. Il se nourrit de termites et de fourmis qu'il saisit de sa longue langue. (Afrique et Asie)

Cette **mangouste grise** (Herpetes edwardi) aux prises avec un **cobra royal** (Naja naja), a de grandes chances de sortir victorieuse, grâce à son étonnante vivacité. (Afrique et Asie)

Outre les nombreuses perruches, l'Australie est le pays de l'**émeu** (Dromaius novaehollandiae). Ce cousin de l'autruche est, comme cette dernière, incapable de voler, mais court à 50 km/h.

À TRAVERS LE MONDE

Le **cerf des pampas** (Ozotoceros bezoarticus) se raréfie. Il est l'unique ruminant de la savane sud-américaine et vit en petites hardes.

Le **dingo** (Canis dingo) est arrivé en Australie avec les aborigènes, il y a 12 000 ans.

Le **tatou** à neuf bandes (Dasypus novemcinctus) est avec le pangolin le seul mammifère recouvert d'une carapace. Autre particularité : la femelle donne le jour à des quadruplés. (Amérique)

Le **kangourou roux** (Megaleia rufa) est certainement le plus connu des marsupiaux. Il peut exécuter des sauts de 10 m de long, et se déplacer à plus de 80 hm/h. (Australie)

Le **mara** (Dolichotis patagonica) est un drôle d'herbivore qui court et saute très rapidement. Son allure ressemble tout à la fois à celles du lièvre et de l'antilope. (Amérique du Sud)

● **DÉSERT DU THAR**
*Situé au nord-ouest de l'Inde, le désert du Thar
reçoit moins de 200 mm de pluie par an.
Il est si aride et si brûlant que les caravanes,
qui transportent du sel, de la laine et des peaux,
le traversent de nuit, pour éviter la chaleur.*

Le désert, la nuit

« La nuit venait très vite, le ciel immense et froid
s'ouvrait au-dessus de la terre éteinte. […]
Alors il montrait à Nour la route qu'ils suivraient le jour,
comme si les lumières qui s'allumaient dans le ciel
traçaient les chemins que doivent parcourir
les hommes sur la terre », conte
Jean-Marie Gustave Le Clézio dans son roman *Désert*.

● **LA NUIT DANS UNE OASIS**
*Dès que le soleil se couche, le froid s'installe.
Il peut être très vif. L'amplitude thermique (l'écart
de température) est donc importante en 24 h.*

● **LES GAZELLES DU DÉSERT**
*Les gazelles du désert ou dorcas vivent
dans tout le Moyen-Orient, jusqu'au Pakistan
et en Inde. On en rencontre aussi en Afrique
du Nord. Comme la plupart des mammifères,
elles sont plutôt actives la nuit. Ainsi la journée,
quand il fait trop chaud, elles investissent
le terrier d'autres animaux !*

CACTUS CANDÉLABRE *(Carnegiea gigantea)*
Les fleurs blanches du cactus candélabre ou saguaro s'ouvrent la nuit.
Sa tige abrite maints oiseaux et insectes. La nuit, des voleurs parcourent
le désert pour déterrer ces cactus, qui se vendent à prix d'or
comme ornement.
Ils sont aujourd'hui menacés.

GLOSSOPHAGE DE PALLAS
(Glossophaga soricina)
Avec son long museau étroit, cette chauve-
souris récolte le nectar des fleurs de cactus,
qui ne s'ouvrent que la nuit.
Pour cela, elle effectue,
comme les colibris,
un vol stationnaire
devant la plante.

LYNX ROUX *(Felix rufus)*
Très répandu aux États-Unis, le lynx roux
s'abrite du soleil en se glissant
dans des grottes, des fourrés
ou entre des rochers.
Chasseur vif et silencieux, il s'alimente
de divers petits rongeurs.

LIÈVRE DE CALIFORNIE
(Lepus californicus)
Grâce à ses grandes oreilles,
le lièvre de Californie parvient
à se rafraîchir.
Son réseau de veines
libère en effet beaucoup
de chaleur, ce qui refroidit
son sang.

CROTALE DIAMANTIN
(Crotalus atrox)
Les serpents à sonnette,
comme les crotales diamantins,
sont parmi les prédateurs
nocturnes les plus venimeux.
Leur venin peut tuer
un homme de 100 kg
en une heure.

RAT-KANGOUROU
(Dipodomys deserti)
Le rat-kangourou
est un mammifère rongeur qui se nourrit
de graines. Pour cela, il sautille de buisson
en buisson sur ses longues pattes postérieures.
Il est solitaire, sauf à la saison des amours.

RENARD DÉSERTIQUE
(Vulpes velox)
Ce renard à grandes oreilles
est l'un des plus petits mammifères
prédateurs du désert.
Il ne sort de son terrier
qu'une fois la nuit tombée,
pour chasser
des rats-kangourous
ou des scorpions.

TARENTULE
(Brachypelma smithi)
De la famille des mygales,
la tarentule mexicaine
est la plus grosse araignée
du désert. Elle creuse un terrier,
qu'elle tapisse de soie,
et dont elle déplace l'entrée.
Elle se nourrit d'insectes
et de petits lézards.

SONORA, UN DÉSERT NORD-AMÉRICAIN

À la tombée de la nuit, de nombreux animaux quittent rochers, abris et terriers, où ils s'étaient réfugiés pour éviter les fortes chaleurs du jour. À la lumière de la lune, ils partent en quête de nourriture. À l'aube, ils regagneront leur cachette, abandonnant le désert aux animaux diurnes. Dans le désert nord-américain du Sonora, qui s'étend du sud-ouest des États-Unis au nord du Mexique, de nombreux éclairs déchirent le ciel.

YUCCA
(Yucca elata)
Les yuccas abritent une riche faune d'oiseaux et de petits mammifères. Pour assurer sa pollinisation, cette plante bien adaptée aux fortes chaleurs a recours aux services d'un insecte, la « mite du yucca ».

COYOTE *(Canis latrans)*
Le coyote peut parcourir de grandes distances, la nuit, pour trouver de l'eau. Il se nourrit de rats-kangourous, de souris et autres petits rongeurs, dont le corps lui fournit une bonne part de l'eau dont il a besoin.

CHEVÊCHETTE ELFE
(Micrathere whitneyi)
Cette chouette, qui s'abrite dans les saguaros, est le plus petit rapace du monde : elle mesure environ 13 cm et près de 40 g. La nuit, elle fonce en silence sur les papillons-sphinx ou sur les criquets. Elle se nourrit aussi de scorpions dont elle parvient à ôter le dard.

FFETTE TACHETÉE
ale gracilis)
re fuir leurs prédateurs, ffettes projettent vers eux de malodorant et irritant. vant elles les avertissent nt avec leurs pattes antérieures, t le poirier en redressant leur queue.

SCORPION
La nuit, le scorpion quitte son tunnel pour chasser les insectes. Il saisit ses proies dans ses pinces, et leur assène un coup mortel avec sa queue qu'il redresse. Le scorpion est surtout la proie des chouettes et des chauves-souris.

GECKO BIGARRÉ
(Gekko nides)
Les geckos forment le groupe le plus primitif avec les iguanes. Beaucoup d'espèces sont adaptées à la vie dans les zones sèches ou subdésertiques. Les geckos bigarrés se nourrissent de coléoptères.

M. Welply

LE DÉSERT DU NAMIB, EN AFRIQUE AUSTRALE

Les pattes du **gecko** du désert du Namib sont palmées, ce qui lui évite de s'enfoncer dans le sol lorsqu'il part la nuit en quête de nourriture.

Pour ne pas perdre d'eau, le **scarabée du Namib** condense les gouttes de brouillard nocturne sur son corps. Celles-ci n'ont plus alors qu'à couler jusqu'à sa bouche.

LE SAHARA, DÉSERT AFRICAIN LE PLUS VASTE DU MONDE

La **gerbille** est la souris des déserts. Elle se nourrit de graines et d'insectes et ne boit jamais. Elle se contente en effet de l'eau contenue dans ses aliments, et en fabrique à partir de sa graisse.

Le **fennec** est le plus petit des renards, avec ses 40 cm de long.
Il vit surtout au Sahara, mais on le rencontre aussi parfois en Arabie.
Il se nourrit la nuit d'insectes, de lézards ou de gerbilles.

Surtout actif le soir et la nuit, l'**échidné porc-épic** vit dans les déserts australiens de l'intérieur. Il se nourrit surtout de fourmis et de termites, qu'il collecte grâce à sa longue langue collante.

LE DÉSERT AUSTRALIEN

Dans le désert du centre de l'Australie, le **bandicoot-lapin** échappe à la chaleur du jour en se réfugiant dans les galeries qu'il creuse en spirale jusqu'à 1,50 m sous terre.
Le soir et la nuit, il chasse de petits vertébrés et des insectes.

220

La haie

Une haie est un ensemble d'arbres, d'arbustes et d'herbes poussant sur une longue et étroite bande de terrain. Son rôle est de protéger les cultures de l'érosion du vent et de l'eau. Majoritairement plantées par l'Homme, les haies sont aussi d'incroyables réserves naturelles d'animaux et de végétaux.

● **L'HIVER, UN CALME APPARENT**

Alors que les champs sont durcis par le gel, dans la profondeur de la haie, les températures peuvent encore se maintenir au-dessus de 0 °C. Et c'est au fond de cet abri que le renard, ou les oiseaux mangeurs d'insectes comme le rouge-gorge, recueillent de quoi subsister.

UNE HAIE MORTE

À l'inverse de la haie vive, la haie morte est faite de branches coupées et plantées dans le sol, qui sont ensuite entrelacées de branches souples de noisetier. Nécessitant un renouvellement annuel, elles ont été remplacées par les haies vives qui peuvent durer des siècles.

AU PRINTEMPS, ● UN PAYSAGE FLORISSANT

Au printemps, la nature revit. La majorité des plantes de la haie sont en fleurs. Les insectes et les petits mammifères, comme le hérisson, sortent de leur hibernation et trouvent de la nourriture en abondance.

● **À L'AUTOMNE, L'HEURE DE LA RÉCOLTE**

Quand vient l'automne, les fruits ont remplacé les fleurs des arbustes.
Le noisetier porte des noisettes, l'aubépine des cenelles et l'églantier des fruits communément appelés « gratte-cul » en raison des démangeaisons qu'ils causent.
Les oiseaux s'en régalent et les petits mammifères, comme le campagnol ou le mulot, les amassent dans leur terrier en prévision de l'hiver.

GRIVE LITORNE
(Turdus pilaris)

RONCE FRUTESCENTE
(Rubus fruticosa)

BRUANT JAUNE
(Emberiza citrinella)

PAPILLON
Papillons et insectes volants en tous genres se délectent sans relâche du nectar des fleurs.

BÊTES À BON DIEU
(Coccinella punctata)

AUBÉPINE
Par la rapidité de sa croissance et ses nombre épines, l'aubépine (Crataegus monogypa) e une clôture végétale idéale pour le bétail.

MILLEPERTUIS PERFORÉ
(Hypericum perforatum), baume pour les blessures

VIPÈRE BÉRUS
(Vipera berus)

RENARDS
Tout près de leur terrier, les renardeaux atter le retour de leur mère, partie à la recherche d'une proie.

MUSARAIGNE CARRELET
(Sorex araneus) juste à l'entrée de son trou.

CAMPAGNOL ROUSSÂTRE ●
(Clethrionomys glareolus) en train de manger une sauterelle

Dans la haie, les plantes servent de nourriture et d'abri à des insectes et à de petits herbivores.

Cette profusion d'animaux en attire d'autres, des insectivores et des carnivo qui se nourrissent des premiers...

F. Davot

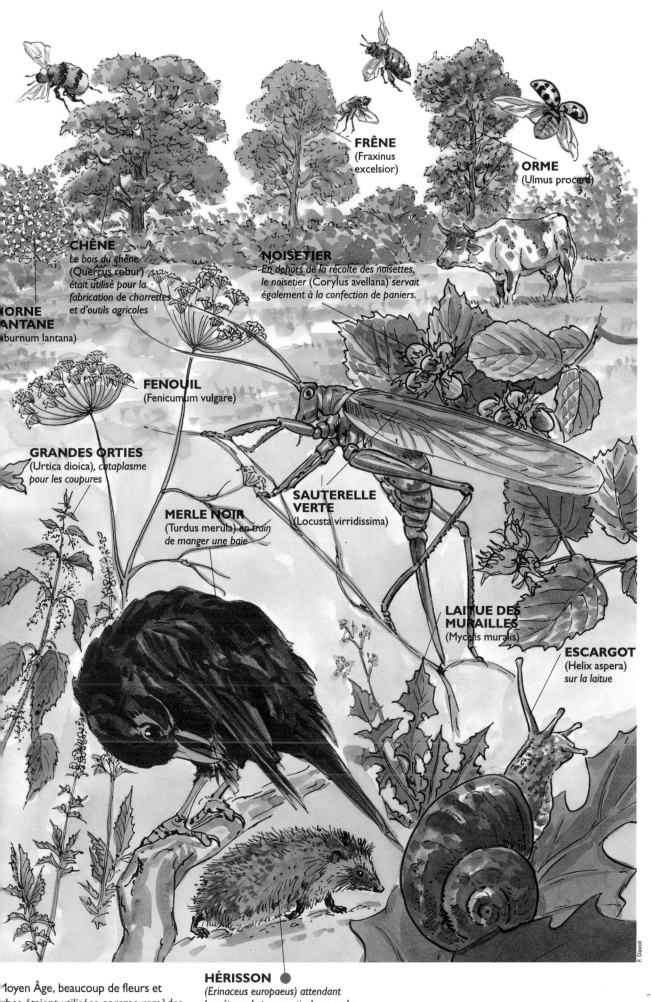

FRÊNE
(Fraxinus excelsior)

ORME
(Ulmus procera)

CHÊNE
Le bois du chêne
(Quercus robur)
était utilisé pour la
fabrication de charrettes
et d'outils agricoles

NOISETIER
En dehors de la récolte des noisettes,
le noisetier (Corylus avellana) servait
également à la confection de paniers.

**NORNE
LANTANE**
(iburnum lantana)

FENOUIL
(Fenicumum vulgare)

GRANDES ORTIES
(Urtica dioica), cataplasme
pour les coupures

MERLE NOIR
(Turdus merula) en train
de manger une baie

**SAUTERELLE
VERTE**
(Locusta virridissima)

**LAITUE DES
MURAILLES**
(Mycelis muralis)

ESCARGOT
(Helix aspera)
sur la laitue

Moyen Âge, beaucoup de fleurs et
bes étaient utilisées comme remèdes.

HÉRISSON
(Erinaceus europaeus) attendant
le crépuscule pour sortir de sa cache

F. Davot

© Phone / Cordier Sensia

● DES INSECTICIDES VIVANTS

De nombreux oiseaux, comme le bruant jaune (Emberiza citrinella), installent leur nichée dans les haies, où ils se nourrissent d'insectes et de chenilles qui dévorent les plantes cultivées. Ils peuvent donc être considérés comme les moins chers et les plus efficaces des insecticides, au même titre que les autres animaux insectivores habitant la haie.

UN PAYSAGE EN VOIE DE DISPARITION ●

Le développement d'une agriculture plus intensive et l'utilisation de machines agricoles plus encombrantes ont rendu les haies gênantes. Ainsi, dans de nombreuses régions, comme l'ouest de la France où elles faisaient partie du paysage, elles ne sont plus que des vestiges du passé.

© Phone. / C. Thiriet

UNE MÊME PROIE POUR PLUSIEURS PRÉDATEURS

Cette couleuvre a eu la malchance de rencontrer un hérisson, qui a réussi à avoir le dessus. Après en avoir mangé un morceau, il poursuit son chemin. Le cadavre a vite fait d'attirer des guêpes : elles prélèvent de petits morceaux de chair pour leurs larves et des mouches à viande viennent y pondre. ●

© Phone. / Collection J.

L'ÉMONDEUR

Au Moyen Âge, entretenir et créer des haies était un métier : celui de l'émondeur. Chaque année, il taillait les nouvelles pousses pour épaissir les buissons et combler les trous causés par le bétail.

Tous les passereaux d'Europe

Depuis l'Ancien Testament, le corbeau, et avec lui tous les corvidés, traîne sa mauvaise réputation. Devenu l'emblème du malheur, de la mort et de la guerre, ce passereau hors normes, à la légendaire « intelligence », souffre encore aujourd'hui de préjugés millénaires.

© Jacana / S. Cordier

Particulièrement opportunistes, les corvidés mangent de tout. Très habiles de leur bec, ils peuvent se faire charognards et dépecer la carcasse de gros animaux morts.
Les corneilles noires ont également appris à briser la coquille des moules d'eau douce en les jetant en l'air, afin d'en extraire la chair.

© Sunset / FLPA

Les corbeaux freux sont les passereaux les plus grégaires et les plus hiérarchisés. Ils se réunissent en colonies pour dormir et se reproduire à la cime des grands arbres. Les corbeautières sont des dortoirs qui peuvent atteindre des proportions impressionnantes. Ainsi, en Écosse, la colonie de nidification de Hatton Castle est constituée de 9 000 nids.

« Voleuse » et bavarde, telle est sa réputation.
La pie, commune et abondante dans nos contrées, est en effet particulièrement attirée par les couleurs vives et métalliques. Elle aime se nourrir de gros coléoptères et de papillons. Son jacassement se compose d'une série de cris rauques et répétés.

225

BERGERONNETTE GRISE

Peu farouche, la bergeronnette trottine dans les landes et les friches en balançant sa longue queue. La finesse de sa silhouette en fait un des oiseaux les plus gracieux.

MOINEAU DOMESTIQUE

Le nom latin du moineau (passer) est à l'origine du nom de l'ordre des passereaux. Le moineau vit la plupart du temps près des hommes, dans les villes et les champs cultivés.

ALOUETTE DES CHAMPS

Contrairement aux autres passereaux qui chantent une fois perchés, l'alouette des champs lance sa mélodie en vol.

ROSSIGNOL

Célèbre pour la richesse et la beauté de son chant, le rossignol est largement répandu en Europe.

MERLE DE ROCHE

De la même famille que le rouge-gorge, le magnifique merle de roche habite les régions montagneuses, où il recherche les endroits rocailleux, secs et ensoleillés.

ROUSSEROLLE TURDOÏDE

Colonisant les roseaux, les étangs et les rivières, la rousserolle turdoïde construit son nid au-dessus de l'eau, soigneusement accroché à quelques tiges de roseaux.

LORIOT D'EUROPE

Le loriot d'Europe est l'unique représentant de la famille des oriolidés vivant en Europe. Malgré son splendide plumage or et noir, le loriot est difficilement observable, car il reste le plus souvent caché dans les feuillages.

ROUGE-GORGE

Tout rond et attendrissant, le joli rouge-gorge n'est pas toujours commode. Facilement querelleur, il défend son nid avec agressivité. Gonflant les plumes orangées de son poitrail, il tente d'intimider son adversaire avant de se jeter sur lui.

TROGLODYTE

Malgré sa petite taille ce passereau très répandu possède un chant bruyant et aigu. Solitaire, il occupe toutes sortes de végétations.

226

ROITELET TRIPLE BANDEAU

9 cm : c'est la taille des plus petits passereaux d'Europe, le roitelet huppé et le roitelet triple bandeau. Ils possèdent tous deux une huppe rouge orangé.

J. Candiard

MÉSANGE À LONGUE QUEUE

Elle construit ses nids en forme de bourse avec du lichen et surtout de la mousse (jusqu'à 2 000 brins pour un seul nid).

CHARDONNERET

Il tient son nom des graines de chardons qui sont sa nourriture de prédilection, mais il apprécie également les graines de pissenlit, de bardane et de salade.

J. Candiard

BOUVREUIL

Il se nourrit de fruits et de graines. On le confond souvent avec le rouge-gorge, car le ventre de la femelle est rose et celui du mâle rouge.

ÉTOURNEAU SANSONNET

Commun, cet oiseau forme des troupes de plusieurs milliers d'oiseaux qui envahissent bien souvent les cultures, les vergers et les vignobles.

GRIVE DRAINE

C'est la grive la plus fréquente en Europe. Fortement tachetée sur tout le ventre, elle est aussi plus grosse que la plupart de ses congénères.

HUPPE FASCIÉE

De la grosseur d'un merle, ce passereau vit souvent au sol, dans les campagnes cultivées, où il trouve sa nourriture (vers, larves, insectes...) dans la terre.

MERLE NOIR

Célèbre pour son chant, cet oiseau farouche occupe aussi bien les jardins de ville que la campagne et la montagne. La femelle est brun gris.

LES COMPORTEMENTS SINGULIERS DE CERTAINS PASSEREAUX

La pie-grièche écorcheur est un petit passereau de la famille des laniidés, au plumage sobre mais élégant. Hôte des terrains découverts et des landes, elle doit son nom d'écorcheur à son allure et à ses mœurs de rapace. La pie-grièche écorcheur empale ses proies (gros insectes, lézards, batraciens et oisillons) sur de longues épines de prunellier, d'aubépine et même de fil de fer barbelé. Cette méthode facilite le dépeçage, qu'elle accomplit grâce à son bec crochu.

Le cincle plongeur, ou merle d'eau (de la famille des cinclidés), est le seul passereau à plonger, nager, en s'aidant de ses ailes, et même à marcher au fond de l'eau. C'est dans les rivières et surtout les torrents que le cincle plongeur va chercher les crustacés, insectes aquatiques, vers et têtards dont il se nourrit.

À l'image de son cousin le pic, **le grimpereau** (famille des certhiidés) se déplace par petits bonds le long des vieux troncs d'arbres. Avec son long bec arqué, il recherche sous l'écorce et les fentes du bois les petits insectes, cloportes, larves et araignées. Grâce à ses griffes acérées, et à sa queue sur laquelle il s'appuie, le grimpereau inspecte les moindres recoins et peut même descendre la tête en bas.

Le cassenoix moucheté est un corvidé prévoyant. À la belle saison, il stocke des graines de pin d'arole, sa nourriture de prédilection, qu'il va enfouir dans des cachettes creusées dans le sol et recouvertes de végétaux. Ces caches se comptent par milliers. L'hiver venu, le casse-noix moucheté les retrouve sans faillir, même s'il est parfois obligé de creuser des galeries (jusqu'à 1,30 m de long) dans la neige pour accéder à ses réserves.

Tous les coléoptères

Il y a quelques années, en Suisse, un vol massif de hannetons communs
a nécessité l'interruption du trafic automobile sur l'autoroute de la vallée du Rhin !
Regroupés en masse, ces coléoptères peuvent causer de lourds dégâts.
Ils restent pourtant très populaires et, au printemps,
les confiseurs suisses en fabriquent même en chocolat !

LE VOL DU HANNETON

*Comme tous les coléoptères,
le **hanneton** commun est
doté de deux ailes épaisses
et cornées, nommées élytres,
qui, comme une véritable
cuirasse, servent à protéger
ses ailes membraneuses.
Pour préparer son vol,
le hanneton dilate
et contracte son abdomen.*

*Le coléoptère
s'élance en
bondissant sur ses
pattes, et utilise
ses élytres pour
décoller. Les ailes
membraneuses
se mettent alors
à battre.*

*Prêt à s'envoler, le hanneton sépare ses élytres, laissant
apercevoir ses ailes membraneuses repliées. Parallèlement,
il déploie ses antennes en éventail pour capter les courants
aériens et les odeurs.
Enfin, le hanneton relève ses ailes membraneuses.
Grâce à leur articulation, elles peuvent alors se déplier
totalement.*

229

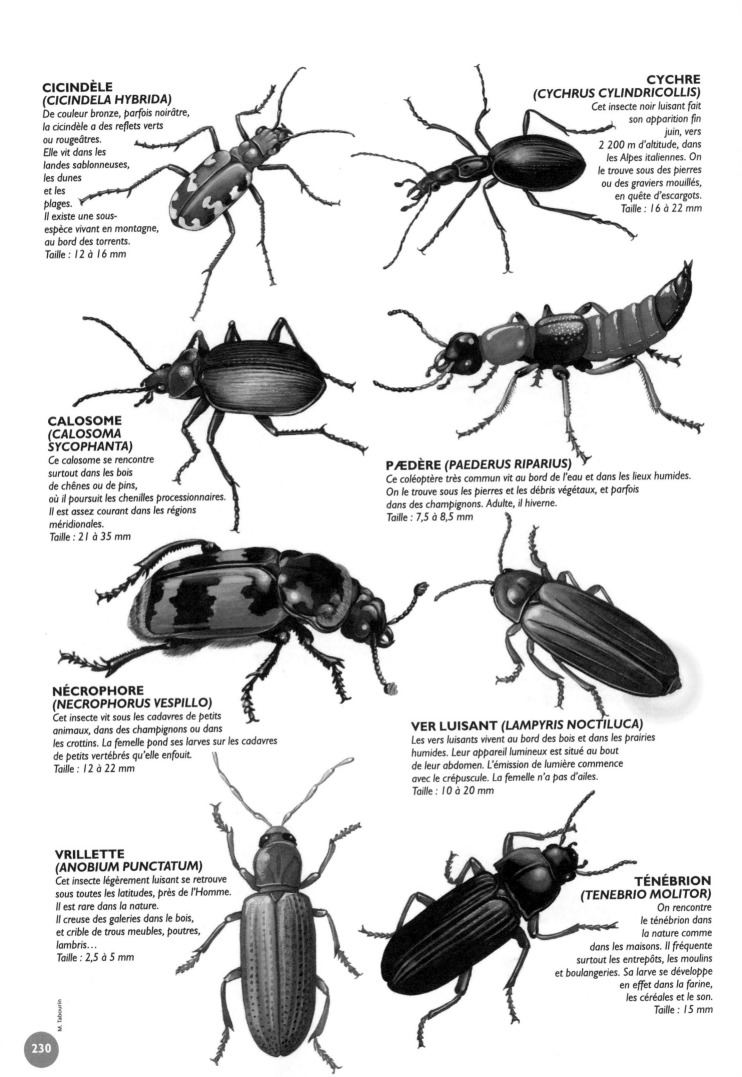

CICINDÈLE (CICINDELA HYBRIDA)

De couleur bronze, parfois noirâtre, la cicindèle a des reflets verts ou rougeâtres. Elle vit dans les landes sablonneuses, les dunes et les plages. Il existe une sous-espèce vivant en montagne, au bord des torrents. Taille : 12 à 16 mm

CYCHRE (CYCHRUS CYLINDRICOLLIS)

Cet insecte noir luisant fait son apparition fin juin, vers 2 200 m d'altitude, dans les Alpes italiennes. On le trouve sous des pierres ou des graviers mouillés, en quête d'escargots. Taille : 16 à 22 mm

CALOSOME (CALOSOMA SYCOPHANTA)

Ce calosome se rencontre surtout dans les bois de chênes ou de pins, où il poursuit les chenilles processionnaires. Il est assez courant dans les régions méridionales. Taille : 21 à 35 mm

PÆDÈRE (PAEDERUS RIPARIUS)

Ce coléoptère très commun vit au bord de l'eau et dans les lieux humides. On le trouve sous les pierres et les débris végétaux, et parfois dans des champignons. Adulte, il hiverne. Taille : 7,5 à 8,5 mm

NÉCROPHORE (NECROPHORUS VESPILLO)

Cet insecte vit sous les cadavres de petits animaux, dans des champignons ou dans les crottins. La femelle pond ses larves sur les cadavres de petits vertébrés qu'elle enfouit. Taille : 12 à 22 mm

VER LUISANT (LAMPYRIS NOCTILUCA)

Les vers luisants vivent au bord des bois et dans les prairies humides. Leur appareil lumineux est situé au bout de leur abdomen. L'émission de lumière commence avec le crépuscule. La femelle n'a pas d'ailes. Taille : 10 à 20 mm

VRILLETTE (ANOBIUM PUNCTATUM)

Cet insecte légèrement luisant se retrouve sous toutes les latitudes, près de l'Homme. Il est rare dans la nature. Il creuse des galeries dans le bois, et crible de trous meubles, poutres, lambris... Taille : 2,5 à 5 mm

TÉNÉBRION (TENEBRIO MOLITOR)

On rencontre le ténébrion dans la nature comme dans les maisons. Il fréquente surtout les entrepôts, les moulins et boulangeries. Sa larve se développe en effet dans la farine, les céréales et le son. Taille : 15 mm

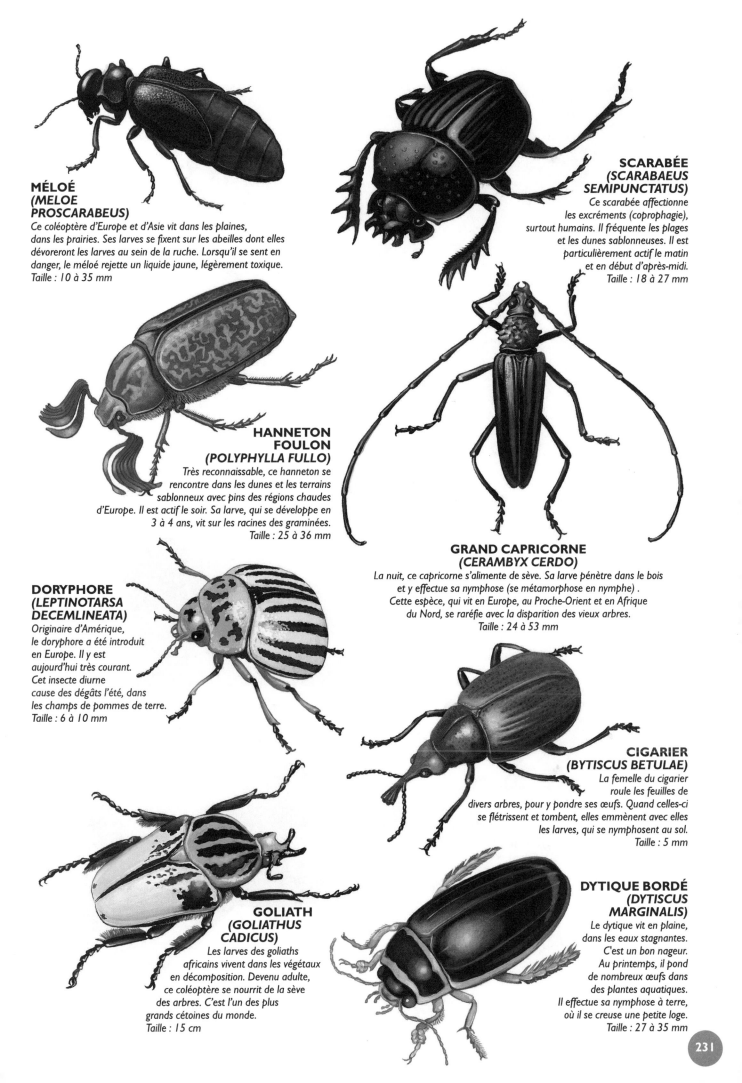

**MÉLOÉ
(MELOE
PROSCARABEUS)**

Ce coléoptère d'Europe et d'Asie vit dans les plaines,
dans les prairies. Ses larves se fixent sur les abeilles dont elles
dévoreront les larves au sein de la ruche. Lorsqu'il se sent en
danger, le méloé rejette un liquide jaune, légèrement toxique.
Taille : 10 à 35 mm

**SCARABÉE
(SCARABAEUS
SEMIPUNCTATUS)**

Ce scarabée affectionne
les excréments (coprophagie),
surtout humains. Il fréquente les plages
et les dunes sablonneuses. Il est
particulièrement actif le matin
et en début d'après-midi.
Taille : 18 à 27 mm

**HANNETON
FOULON
(POLYPHYLLA FULLO)**

Très reconnaissable, ce hanneton se
rencontre dans les dunes et les terrains
sablonneux avec pins des régions chaudes
d'Europe. Il est actif le soir. Sa larve, qui se développe en
3 à 4 ans, vit sur les racines des graminées.
Taille : 25 à 36 mm

**GRAND CAPRICORNE
(CERAMBYX CERDO)**

La nuit, ce capricorne s'alimente de sève. Sa larve pénètre dans le bois
et y effectue sa nymphose (se métamorphose en nymphe) .
Cette espèce, qui vit en Europe, au Proche-Orient et en Afrique
du Nord, se raréfie avec la disparition des vieux arbres.
Taille : 24 à 53 mm

**DORYPHORE
(LEPTINOTARSA
DECEMLINEATA)**

Originaire d'Amérique,
le doryphore a été introduit
en Europe. Il y est
aujourd'hui très courant.
Cet insecte diurne
cause des dégâts l'été, dans
les champs de pommes de terre.
Taille : 6 à 10 mm

**CIGARIER
(BYTISCUS BETULAE)**

La femelle du cigarier
roule les feuilles de
divers arbres, pour y pondre ses œufs. Quand celles-ci
se flétrissent et tombent, elles emmènent avec elles
les larves, qui se nymphosent au sol.
Taille : 5 mm

**GOLIATH
(GOLIATHUS
CADICUS)**

Les larves des goliaths
africains vivent dans les végétaux
en décomposition. Devenu adulte,
ce coléoptère se nourrit de la sève
des arbres. C'est l'un des plus
grands cétoines du monde.
Taille : 15 cm

**DYTIQUE BORDÉ
(DYTISCUS
MARGINALIS)**

Le dytique vit en plaine,
dans les eaux stagnantes.
C'est un bon nageur.
Au printemps, il pond
de nombreux œufs dans
des plantes aquatiques.
Il effectue sa nymphose à terre,
où il se creuse une petite loge.
Taille : 27 à 35 mm

Le **balanin
des châtaignes**
(Curculis elephas) mesure
1 cm de long, sans compter
le rostre mince et courbe
qui, chez la femelle, peut
être aussi long que le corps.
Il vit de préférence
sur les châtaigniers,
auxquels il inflige
de sérieux dégâts.

Le **lucane du Chili** (Chiasognathus granti) appartient
à la famille des lucanidés. Ses mandibules en forme de pinces
sont souvent plus gênantes qu'utiles. Leur poids constitue
un handicap sérieux pour le vol.

La **rosalie des Alpes** (Rosalia alpina) est l'un des plus beaux coléoptères
européens, avec sa livrée de velours bleu clair. Elle vit à une altitude
de 600 m à parfois 1 500 m, dans les souches et les arbres.

Ce charançon, le **Tachelophore girafe**
(Tachelophorus giraffa), vit à Madagascar. Il doit bien
sûr son nom à son long cou. La femelle pond en général
un œuf dans un trou qu'elle creuse à l'aide de son rostre.

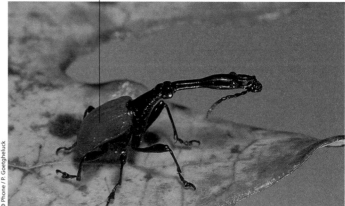

Toutes sortes de papillons

Il était une fois, en Chine, une jolie dame papillon qui était tombée amoureuse d'une goutte de rosée. De leur union, naquirent plusieurs œufs étranges. D'un noir sortit le buffle, d'un bariolé émergea le tigre, d'un jaune s'extirpa l'Homme… Si la légende chinoise attribue à un papillon l'origine de la vie sur Terre, à Madagascar, en revanche, ils représentent les fantômes des ancêtres. Ainsi, croiser ce magnifique Comète ne présage vraiment rien de bon.

© Pho. N. E. / Claude Jardel

UN JOLI FANTÔME

Le papillon Comète, qui ne vit que sur l'île de Madagascar, fait partie des plus grands papillons du monde. Le mâle peut mesurer 28 cm pour une envergure de 18 cm. Ce papillon très rare est actif au crépuscule.

DES PAPILLONS EFFRAYANTS

Le sphinx-tête-de-mort a inspiré quelques légendes car le dessin sur son thorax rappelle vraiment une tête de mort. À l'aide de sa trompe courte et robuste, il perce les alvéoles des ruches pour y puiser du miel. Ce papillon, présent en Afrique et dans tout le Bassin méditerranéen, se rencontre dans toute l'Europe car il migre.

© Jacana / René Dulhoste

| papillon diurne |
| papillon nocturne |

VULCAIN
(Vanessa atalanta)
*Issu d'une chenille se nourrissant d'orties,
le vulcain se rencontre souvent dans les
vergers à l'abandon et les jardins fleuris.
Migrant régulièrement, cette espèce est
très répandue dans l'hémisphère Nord.
Envergure : 5,5 à 6 cm*

MORIO
(Nymphalis antiopa)
*Le morio est répandu dans tout l'hémisphère
Nord. Ses larves vivent sur les peupliers, les
bouleaux et les saules. Il apparaît en été, hiverne,
mais est surtout visible au printemps. L'envers
de ses ailes, gris foncé, porte des lignes blanches.
Envergure : 6 à 8 cm*

GRAND PAON
DE NUIT
(Saturnia pyri)
*Le grand paon de nuit
ne se nourrit pas : il se contente
d'utiliser les graisses amassées
par sa chenille, très friande d'arbr
fruitiers. La nuit, on voit ce papillon
le plus grand d'Europe, tournoyer
autour des lampadaires.
Envergure : 10 à 15 cm*

FLAMBÉ
(Iphiclides podalirius)
*Commun en Europe, surtout
méridionale, le flambé est l'un des
premiers papillons à apparaître au
printemps. On le trouve jusqu'en Chine.
Sa chenille verdâtre et tachetée de
rouge ressemble à une limace.
Elle se nourrit de prunellier et
d'aubépine.
Envergure : 7 à 8 cm*

THÈCLE DU CHÊNE
(Quercusia quercus)
*Ce papillon est largement répandu
dans les forêts de chênes d'Europe et d'Asie
occidentale. Il vole à la cime des arbres
et se pose dans leur feuillage. Les ailes
du mâle sont d'un beau violet foncé
alors que celles de la femelle sont brunes
avec des tâches violettes.
Envergure : 2,5 à 3 cm*

ARGUS
VERT
(Callophrys rubi)
*L'argus vert est en réalité d'un brun terne :
sa jolie couleur verte ne couvre que
le revers de ses ailes. Sa chenille, dont les flancs
portent des dessins vert et jaune, apprécie
l'ajonc et le genêt à balais. Il est répandu
en Europe.Envergure : 2,5 à 3 cm*

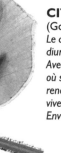

CITRON
(Gonepteryx rhamni)
*Le citron fait partie des rares papillons
diurnes qui hivernent en Europe occidentale.
Avec le printemps, on le voit sortir des fourrés,
où ses ailes semblables à des feuilles l'avaient
rendu presque invisible. C'est une des espèces qui
vivent le plus longtemps.
Envergure : 5,5 cm*

LUCINE
(Hamearis lucina)
*La lucine vit dans une grande part
de l'Europe. Elle affectionne
lisières et haies. Sa chenille
brun clair se nourrit
de coucous, de primevères et d'oseille.
Chez la femelle, l'aile antérieure est plus
arrondie que chez le mâle.
Envergure : 3 à 4 cm*

© Jacana / R. Maier

© Phone / C. Courteau

ZYGÈNE
(Amata phegea)
*La zygène, ou sphinx du pissenlit, est
commune en Europe méridionale. Les ailes
de ce papillon, qui réunit des caractéristiques
des nocturnes et des diurnes, ont de jolis reflets
métalliques. Les prédateurs le fuient
car il contient du cyanure.
Envergure : 3 à 3, 5 cm*

© Jacana / Rouxaine

ÉCAILLE CHINÉE
(Euplagia quadripunctaria)
*Les ailes arrière de l'écaille chinée
sont rouges (bien que celles d'une variété
normande soient jaunes). Sur certaines îles
grecques, des milliers de papillons s'agglutinent
parfois sur les troncs et les rochers.
Envergure : 5 à 6 cm*

APOLLON
(Parnassius apollo)
*Chez l'apollon,
le mâle est plus petit que la femelle.
Ce papillon, qui fréquente les massifs
montagneux d'Europe continentale
et d'Asie centrale, est une espèce rare
et protégée. Sa chenille est noire
avec des taches orangées.
Envergure : 5 à 10 cm*

© Sunset / R. Maier

CLIPPER
(Parthenos sylvia)
*Ce papillon appartient à une des plus grandes
et une des plus belles familles de papillons :
les nymphalidae.
Amateur des fleurs de lantana, il vit
principalement en Malaisie.
Envergure : 10 à 10,8 cm*

SPHINX GAZÉ
(Hemaris fuciformis)
*Le sphinx gazé fait partie
des papillons de nuit qui
volent le jour. Il a en effet
la particularité
de ne se mouvoir qu'au soleil.
Tout en continuant à voler, il aspire le nectar
des fleurs à l'aide de sa longue trompe.
Il peut ainsi parcourir des milliers de km.
Envergure : 9 cm*

© Sunset / E. & D. Hasking

© Jacana / C. & M. Moiton

SÉSIE APIFORME
(Sesia apiformis)
*La sésie apiforme imite à la perfection guêpes
ou frelons grâce à son abdomen annelé
et à ses ailes presque dépourvues d'écailles.
On la trouve au pied des peupliers, de mai à août.
Sa chenille vit dans les racines de cet arbre,
même sous le sol.
Envergure : 3 à 4,5 cm*

MITE
(Tinea pellionella)
*Les mites sont de petits papillons dont certaines
espèces vivent dans les maisons pour y trouver
des matières végétales ou animales.
Certaines s'attaquent aux vêtements,
d'autres aux fourrures. Leurs larves s'y
développent dans un fourreau de soie.
Envergure : 1 à 2 cm*

© Jacana / C. & M. Moiton

© Phone / P. Goetgheluck

SPHINX DE LA VIGNE
(Deilephila elpenor)
*La chenille de ce sphinx vit sur la vigne.
Ce n'est d'ailleurs pas du goût des vignerons
car elle y cause de véritables ravages.
On rencontre ce papillon en Europe et en Asie
tempérée jusqu'au Japon.
Envergure : 5, 5 à 6 cm*

© Phone / P. Goetgheluck

MONARQUE
(Danaus plexippus)
*Ce papillon d'Amérique du Nord, le monarque,
est un grand migrateur : il réussit à parcourir
3 000 km deux fois par an. En été, on peut
observer des milliers d'individus volant de
la Floride vers le Canada.
Envergure : 8 cm*

DE CURIEUSES CHENILLES

La chenille du **sphinx de l'euphorbe** est facilement reconnaissable car c'est un des rares insectes à se nourrir d'euphorbe, une plante très toxique. Son papillon étant très sensible à la pollution et aux pesticides, cette chenille se raréfie.

© Sunset / P. Lorne

© Sunset / P. Lorne

La chenille de la **queue fourchue** se développe sur les saules et les peupliers. Quand elle est inquiétée, elle redresse sa queue vers la tête, soulève son masque et remue comme des fouets les filaments rouges de sa queue.

DES ESPÈCES MENACÉES

Le **porte-queue des Philippines** a été récemment découvert. Depuis, il est devenu l'une des proies favorites des collectionneurs. La destruction de son habitat menace également la survie de ce superbe papillon.

© Jacana / Jean-Pierre Champroux

Les **chenilles processionnaires** du pin croissent dans un gros cocon de soie communautaire. La nuit, elles en sortent en file indienne et partent à la recherche d'aiguilles de pin. Elles causent des ravages dans les plantations de résineux.

© Sunset / Boyard

© Sunset

Considéré généralement comme le plus beau papillon nocturne d'Europe, l'**isabelle d'Espagne** est aujourd'hui protégé. Découvert en France en 1922, on le trouve essentiellement dans les massifs de pins des Alpes, des Pyrénées et au centre de l'Espagne. Sa chenille se développe sur les pins à crochets.

Tous les serpents

Les serpents sont des animaux mal aimés et peu connus.
La crainte qu'ils suscitent fait souvent oublier qu'il s'agit d'animaux très évolués, et que certains d'entre eux sont menacés d'extinction.

couleuvre

boa

cobra

crotale

Aire de répartition des principales familles de serpents

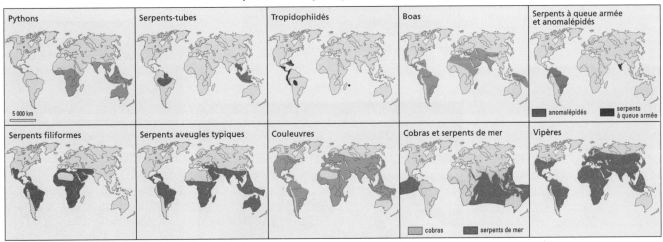

Pythons

Serpents-tubes

Tropidophiidés

Boas

Serpents à queue armée et anomalépidés

5 000 km

anomalépidés | serpents à queue armée

Serpents filiformes

Serpents aveugles typiques

Couleuvres

Cobras et serpents de mer

Vipères

cobras | serpents de mer

PYTHONS
régions subtropicales de l'Afrique, Asie du Sud-Est, Australie, Mexique et Amérique centrale.

BOA
ouest de l'Amérique du Nord, régions tropicales de l'Amérique du Sud, Madagascar, ouest de l'Asie, îles Fidji et îles Salomon.

CROTALES
Amérique et Asie

COULEUVRES
sur tous les continents sauf l'Antarctique. Absentes à proximité du cercle Arctique, en Scandinavie et en Sibérie, ainsi qu'au nord-est de l'Australie, on ne les rencontre pas non plus dans les Andes jusqu'à la Terre de Feu, en Irlande, Islande et Nouvelle-Zélande.

VIPÈRES
Amérique sauf le Chili et la Terre de Feu, Afrique, Asie, Europe : jusqu'au sud de la Sibérie.

COBRAS
Amérique, Asie, Afrique, Australie

SERPENTS DE MER
côtes de l'Asie à l'Est de l'Afrique, l'Australie et l'Amérique tropicale.

SERPENTS AVEUGLES
Amérique du Sud jusqu'au Mexique et aux Bahamas, Afrique, sud-est de l'Europe, sud de l'Asie, et Australie.

Le plus connu, le **boa constricteur** (Boa constrictor), vit dans les forêts, du Mexique à l'Argentine. Il peut mesurer jusqu'à 5 m de long.

Relativement petit, il ne dépasse pas 1,5 m. Strictement arboricole, le **boa émeraude** ou canin (Corallus caninus) vit donc dans les arbres des forêts d'Amérique équatoriale.

Le **python seba** (Python sebae), qui peut atteindre 7 m, peuple la savane africaine. Agressif, il est redouté des populations locales.

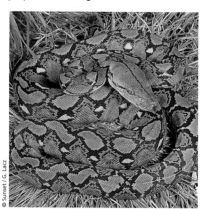

Le **python réticulé** (Python reticulatus), qui mesure jusqu'à 10 m de long, est le plus grand des serpents asiatiques. Il s'introduit parfois dans les zones urbaines et même dans les habitations.

Malgré son nom, le **python royal** (Python regius) ne dépasse pas 2 m et se montre plus pacifique que ses congénères.

L'**anaconda** (genre Eunectes) peut atteindre 11 m de long, 70 cm de diamètre et peser 500 kg.

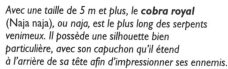

Plus redouté que les cobras, les **mambas arboricoles** sont réputés pour leur vivacité et leur agressivité, tel ce manba vert (Dendroaspis angusticeps). Leurs morsures sont souvent mortelles.

Avec une taille de 5 m et plus, le **cobra royal** (Naja naja), ou naja, est le plus long des serpents venimeux. Il possède une silhouette bien particulière, avec son capuchon qu'il étend à l'arrière de sa tête afin d'impressionner ses ennemis.

À l'image de ce Micrurus frontalis, les **serpents corail** ont un corps menu joliment rayé de rouge, jaune et noir. Lorsqu'ils se sentent en danger, ils tentent de cacher leur tête sous un repli du corps.

Les **bongares** (genre Bungarus) asiatiques sont eux aussi des serpents corail, mais ils sont beaucoup plus grands (2 m) et plus agressifs que leurs cousins d'Amérique.

Du genre Oxyuranus, le **taïpan** vit en Australie. Ce serpent qui mesure de 3 à 4 m est extrêmement agressif, et sa morsure presque toujours mortelle.

Une seule espèce de **serpents de mer** (famille des hydrophiidés) s'aventure au large. Ils possèdent tous une queue aplatie qui leur sert d'organe natatoire. Les plus longs atteignent 3 m.

La **couleuvre de Montpellier** (Malpolon monpessulanus) est le plus grand serpent occidental (1, 5 à 2 m). Elle se rencontre dans les garrigues et le maquis du Sud de la France.

La **couleuvre à collier** (Natrix natrix) (50 à 70 cm) est certainement le serpent le plus commun en Europe. Bonne nageuse, elle vit à proximité de l'eau, où elle se nourrit essentiellement d'amphibiens.

Le **crotale américain** (Crotalus cerastes) garde à chaque mue un anneau de son ancienne enveloppe à l'extrémité de sa queue. Ces anneaux successifs forment l'organe sonore qui lui a valu son surnom de serpent à sonnette.

La **vipère aspic** (Vipera aspis) mesure de 50 à 70 cm. Ce serpent venimeux est présent dans une grande partie de la France.

La **vipère péliade** (Vipera berus), qui ne dépasse pas 70 cm, peuple l'Europe mais aussi l'Asie centrale. Elle est en forte régression en France en raison de la disparition de ses habitats.

La **vipère du Gabon** (Bitis gabonica) peut atteindre 2 m. Les dessins géométriques qui ornent son corps lui permettent de se camoufler dans les forêts.

Le **typhlops** (Typhlops vigrescens) est un serpent aveugle qui vit en Australie (entre 18 et 30 cm).

TUER LES PROIES...

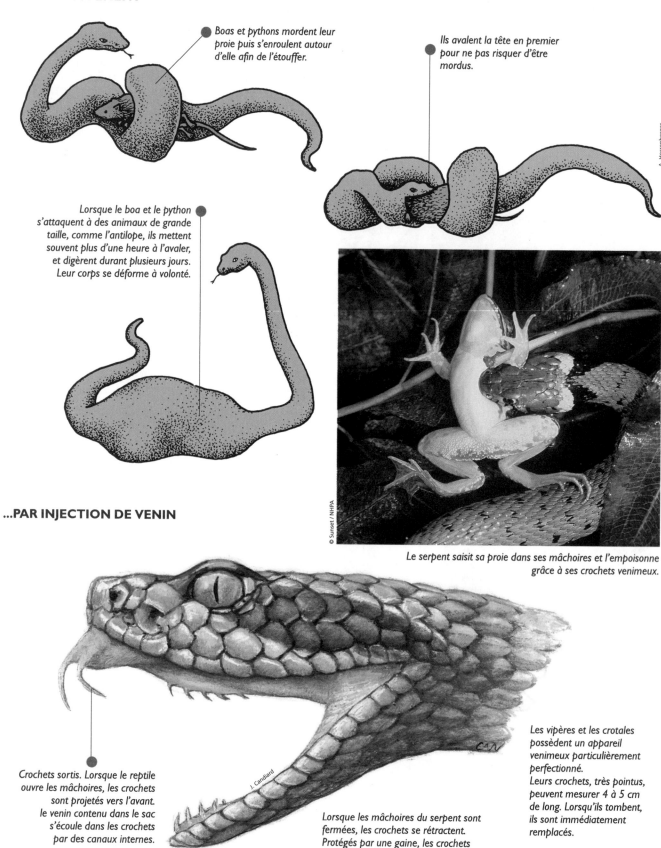

Boas et pythons mordent leur proie puis s'enroulent autour d'elle afin de l'étouffer.

Ils avalent la tête en premier pour ne pas risquer d'être mordus.

Lorsque le boa et le python s'attaquent à des animaux de grande taille, comme l'antilope, ils mettent souvent plus d'une heure à l'avaler, et digèrent durant plusieurs jours. Leur corps se déforme à volonté.

© Sunset / NHPA

A. Horrenberger

Le serpent saisit sa proie dans ses mâchoires et l'empoisonne grâce à ses crochets venimeux.

...PAR INJECTION DE VENIN

J. Candiard

Crochets sortis. Lorsque le reptile ouvre les mâchoires, les crochets sont projetés vers l'avant. le venin contenu dans le sac s'écoule dans les crochets par des canaux internes.

Lorsque les mâchoires du serpent sont fermées, les crochets se rétractent. Protégés par une gaine, les crochets sont rabattus contre le palais.

Les vipères et les crotales possèdent un appareil venimeux particulièrement perfectionné.
Leurs crochets, très pointus, peuvent mesurer 4 à 5 cm de long. Lorsqu'ils tombent, ils sont immédiatement remplacés.

Les fleurs tropicales

Entre les minuscules lentilles d'eau du genre _Wolffia_ et les immenses eucalyptus pouvant dépasser 150 m de haut, il existe plus de 250 000 espèces de plantes à fleurs, que les scientifiques ont baptisées « angiospermes ». Apparues il y a quelque 120 millions d'années sur terre (à l'époque du Crétacé), les plantes à fleurs sont aujourd'hui le groupe dominant de toutes les plantes.

D.R.

Les deux tiers des plantes à fleurs sont limités aux tropiques ou aux régions voisines. Ces régions sont le véritable jardin du monde pour la diversité des espèces végétales : on estime qu'il y a, par exemple, deux fois plus d'espèces de plantes dans un seul hectare de forêt en Malaisie (Asie du Sud-Est) que dans l'ensemble du Danemark (Europe).

fruit contenant des graines

D.R.

toucan

Dès leur origine, les fleurs ont été intimement associées aux insectes, papillons et oiseaux pollinisateurs qui, tout en se nourrissant du nectar sucré, transportent involontairement le pollen et fécondent les fleurs. Près de 80 % de la reproduction de ces plantes en dépend ! De même que les pollinisateurs, de nombreux oiseaux, singes, chauves-souris et rongeurs prennent également une part active dans la reproduction des plantes à fleurs en semant par défécation les graines des fruits nés de ces fleurs. Ils assurent ainsi la dispersion des plantes dans la forêt, parfois sur plusieurs kilomètres.

Formes étranges, couleurs vives et parfums suaves, étalage de fruits charnus... Les plantes sortent leurs plus beaux atours pour attirer les pollinisateurs et les mangeurs de fruits. L'évolution des fleurs, de leurs pollinisateurs et de leurs disséminateurs est souvent allée de pair, jusqu'à former des couples indissociables. Telle longueur de corolle se trouve parfaitement ajustée à la longueur d'un bec ou d'une langue (pour atteindre le nectar) d'une seule espèce d'oiseau ; tel diamètre d'un fruit correspond exactement à la largeur de l'œsophage d'une ou deux espèces d'oiseaux.

fleur de bananier

D.R.

241

DICOTYLÉDONES

CAESALPINIA GILLIESII
Famille : Leguminosae, *vaste famille à laquelle appartiennent aussi pois, haricot, soja et arachide.*
Origine : Amérique du Sud.
Signe particulier :
ses étamines libres et allongées favorisent sa reproduction.

AGAPETES MACRANTHA
Famille : Ericaceae, *celle de la myrtille sauvage et les rhododendrons.*
Origine : Asie tropicale *et Pacifique Ouest*
Signe particulier :
plusieurs plantes de ce genre possèdent des baies toxiques

ACALYPHA
Famille : Euphorbiaceae, *celle de l'hévéa (arbre à caoutchouc), du manioc et du Ricinus (connu pour l'huile de ricin).*
Origine : répartie *sur toutes les zones tropicales.*

TABERNAEMONTANA PERSICARIAEFOLIA
Famille : Apocynacae, *également celle des pervenches et des lauriers-roses.*
Origine : *espèce endémique de l'île de la Réunion (océan Indien).*
Signe particulier : très menacée *de disparition.*

MUTISIA OLIGODON
Famille : Compositae, *vaste famille où l'on retrouve tournesol, laitue et artichaut.*
Origine : Amérique du Sud *(toutes les Andes).*
Signe particulier : grimpante, *elle sort de l'ombre grâce aux vrilles de ses feuilles.*

ARISTOLOCHIA ELEGANS
Famille : Aristolochiaceae.
Origine : zones *tropicales et tempérées d'Eurasie et d'Amérique.*

AESCHYNANTHUS PULCHER
Famille : Gesneriaceae.
Origine : Asie du Sud-Est.

MONOCOTYLÉDONES

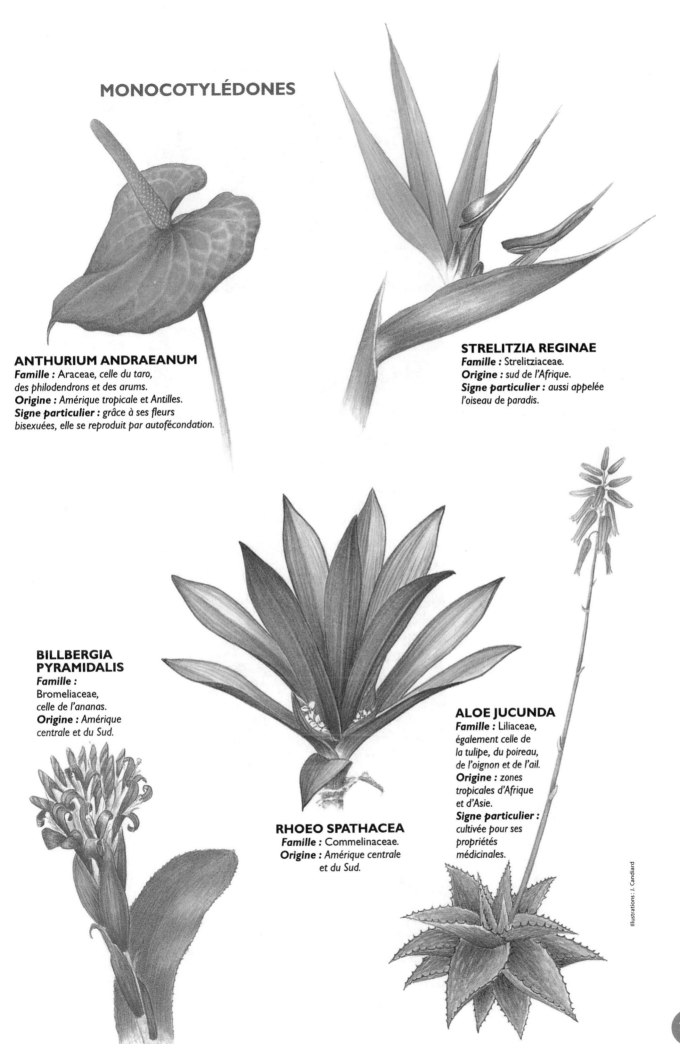

ANTHURIUM ANDRAEANUM
Famille : Araceae, celle du taro,
des philodendrons et des arums.
Origine : Amérique tropicale et Antilles.
Signe particulier : grâce à ses fleurs
bisexuées, elle se reproduit par autofécondation.

STRELITZIA REGINAE
Famille : Strelitziaceae.
Origine : sud de l'Afrique.
Signe particulier : aussi appelée
l'oiseau de paradis.

**BILLBERGIA
PYRAMIDALIS**
Famille :
Bromeliaceae,
celle de l'ananas.
Origine : Amérique
centrale et du Sud.

RHOEO SPATHACEA
Famille : Commelinaceae.
Origine : Amérique centrale
et du Sud.

ALOE JUCUNDA
Famille : Liliaceae,
également celle de
la tulipe, du poireau,
de l'oignon et de l'ail.
Origine : zones
tropicales d'Afrique
et d'Asie.
Signe particulier :
cultivée pour ses
propriétés
médicinales.

Illustrations : J. Candiard

243

MOTS CLÉS

- **ENDÉMIQUE**
  Espèce dont l'habitat se limite à la seule aire géographique mentionnée.

- **AUTOFÉCONDATION**
  La fusion des cellules reproductrices mâles et femelles se produit au sein de la même fleur.

© Sunset / Holt Studio

Le colibri

Face à la corolle d'une longue fleur, un minuscule colibri fait du surplace en vol. Selon les espèces, les ailes de cet oiseau d'Amérique du Sud s'agitent à raison de cinquante à cent battements à la seconde !

En plein vol, il plonge son bec effilé au cœur de la fleur

et sirote le nectar avec sa langue qui s'étire. Puis, après un court vol en marche arrière, il passe à une autre fleur... et l'ensemence au passage, grâce au pollen emporté sur son bec.

La destruction par l'Homme

est, selon les espèces, de cent à dix mille fois plus rapide que la création d'une espèce par la nature.

© Sunset

PAPHIOPEDILUM CONCOLOR

COELOGYNE PARISHII

FLEURS MENACÉES

Les naturalistes s'inquiètent du rythme de la déforestation tropicale : on déboise à chaque minute une surface boisée d'une trentaine d'hectares que l'on brûle ou coupe sous ces latitudes. Or, les forêts abritent non seulement des plantes très diverses mais aussi une quantité prodigieuse d'animaux et d'insectes (nécessaires à leur reproduction), aussi les déboisements conduiraient-ils à la disparition de plusieurs milliers d'espèces vivantes chaque année.

FLEURS MENAÇANTES

Belles, trop belles ! Grâce aux couleurs étincelantes et aux formes étranges de leurs fleurs et de leur feuillage, grâce à leurs fruits succulents, les plantes à fleurs tropicales ont fait le tour du monde. Résultat : certains plantes exotiques, à la croissance très rapide, envahissent leur terre d'accueil et font de l'ombre aux plantes locales. Elles captent à leur profit soleil, eau et éléments nutritifs du sol... jusqu'à faire disparaître les plantes locales.

C'est le cas de la jacinthe d'eau (Eichornia crassipes) : cette plante aquatique et des marais originaire d'Amérique du Sud a envahi les cours d'eau de nombreuses régions tropicales, gênant la navigation et asphyxiant les plans d'eau. Quelque 210 espèces de plantes introduites à travers le monde depuis deux siècles seraient devenues un fléau pour leur milieu d'accueil.

Les orchidées sont les « reines » des fleurs tropicales. D'une part parce qu'il existe plus de 18 000 espèces d'orchidées connues ! D'autre part, parce qu'elles sont les plus cultivées, dans des serres et des jardins exotiques, et en tant que plantes d'ornement, les plus vendues dans le monde.
Famille : Orchidaceae.
Origine : Asie du Sud-Est.

Corps humain

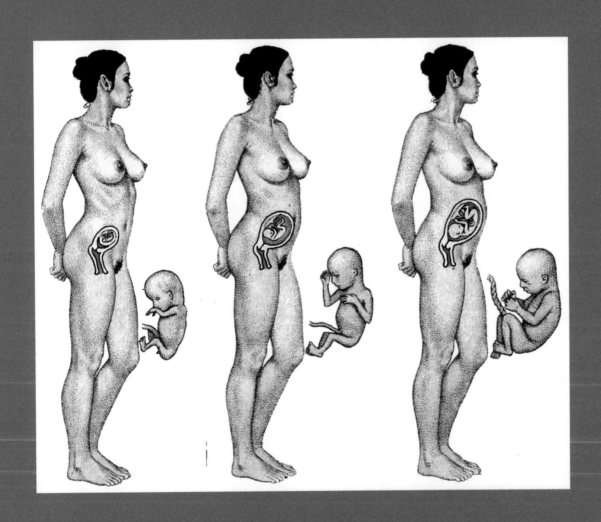

Du singe à l'Homme

Il est inexact de dire que l'Homme descend du singe puisque tous deux appartiennent à la même grande famille des anthropoïdes. Comme les branches d'un arbre partent d'un même tronc commun, les anthropoïdes évoluent jusqu'aux hominidés, puis se séparent sur des branches différentes.

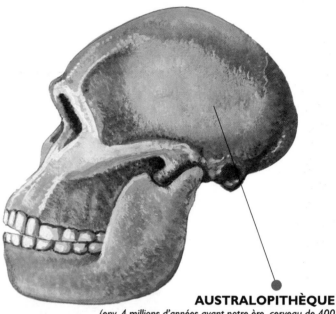

AUSTRALOPITHÈQUE
(env. 4 millions d'années avant notre ère, cerveau de 400 à 500 cm³). On retrouve chez les australopithèques les premières traces d'utilisation d'outils. Ce sont surtout des galets, plus ou moins taillés, très rudimentaires.

Les premiers hominidés

Reconstituer l'histoire de l'évolution de l'Homme est un exercice difficile. Les scientifiques ne disposent souvent que de crânes incomplets et fragiles, et parfois seulement de dents !

HOMO HABILIS
(1,6 à 2 millions d'années avant notre ère, cerveau de 600 à 700 cm³) Homo habilis utilisait des outils en pierre et des bâtons, un peu comme les chimpanzés et les gorilles actuels. Des restes de campement tendent à montrer qu'il vivait en groupe.

HOMO ERECTUS
(1,7 million à 300 000 d'années avant notre ère, cerveau de 750 à 1 200 cm³) Homo erectus améliore les outils et adapte la taille des silex à différents usages. Il invente la hache tenue par une poignée et dont l'extrémité porte des pierres taillées aux deux bouts.

P. Morin

DE L'AUSTRALOPITHÈQUE À *HOMO SAPIENS*

Les différents crânes témoignent de grands changements de l'australopithèque à *Homo sapiens* : la taille de la mâchoire et des dents a diminué, la face s'est aplatie, la boîte crânienne s'est agrandie, l'os qui entoure l'orbite est devenu plus fin. L'apparition et l'utilisation d'outils correspondent à une coordination entre l'œil et la main ainsi qu'à la connaissance de nouvelles techniques et de matériaux.

HOMO SAPIENS
(de 35000 ans avant notre ère jusqu'à nos jours, cerveau de 1 000 à 2 000 cm³) Les outils d'Homo sapiens sont plus précis. Il perfectionne la taille de la pierre et fabrique des aiguilles et des harpons d'os et d'ivoire.

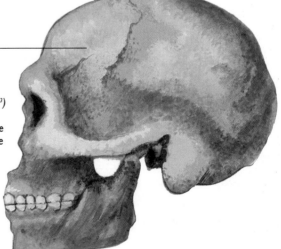

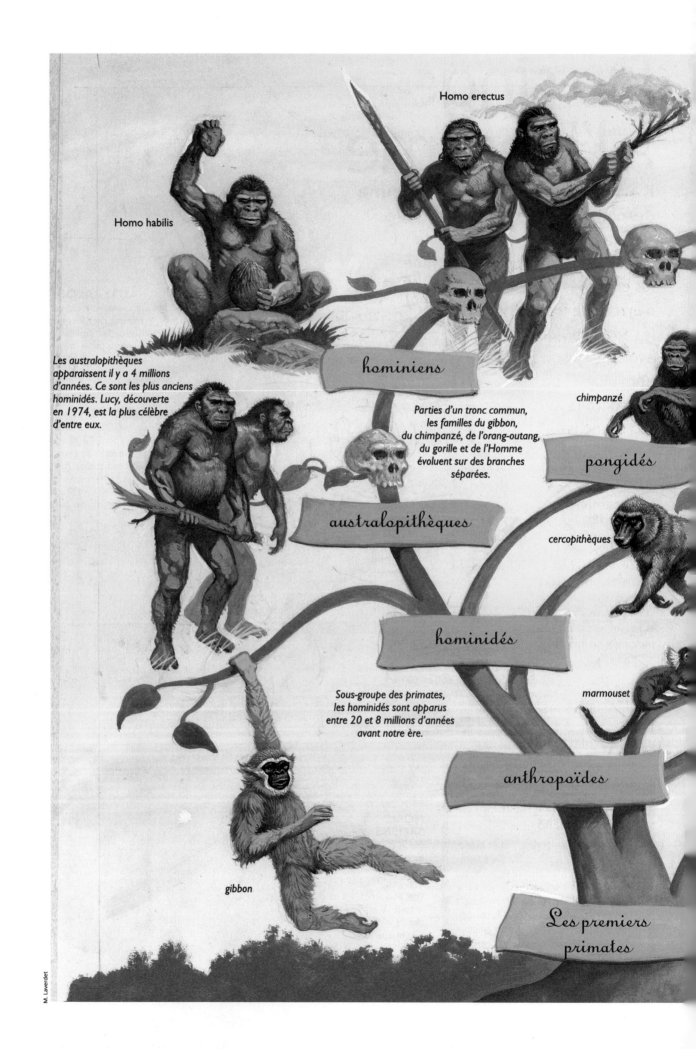

Homo erectus

Homo habilis

Les australopithèques apparaissent il y a 4 millions d'années. Ce sont les plus anciens hominidés. Lucy, découverte en 1974, est la plus célèbre d'entre eux.

hominiens

Parties d'un tronc commun, les familles du gibbon, du chimpanzé, de l'orang-outang, du gorille et de l'Homme évoluent sur des branches séparées.

chimpanzé

pongidés

australopithèques

cercopithèques

hominidés

Sous-groupe des primates, les hominidés sont apparus entre 20 et 8 millions d'années avant notre ère.

marmouset

anthropoïdes

gibbon

Les premiers primates

L'homme de Neandertal et l'Homme moderne – sapiens sapiens –, apparus en Afrique, appartiennent tous deux à l'espèce Homo sapiens. L'Homme de Neandertal a disparu il y a 30 000 ans.

sapiens sapiens

Neandertal

L'Homme moderne sapiens sapiens est le seul hominidé vivant sur Terre aujourd'hui.

gorille

orang-outang

loris

singe-araignée

tarsiers

prosimiens

lémuriens

Dans l'ordre des primates, on trouve trois groupes d'animaux appelés « anthropoïdes » : les singes du Nouveau Monde (marmouset, singe-araignée), les singes de l'Ancien Monde (babouin), et les hominiens.

NOS ANCÊTRES CÉLÈBRES

● *Le primate le plus ancien s'appelle « plésiadapis ».*

P. Morin

LES CARACTÈRES DES HOMINIENS

Les hominiens ayant adopté la position verticale, leur squelette se modifie : le thorax s'élargit, les bras se placent sur le côté du corps et les omoplates dans le dos. L'épaule et le coude deviennent plus solides et le poignet plus souple. Les mouvements gagnent de l'ampleur. Le bassin est élargi et plus court. Le gros orteil s'oppose de moins en moins aux autres orteils. La queue se raccourcit.

● *1907, Heidelberg, Allemagne : la mâchoire de l'Homme d'Heidelberg est grosse et robuste comme celle d'*Homo erectus, *mais ses dents sont différentes. Ce pourrait être l'un des premiers* Homo sapiens.

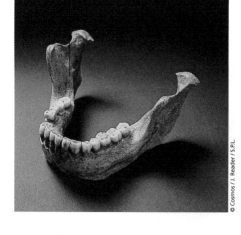

© Cosmos / J. Reader / S.P.L.

L'HOMME, LE CHIMPANZÉ

main

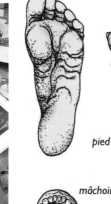

pied

crâne

colonne vertébrale

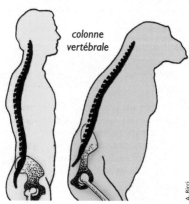

mâchoire

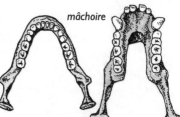

A. Ricci

DES INDICES TRÈS MINCES

Pour reconstituer l'évolution des primates, les chercheurs doivent faire preuve de beaucoup d'imagination et d'ingéniosité car les indices sont plutôt rares.

Examiner les dents sous tous les angles permet, par exemple, de déduire des informations sur le mode de vie, l'alimentation, et les habitudes de ces primates.

Aujourd'hui, grâce à de nouveaux outils, les chercheurs étudient leurs composantes biologiques (cellules, chromosomes, protéines, etc.) : on sait ainsi que l'ADN de l'Homme et du chimpanzé sont à 99 % identiques.

© Cosmos / Vo Trung

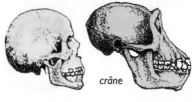

Les plantes médicinales

Les vertus des plantes médicinales sont connues depuis la nuit des temps, et presque toute la médecine chinoise repose sur les plantes. Remède naturel et donc moins nocif, les « simples », autre nom des plantes médicinales, entrent également dans la fabrication de médicaments efficaces.

COLCHIQUE
(COLCHICUM AUTUMNALE)
On en extrait la colchicine, qui permet de traiter la goutte, maladie des articulations très douloureuse. Mais elle tient son nom de la Colchide, le pays de Médée l'empoisonneuse, et elle est appelée aussi tue-chien...

P. Morin

DIGITALE
(DIGITALIS LANATA)
Plante sauvage très répandue en Europe, elle permet d'obtenir la digitaline, médicament de cardiologie qui stimule les contractions du cœur. Le dosage est capital, car, à trop hautes doses, la digitaline peut créer des problèmes cardiaques.

PAVOT
(PAPAVER SOMNIFERUM)
Des capsules (fruits) du pavot est extrait l'opium, qui est ensuite traité chimiquement pour donner la morphine et d'autres dérivés. Ceux-ci permettent de lutter très efficacement contre la douleur. Ils sont donc très utilisés en anesthésie et pour soulager les souffrances des malades. Mais l'opium et la morphine sont aussi de puissantes drogues qui peuvent être très dangereuses.

COCA
(ERYTHROXYLON COCA)
C'est de cette plante originaire d'Amérique du Sud qu'est extraite la cocaïne, une drogue ayant des effets stimulants, excitants et antifatigue. On s'est aperçu qu'elle avait aussi des effets anesthésiques. Un traitement chimique permet de supprimer ses effets excitants et de conserver ses effets anesthésiques. La lidocaïne, la bupivacaïne, la ropivacaïne, etc., substances servant aux anesthésies locales, notamment en chirurgie dentaire sont ainsi obtenues.

capsule

Les noix soignent les maladies mentales...

C'est ce que l'on a longtemps cru à cause de la forme des cerneaux, si semblable aux lobes du cerveau. Aujourd'hui, on a abandonné cette idée !

Archives Fabbri

PLANTES MÉDICINALES DE NOS RÉGIONS

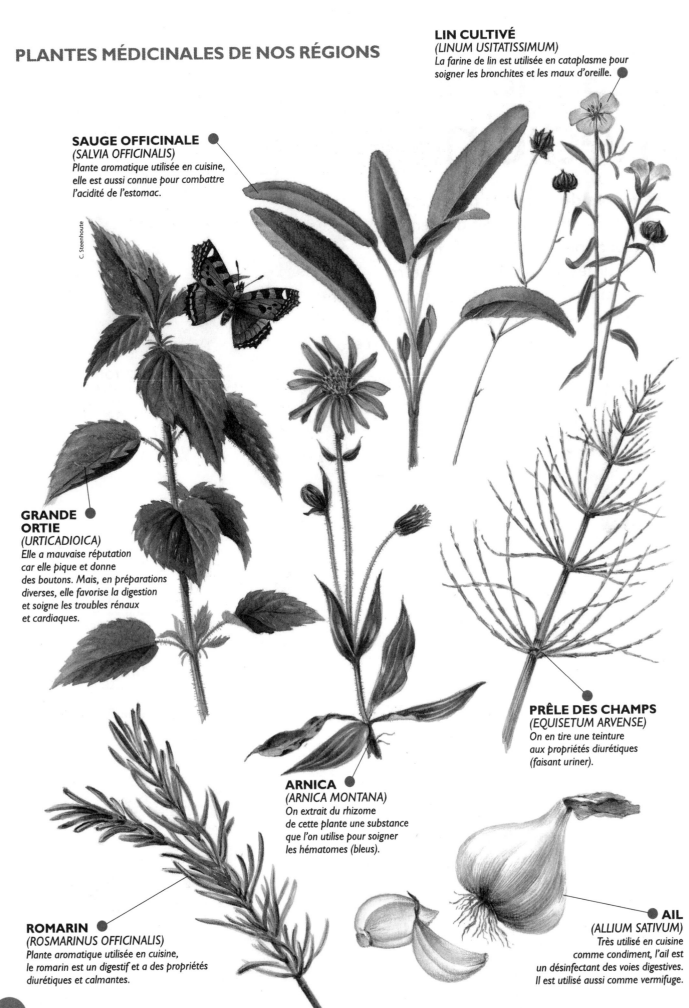

LIN CULTIVÉ
(LINUM USITATISSIMUM)
La farine de lin est utilisée en cataplasme pour soigner les bronchites et les maux d'oreille.

SAUGE OFFICINALE
(SALVIA OFFICINALIS)
Plante aromatique utilisée en cuisine, elle est aussi connue pour combattre l'acidité de l'estomac.

C. Steenhoute

GRANDE ORTIE
(URTICADIOICA)
Elle a mauvaise réputation car elle pique et donne des boutons. Mais, en préparations diverses, elle favorise la digestion et soigne les troubles rénaux et cardiaques.

PRÊLE DES CHAMPS
(EQUISETUM ARVENSE)
On en tire une teinture aux propriétés diurétiques (faisant uriner).

ARNICA
(ARNICA MONTANA)
On extrait du rhizome de cette plante une substance que l'on utilise pour soigner les hématomes (bleus).

ROMARIN
(ROSMARINUS OFFICINALIS)
Plante aromatique utilisée en cuisine, le romarin est un digestif et a des propriétés diurétiques et calmantes.

AIL
(ALLIUM SATIVUM)
Très utilisé en cuisine comme condiment, l'ail est un désinfectant des voies digestives. Il est utilisé aussi comme vermifuge.

GENTIANE JAUNE
(GENTIANA LUTEA)
L'extrait des racines de cette plante est connu pour ses propriétés digestives.

PLANTAIN
(PLANTAGO MAJOR)
C'est un excellent cicatrisant. Utilisé tel quel, il suffit de le broyer entre les doigts et de l'appliquer sur la plaie. Il calme aussi très rapidement les brûlures causées par les piqûres d'orties.

VALÉRIANE OFFICINALE
(VALERINA OFFICINALIS)
La décoction des racines de cette plante est employée comme calmant.

CAMOMILLE VRAIE
(MATRICARIA CHAMOMILLA)
Sous forme d'infusion, cette plante est appréciée pour sa saveur et pour son action calmante sur le système nerveux.

MILLEPERTUIS
(HYPERICUM PERFORATUM)
Une macération des fleurs de cette plante est un remède très efficace contre les brûlures.

MAUVE SYLVESTRE
(MALVA SILVESTRIS)
Sous forme d'infusion, cette plante est un remède contre les affections des bronches.

LES MODES DE PRÉPARATION

Les plantes médicinales, à de rares exceptions près, ne peuvent être absorbées telles quelles.
Elles doivent être transformées et préparées de différentes façons
pour libérer leurs principes actifs.

● **INFUSION**
De l'eau bouillante est versée
sur les feuilles ou les fleurs séchées.
Au bout de quelques minutes, une fois les feuilles
enlevées, on peut boire la préparation.

● **MACÉRATION**
La plante est plongée pendant un certain temps
dans un liquide froid (eau, huile ou vin).
On filtre ensuite le tout.

TEINTURE ●
Séchée et réduite en poudre,
la plante est mise à macérer
dans de l'alcool pendant
plusieurs jours.

P. Morin

DÉCOCTION ●
La plante séchée est mise dans de l'eau froide
que l'on porte ensuite à ébullition. Au bout
d'un quart d'heure, la préparation est filtrée.

● **TISANE**
C'est une préparation identique à la décoction,
mais la plante est en faible quantité par rapport
à l'eau. La boisson ainsi obtenue est
très peu concentrée.

HUILE ●
Des plantes macèrent dans de l'huile pendant
un temps variable. Ensuite, on filtre
et on peut appliquer l'huile sur la peau.

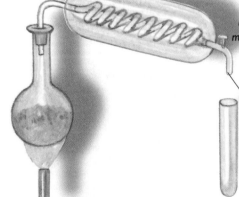

● **ESSENCE**
Des plantes bouent dans un alambic.
La vapeur qui s'en échappe est ensuite
refroidie dans un serpentin qui baigne
dans de l'eau froide. Elle devient alors
liquide et l'essence ainsi obtenue
est recueillie dans un récipient.

▶ Des millions de vies sauvées

Dans les régions tropicales aussi
se trouvent des plantes
aux extraordinaires vertus. L'écorce
du quinquina (*Cinchonae cortex*),
par exemple, est très riche
en quinine, une substance qui,
en luttant efficacement contre
le paludisme, a permis de sauver
des millions de vies dans le monde.

Les organes de l'Homme

Le corps humain est comme une machine : son squelette lui fournit une charpente, ses muscles lui permettent d'agir sur ordre du système nerveux. Son énergie provient surtout des aliments qui sont transformés par ses nombreux organes.

UNE CHARPENTE : LE SQUELETTE

Assemblages d'os et d'articulations, le squelette donne sa structure au corps qui, sans cela, serait flasque. Il protège les organes les plus fragiles comme le cerveau et permet les mouvements par l'intermédiaire des articulations.

UN MOTEUR : LES MUSCLES

Attachés aux os, les muscles permettent au squelette de bouger : c'est leur contraction puis leur relâchement qui produit les mouvements. Certains muscles, comme ceux accomplissant les gestes, dépendent de notre volonté tandis que d'autres, comme le cœur, fonctionnent automatiquement.

UN PILOTE : LE SYSTÈME NERVEUX

Constitué des nerfs qui desservent l'ensemble du corps, du cerveau et du cervelet, véritable « chef d'orchestre », notre système nerveux contrôle nos mouvements. Sans lui, nos gestes seraient désordonnés.

Illustrations D. Horvath

LES SYSTÈMES DIGESTIF, RESPIRATOIRE ET CIRCULATOIRE

Pour pouvoir fonctionner, notre corps a besoin de carburant : pour l'essentiel, il s'agit de la nourriture et de l'oxygène absorbé lors de la respiration. Ces carburants sont traités par le système digestif et le système respiratoire : ils en extraient les substances assimilables puis les transmettent au sang, qui les distribue dans toutes les parties de notre corps.

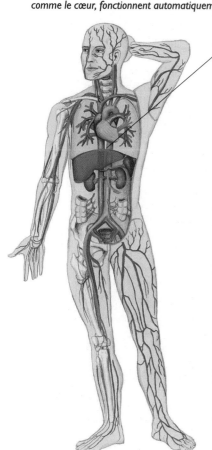

LES INSUFFISANCES

Lorsque l'un des organes réduit son activité et n'arrive plus à fournir en totalité le service qui lui est demandé, on parle d'insuffisance. Elles peuvent être dues à une faiblesse congénitale, au vieillissement ou aux conditions de vie. L'insuffisance cardiaque (du cœur) et l'insuffisance respiratoire (des poumons) se manifestent par un essoufflement au moindre effort. L'insuffisance rénale (des reins) entraîne œdème et augmentation de la pression artérielle. L'insuffisance hépatique (du foie) a pour conséquences une baisse de l'activité du foie et donc des problèmes digestifs.

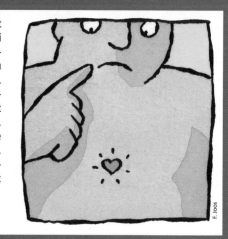

F. JOOS

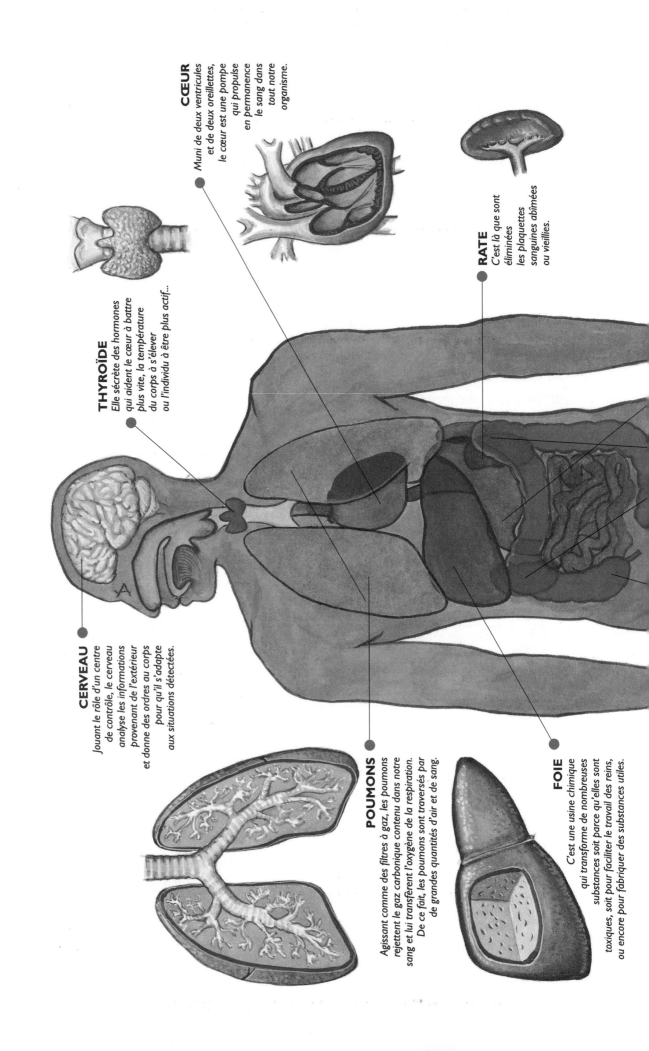

CŒUR

Muni de deux ventricules et de deux oreillettes, le cœur est une pompe qui propulse en permanence le sang dans tout notre organisme.

THYROÏDE

Elle sécrète des hormones qui aident le cœur à battre plus vite, la température du corps à s'élever ou l'individu à être plus actif...

RATE

C'est là que sont éliminées les plaquettes sanguines abîmées ou vieillies.

CERVEAU

Jouant le rôle d'un centre de contrôle, le cerveau analyse les informations provenant de l'extérieur et donne des ordres au corps pour qu'il s'adapte aux situations détectées.

POUMONS

Agissant comme des filtres à gaz, les poumons rejettent le gaz carbonique contenu dans notre sang et lui transfèrent l'oxygène de la respiration. De ce fait, les poumons sont traversés par de grandes quantités d'air et de sang.

FOIE

C'est une usine chimique qui transforme de nombreuses substances soit parce qu'elles sont toxiques, soit pour faciliter le travail des reins, ou encore pour fabriquer des substances utiles.

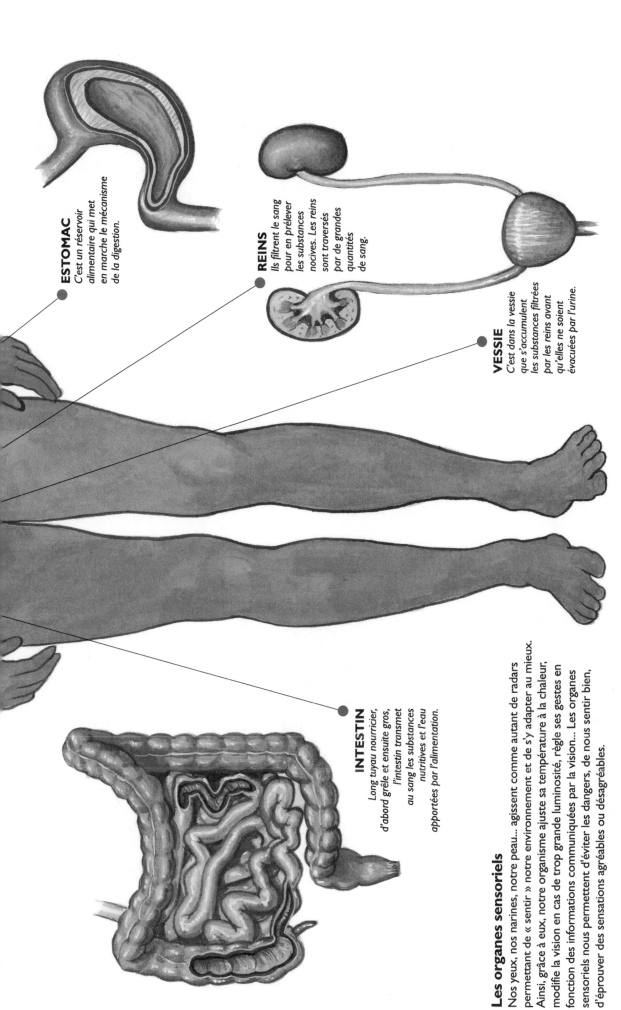

ESTOMAC

C'est un réservoir alimentaire qui met en marche le mécanisme de la digestion.

REINS

Ils filtrent le sang pour en prélever les substances nocives. Les reins sont traversés par de grandes quantités de sang.

VESSIE

C'est dans la vessie que s'accumulent les substances filtrées par les reins avant qu'elles ne soient évacuées par l'urine.

INTESTIN

Long tuyau nourricier, d'abord grêle et ensuite gros, l'intestin transmet au sang les substances nutritives et l'eau apportées par l'alimentation.

Les organes sensoriels

Nos yeux, nos narines, notre peau... agissent comme autant de radars permettant de « sentir » notre environnement et de s'y adapter au mieux. Ainsi, grâce à eux, notre organisme ajuste sa température à la chaleur, modifie la vision en cas de trop grande luminosité, règle ses gestes en fonction des informations communiquées par la vision... Les organes sensoriels nous permettent d'éviter les dangers, de nous sentir bien, d'éprouver des sensations agréables ou désagréables.

M. Welply

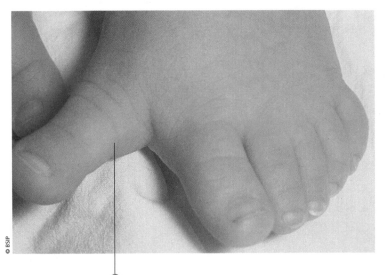

LES MALFORMATIONS

Certains dysfonctionnements sont liés à des malformations qui existent dès la naissance. Elles peuvent concerner toutes les parties du corps. Au niveau du cœur, par exemple, il arrive que les deux ventricules ou les deux oreillettes communiquent : le sang oxygéné et le sang chargé de toxines se mélangent. On appelait autrefois cette malformation « la maladie bleue » car les personnes qui en étaient atteintes avaient les lèvres et les ongles violets. Certaines malformations sont plus bénignes : c'est le cas des nouveau-nés naissant avec six doigts.

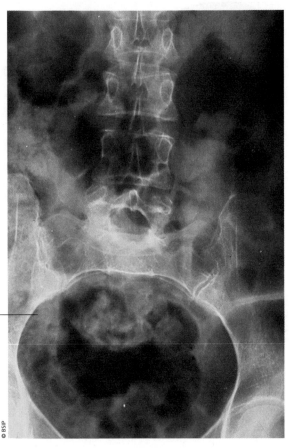

L'USURE

Notre organisme n'est pas éternel ; avec le temps, chacune de ses parties est susceptible de s'user. Le squelette devient moins solide : c'est l'ostéoporose, qui rend les os de plus en plus fins, douloureux et cassables, ou encore l'arthrose, phénomène de calcification des articulations, qui rend tout mouvement douloureux. Le système nerveux, le système digestif et le système sanguin sont également victimes du temps : dans ce dernier cas, les vaisseaux peuvent se boucher ou se rompre.

LES MALADIES CARDIOVASCULAIRES

Elles font partie des principales causes de décès dans les pays industrialisés et donc en France. La plus courante est l'athérosclérose, où les artères se bouchent progressivement. Cette maladie, qui touche surtout les personnes de plus de 45-50 ans, est souvent liée au tabagisme, à l'obésité et au manque d'exercice.

LES TUMEURS

Il arrive que l'organisme produise des cellules d'une manière incontrôlée. Cela forme des tumeurs parfois bénignes (sans conséquences sur la santé), parfois malignes. Les tumeurs peuvent être localisées, minuscules, ou bien généralisées dans tout l'organisme. Lorsque les tumeurs sont malignes ou dispersées, il s'agit d'un cancer.

Une salle d'opération

De l'ablation de l'appendice, qui dure moins de 30 mn, à la transplantation cardiaque qui mobilise une équipe nombreuse pendant plus de 12 h, les hôpitaux français pratiquent 3,5 millions d'opérations par an. Toutes ces interventions se déroulent dans un espace particulier : le bloc opératoire, au centre duquel se trouve la salle d'opération.

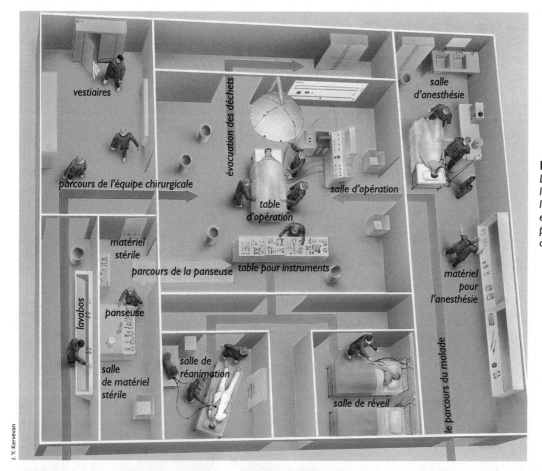

vestiaires

parcours de l'équipe chirurgicale

évacuation des déchets

salle d'anesthésie

salle d'opération

table d'opération

matériel stérile

parcours de la panseuse

table pour instruments

lavabos

panseuse

salle de matériel stérile

salle de réanimation

salle de réveil

matériel pour l'anesthésie

le parcours du malade

J. Y. Kervevan

BLOC OPÉRATOIRE
Dans le bloc opératoire, les déplacements des personnes, la circulation du matériel et des instruments sont codifiés pour éviter la dissémination des microbes.

© BSIP / Alexandre

● **DANS LES VESTIAIRES**
Le chirurgien revêt une sorte de pyjama, se lave et se brosse les mains avec un savon antiseptique, puis enfile des gants stériles. Une infirmière l'aide à enfiler une grande blouse : la casaque, qu'elle noue dans son dos, un calot sur sa tête et une bavette devant son nez et sa bouche. Tous ces vêtements sont jetés après l'opération.

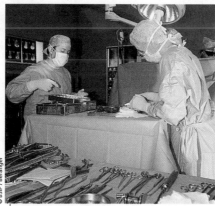

© BSIP / Beranger

● **PANSEUSE**
Son rôle est d'éviter la dissémination des microbes dans le bloc opératoire. Elle sort les instruments chirurgicaux de leurs boîtes stériles et installe le futur opéré sur la table. Lorsque l'intervention a commencé, elle est la seule personne à faire le relais entre la salle où se trouve le matériel et la table d'opération.

© BSIP / Leca

● **ANESTHÉSISTE**
Les produits anesthésiques sont administrés par voie intraveineuse ou par inhalation, chez le petit enfant. Ils servent à endormir le patient, relâcher ses muscles et supprimer la douleur. Le malade ne respire plus naturellement mais à travers un tube, introduit dans le larynx et branché à un appareil de ventilation.

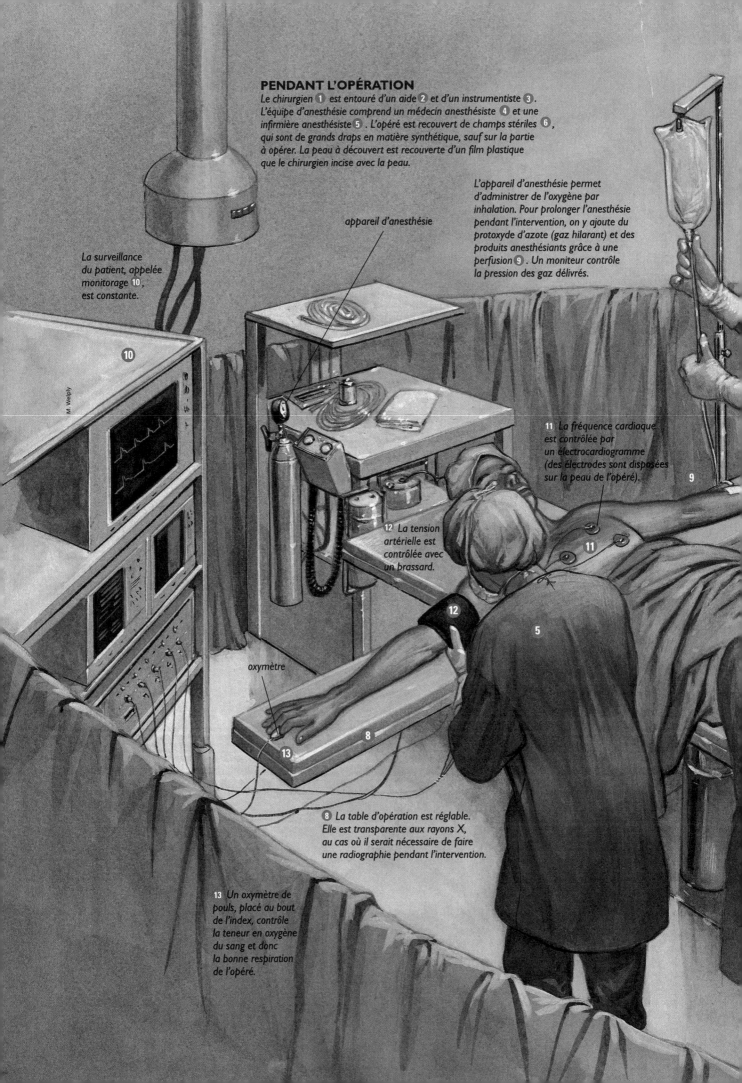

PENDANT L'OPÉRATION

Le chirurgien ❶ est entouré d'un aide ❷ et d'un instrumentiste ❸.
L'équipe d'anesthésie comprend un médecin anesthésiste ❹ et une
infirmière anesthésiste ❺. L'opéré est recouvert de champs stériles ❻,
qui sont de grands draps en matière synthétique, sauf sur la partie
à opérer. La peau à découvert est recouverte d'un film plastique
que le chirurgien incise avec la peau.

L'appareil d'anesthésie permet
d'administrer de l'oxygène par
inhalation. Pour prolonger l'anesthésie
pendant l'intervention, on y ajoute du
protoxyde d'azote (gaz hilarant) et des
produits anesthésiants grâce à une
perfusion ❾. Un moniteur contrôle
la pression des gaz délivrés.

appareil d'anesthésie

La surveillance
du patient, appelée
monitorage ❿,
est constante.

11 La fréquence cardiaque
est contrôlée par
un électrocardiogramme
(des électrodes sont disposées
sur la peau de l'opéré).

9

12 La tension
artérielle est
contrôlée avec
un brassard.

M. Welply

oxymètre

8 La table d'opération est réglable.
Elle est transparente aux rayons X,
au cas où il serait nécessaire de faire
une radiographie pendant l'intervention.

13 Un oxymètre de
pouls, placé au bout
de l'index, contrôle
la teneur en oxygène
du sang et donc
la bonne respiration
de l'opéré.

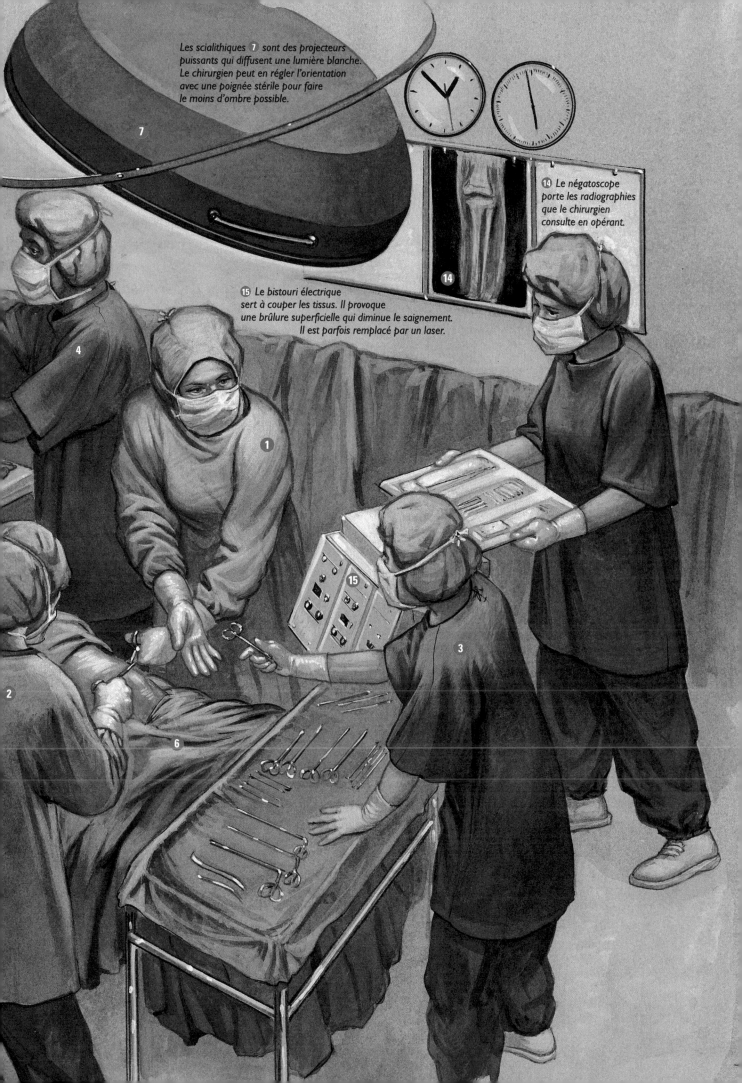

Les scialithiques **7** sont des projecteurs puissants qui diffusent une lumière blanche. Le chirurgien peut en régler l'orientation avec une poignée stérile pour faire le moins d'ombre possible.

14 Le négatoscope porte les radiographies que le chirurgien consulte en opérant.

15 Le bistouri électrique sert à couper les tissus. Il provoque une brûlure superficielle qui diminue le saignement. Il est parfois remplacé par un laser.

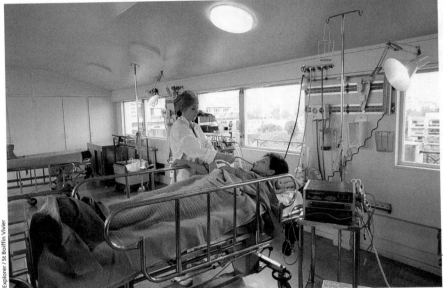

© Explorer / St Boiffin Vivier

LES AUTRES RÉANIMATIONS

La salle de réanimation n'accueille pas seulement des opérés, mais également des accidentés de la route, des personnes ayant un accident cardiaque, par exemple. L'équipe de réanimation utilise alors un appareil qui sert à produire des chocs électriques, appelé défibrillateur. À l'aide d'une plaque métallique, on fait circuler un fort courant électrique dans la poitrine du patient, pour faire repartir son cœur.

● EN SALLE DE RÉVEIL

Dans la plupart des cas, l'opéré est transféré directement en salle de réveil. Son corps élimine rapidement les produits anesthésiques et il se réveille. Sa respiration, sa tension et sa fréquence cardiaque sont toujours surveillées. Dès qu'il réussit à ouvrir les yeux, à soulever la tête et à respirer sans aide, il est reconduit dans sa chambre.

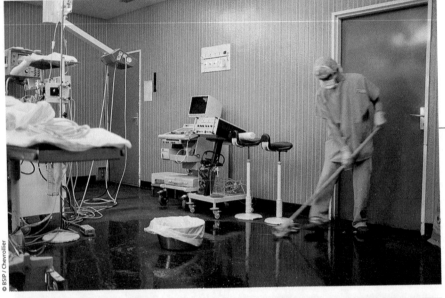

© BSIP / Chevrollier

● ENTRE DEUX OPÉRATIONS

Les murs et le sol de la salle d'opération sont lavés à l'eau de Javel. Des pulvérisations de produits antiseptiques et des rayonnements ultraviolets combattent les derniers microbes. Un grand nettoyage a lieu chaque semaine, la pièce est alors calfeutrée et stérilisée à l'aide d'une fumée désinfectante.

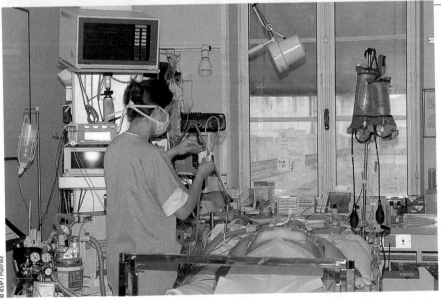

© BSIP / Platriez

● EN SALLE DE RÉANIMATION

Lorsque l'opération a été importante (chirurgie du thorax ou du cœur), le patient reste 24 à 48 heures en salle de réanimation. L'anesthésie et la surveillance des fonctions vitales y sont poursuivies. L'opéré est réchauffé car il est souvent parcouru de frissons, il respire artificiellement et on le nourrit avec une perfusion, jusqu'à ce que ses fonctions naturelles reprennent.

Les muscles de l'Homme

Les mouvements du sportif en pleine action semblent se succéder tout naturellement, sans difficulté… Sa performance est pourtant le fruit d'un travail et d'un effort considérables : c'est l'extraordinaire contraction de ses muscles qui nous le montre. Même si nous ne sommes pas des sportifs de haut niveau, notre corps exécute une grande variété de mouvements dans nos gestes les plus quotidiens, grâce à nos muscles.

LA CONTRACTION MUSCULAIRE

Les muscles se contractent en réponse à une stimulation, puis ils se relâchent et reprennent leur longueur initiale : c'est la contraction musculaire. Celle-ci s'exerce pour assurer non seulement les mouvements de notre squelette, mais aussi le fonctionnement de nos organes internes.

LES MUSCLES STRIÉS OU VOLONTAIRES

Ils sont ainsi nommés parce que les cellules qui les composent sont parcourues de minces stries et que leur fonctionnement dépend de notre volonté. Ils sont attachés au squelette qu'ils mettent en mouvement, d'où leur autre appellation de « muscles squelettiques ».

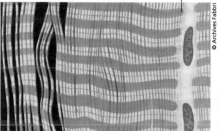

© Archives Fabbri

© Hoa Qui / P. Royer

© Archives Fabbri

LES MUSCLES LISSES OU INVOLONTAIRES

Comme leur nom l'indique, les cellules qui composent ces muscles ont un aspect lisse. De nombreux organes internes comme l'œsophage, l'estomac ou l'intestin sont ainsi composés de muscles lisses, qui se contractent sous l'effet de stimulations nerveuses, échappant au contrôle de notre volonté.

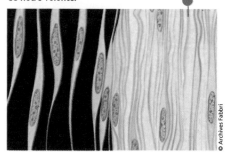

© Archives Fabbri

UN MUSCLE SEMI-VOLONTAIRE

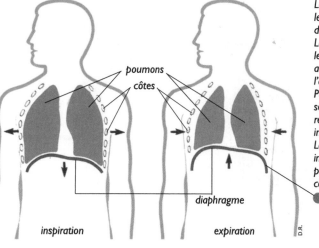

poumons

côtes

diaphragme

inspiration

expiration

D.R.

Le diaphragme est le muscle principal de la respiration. Lorsqu'il se contracte, le volume des poumons augmente pour laisser l'air les envahir. Puis le diaphragme se détend, les poumons reprennent leur volume initial et l'air est expulsé. La plupart du temps involontaire, la respiration peut également être contrôlée.

LES PRINCIPAUX MUSCLES
STRIÉS DU CORPS HUMAIN

FACE ANTÉRIEURE

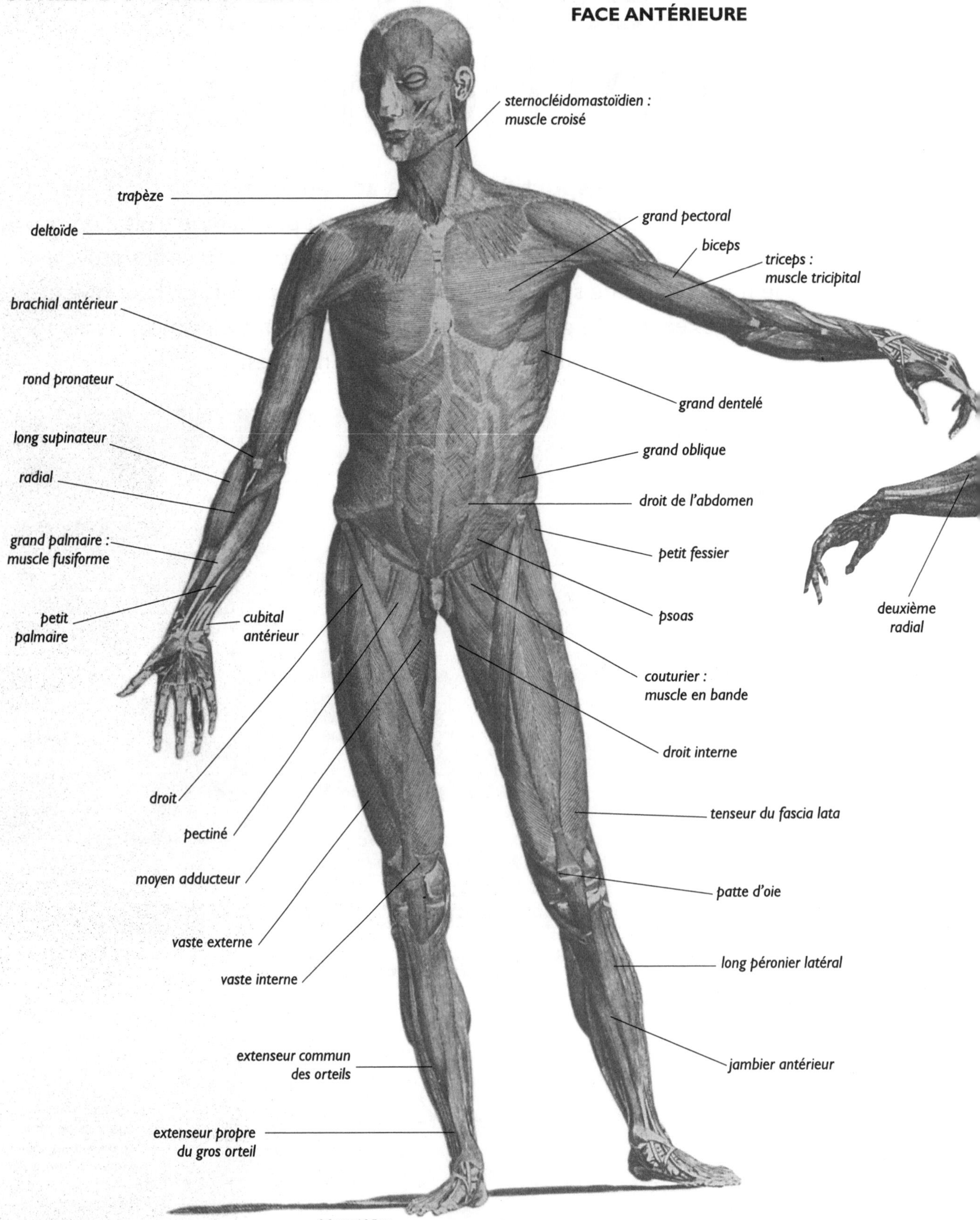

sternocléidomastoïdien :
muscle croisé

trapèze

deltoïde

brachial antérieur

rond pronateur

long supinateur

radial

grand palmaire :
muscle fusiforme

petit
palmaire

cubital
antérieur

grand pectoral

biceps

triceps :
muscle tricipital

grand dentelé

grand oblique

droit de l'abdomen

petit fessier

psoas

couturier :
muscle en bande

droit interne

deuxième
radial

droit

pectiné

moyen adducteur

vaste externe

vaste interne

extenseur commun
des orteils

extenseur propre
du gros orteil

tenseur du fascia lata

patte d'oie

long péronier latéral

jambier antérieur

© Cosmos / S. Terry

FACE POSTÉRIEURE

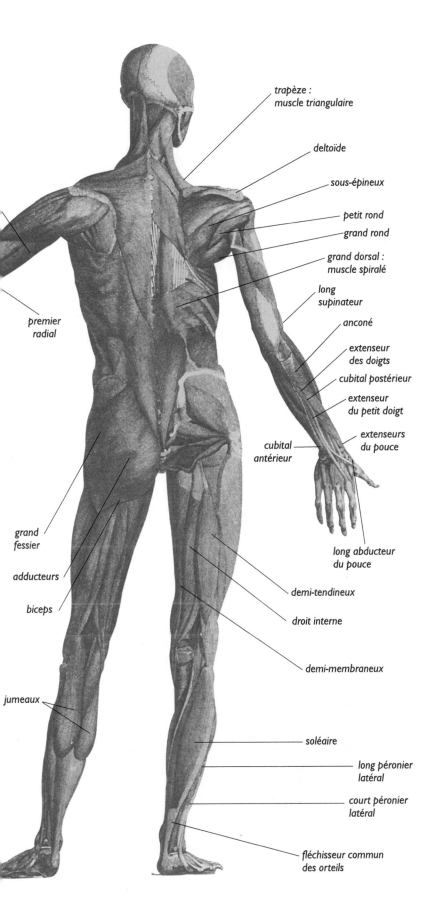

trapèze :
muscle triangulaire

deltoïde

sous-épineux

petit rond

grand rond

grand dorsal :
muscle spiralé

long
supinateur

anconé

extenseur
des doigts

cubital postérieur

extenseur
du petit doigt

cubital
antérieur

extenseurs
du pouce

premier
radial

long abducteur
du pouce

demi-tendineux

droit interne

grand
fessier

adducteurs

biceps

demi-membraneux

jumeaux

soléaire

long péronier
latéral

court péronier
latéral

fléchisseur commun
des orteils

LA STRUCTURE DES MUSCLES

Le muscle. ❶
Les cellules, également appelées fibres musculaires, sont regroupées en faisceaux. ❷
Les cellules qui composent le muscle sont de forme allongée. ❸ *Chacune d'elles contient deux types de filaments : les filaments d'actine et les filaments de myosine.*
La myosine ❹ *émet des sortes de pattes, appelées les ponts. Pendant la contraction musculaire, ces pattes se déplacent sur l'actine, tout comme celle d'un mille-pattes. Les deux filaments glissent alors l'un sur l'autre, provoquant le raccourcissement de la cellule. L'actine.* ❺

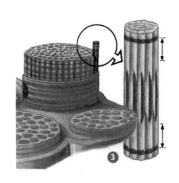

❶ ❷

V. Faggian

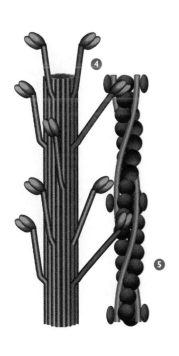

❸

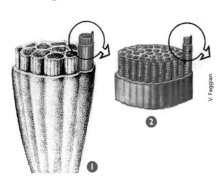

❹

❺

265

DES MUSCLES D'EXCEPTION

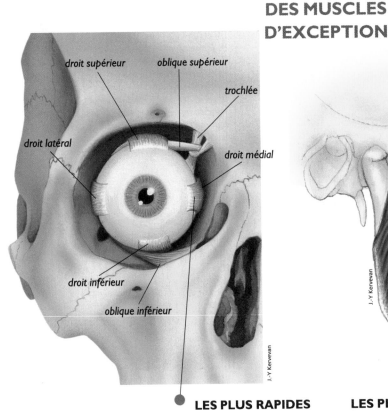

droit supérieur

oblique supérieur

trochlée

droit latéral

droit médial

droit inférieur

oblique inférieur

J.-Y Kervevan

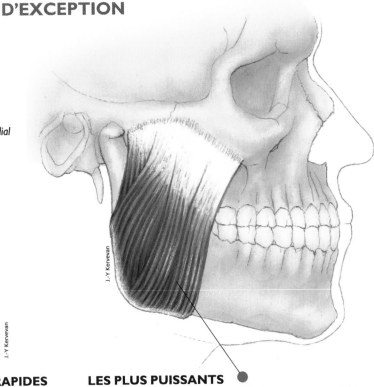

J.-Y Kervevan

LES PLUS RAPIDES

Les muscles de l'œil : en une fraction de seconde et avec une grande précision, les six muscles qui entourent l'œil agissent en parfaite coordination pour diriger le regard dans la direction souhaitée.

LES PLUS PUISSANTS

Les muscles de la mâchoire : bien que petits, ces muscles, qui doivent assurer la mastication et le broyage de nos aliments, sont les plus puissants de tout l'organisme.

LES PLUS MOBILES

Les muscles de la langue : de forme allongée, les cellules qui composent les muscles sont généralement dirigées dans un même sens. Celles de la langue partent au contraire dans tous les sens, lui permettant de se mouvoir dans des directions très différentes.

LE PLUS RÉSISTANT

Le cœur est un muscle qui se contracte et se relâche en permanence. Il commence à battre chez l'embryon et ne s'arrête qu'à la fin de la vie. Strié, il appartient pourtant à la catégorie des muscles involontaires.

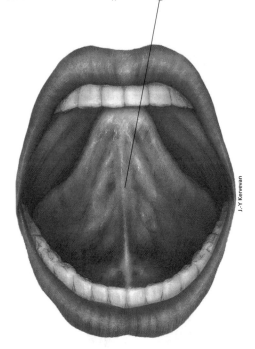

J.-Y Kervevan

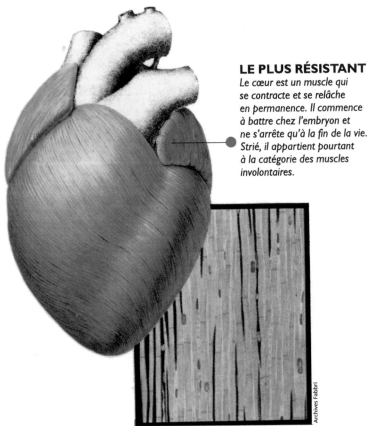

Archives Fabbri

L'évolution du fœtus

Au terme d'une lente évolution, bébé vient de naître. Six mois auparavant, il ressemblait déjà, par son apparence extérieure, à un être humain miniature, et ses principaux organes commençaient à prendre forme. Mais il lui restait un long chemin avant d'être prêt à entrer dans le monde... Il n'était encore qu'un fœtus.

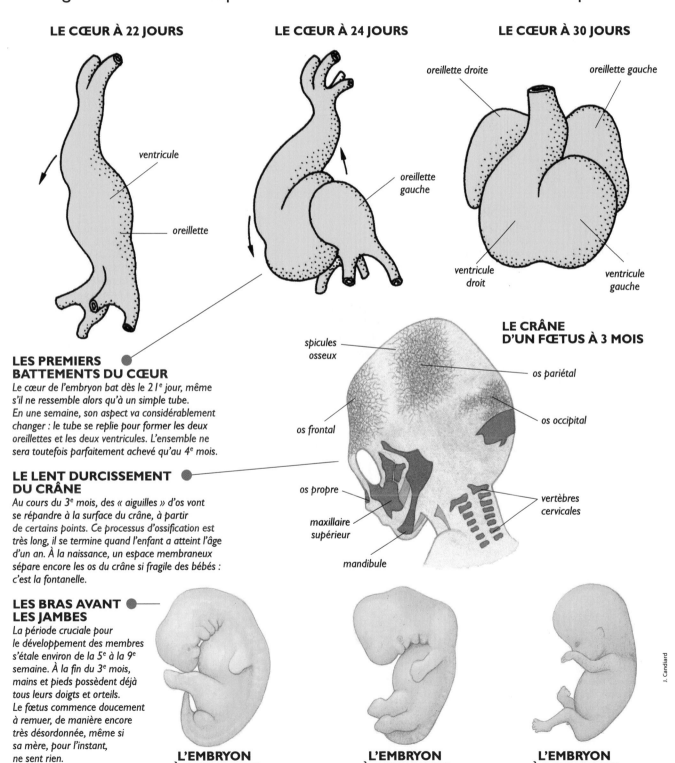

LE CŒUR À 22 JOURS

ventricule

oreillette

LE CŒUR À 24 JOURS

oreillette gauche

LE CŒUR À 30 JOURS

oreillette droite

oreillette gauche

ventricule droit

ventricule gauche

LE CRÂNE D'UN FŒTUS À 3 MOIS

spicules osseux

os pariétal

os frontal

os occipital

os propre

vertèbres cervicales

maxillaire supérieur

mandibule

LES PREMIERS BATTEMENTS DU CŒUR

Le cœur de l'embryon bat dès le 21e jour, même s'il ne ressemble alors qu'à un simple tube. En une semaine, son aspect va considérablement changer : le tube se replie pour former les deux oreillettes et les deux ventricules. L'ensemble ne sera toutefois parfaitement achevé qu'au 4e mois.

LE LENT DURCISSEMENT DU CRÂNE

Au cours du 3e mois, des « aiguilles » d'os vont se répandre à la surface du crâne, à partir de certains points. Ce processus d'ossification est très long, il se termine quand l'enfant a atteint l'âge d'un an. À la naissance, un espace membraneux sépare encore les os du crâne si fragile des bébés : c'est la fontanelle.

LES BRAS AVANT LES JAMBES

La période cruciale pour le développement des membres s'étale environ de la 5e à la 9e semaine. À la fin du 3e mois, mains et pieds possèdent déjà tous leurs doigts et orteils. Le fœtus commence doucement à remuer, de manière encore très désordonnée, même si sa mère, pour l'instant, ne sent rien.

L'EMBRYON À 5 SEMAINES

L'EMBRYON À 6 SEMAINES

L'EMBRYON À 8 SEMAINES

J. Candiard

267

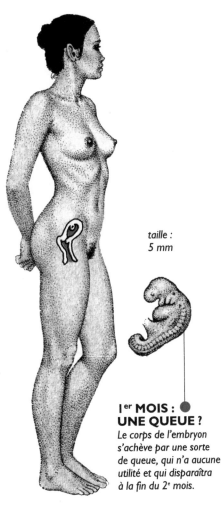

**Ier MOIS :
UNE QUEUE ?**

*Le corps de l'embryon
s'achève par une sorte
de queue, qui n'a aucune
utilité et qui disparaîtra
à la fin du 2e mois.*

taille :
5 mm

**L'OREILLE :
2e MOIS**

*L'oreille se limite encore à
une simple fente située encore
très près du cou. L'embryon vit
dans le silence. Il commencera
à entendre à partir du 4e mois.*

taille :
2 à 3 cm

**LA TÊTE :
2e MOIS**

*De taille encore disproportionnée
par rapport à l'ensemble, la tête
se distingue de mieux en mieux. Elle
comprend déjà un semblant de visage
où l'on distingue la pointe du nez
et l'emplacement provisoire des yeux.*

De l'embryon au fœtus

Durant les deux premiers mois, le futur
bébé est appelé embryon. C'est à cette
période que tout commence à prendre
forme. À six semaines, le cœur,
les poumons, le foie... tous les organes
existent déjà, même s'ils n'ont pas encore
leur aspect et leur structure définitifs.
Déjà, on peut distinguer le tronc,
les membres, et surtout la tête où
s'ébauche un visage. Quand commence
le 3e mois, le corps amorce la constitution
du squelette et acquiert un début de force
musculaire. On parle alors de fœtus et non
plus d'embryon. Os et articulations sont
en place au début du 4e mois et le futur
bébé commence à gigoter.

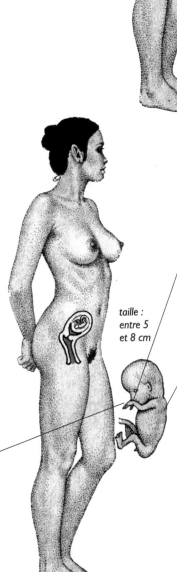

LA BOUCHE : 3e MOIS

*Le fœtus a le plus souvent les lèvres
entrouvertes et avale régulièrement
le liquide dans lequel il baigne.
Il apprend ainsi à déglutir
et développe son sens du goût.*

**L'ÉPINE DORSALE :
3e MOIS**

*Le fœtus s'est redressé.
Cou, omoplate, clavicule, colonne
vertébrale... Le squelette est déjà
en place à la fin du mois.*

taille :
entre 5
et 8 cm

▶ Dès le 3e mois

**– alors que la vessie est en place –
les reins commencent à jouer leur
rôle. Le fœtus urine un liquide aussi
pur que de l'eau qui se mêle au liquide
amniotique dans lequel baigne
son corps.**

LA MAIN : 3e MOIS

*Les doigts sont déjà formés mais
les articulations ne sont pas encore
achevées. Avec sa main, le fœtus
effleure ce qui l'entoure et développe
le sens du toucher.*

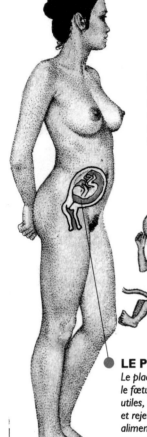

taille :
de 15 à 19 cm plié (taille
du sommet du crâne
aux fesses) et 30 cm
déplié (du sommet
du crâne aux pieds)

LE CŒUR : 4ᵉ MOIS
*Le cœur d'un fœtus bat
beaucoup plus vite que celui
d'un adulte : le sang circule
à une vitesse accélérée.
Atteignant son maximum au
4ᵉ mois, le rythme cardiaque
décroît progressivement
jusqu'à la naissance.*

LE PLACENTA : 4ᵉ MOIS
*Le placenta sert d'intermédiaire entre
le fœtus et sa mère. Il choisit les éléments
utiles, les transmet par le cordon ombilical,
et rejette les déchets. Il procure au fœtus
aliments et oxygène provenant du corps
maternel, après les avoir triés.*

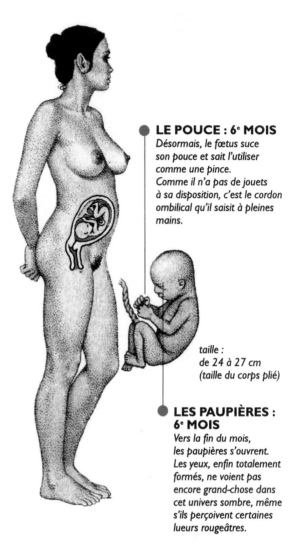

LE POUCE : 6ᵉ MOIS
*Désormais, le fœtus suce
son pouce et sait l'utiliser
comme une pince.
Comme il n'a pas de jouets
à sa disposition, c'est le cordon
ombilical qu'il saisit à pleines
mains.*

taille :
de 24 à 27 cm
(taille du corps plié)

**LES PAUPIÈRES :
6ᵉ MOIS**
*Vers la fin du mois,
les paupières s'ouvrent.
Les yeux, enfin totalement
formés, ne voient pas
encore grand-chose dans
cet univers sombre, même
s'ils perçoivent certaines
lueurs rougeâtres.*

Les derniers mois avant la naissance

À partir du 5ᵉ mois, le fœtus est presque
complètement formé. Même s'il reste
à peaufiner encore quelques détails.
Durant ces derniers mois, le futur bébé
bouge beaucoup, et découvre aussi les
plaisirs que lui apportent ses cinq sens.
Au 7ᵉ mois, il est capable de vivre en
dehors du corps maternel, dans une
couveuse. Mais une grossesse arrive
généralement à terme au 9ᵉ mois,
quand le bébé, enfin totalement prêt,
commence à se sentir vraiment trop
à l'étroit...

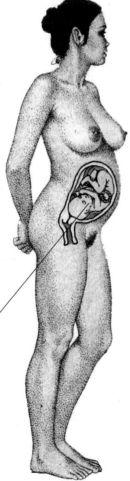

G. Fornari

taille :
de 31 à 34 cm
(taille du corps plié)
et environ 50 cm
déplié

**POSITION FŒTALE :
9ᵉ MOIS**
*Depuis déjà plus d'un mois, le fœtus
dispose de moins en moins d'espace,
et peut de moins en moins gigoter.
Il reste désormais dans la position
fœtale, normalement tête en bas,
prêt à naître.*

▶ Et le cerveau ?

**C'est vers la fin de la 12ᵉ semaine que le cerveau
du fœtus ressemble à celui du nouveau-né.
Mais, attention, il ne s'agit là que d'une apparence.
On sait toutefois que, passé six mois, le cerveau
du fœtus est capable
de recevoir
des informations
provenant
de ses cinq sens,
de les analyser
et de réagir.**

F. Joos

L'APPAREIL DIGESTIF, L'IMPORTANCE DU FOIE

Alors que l'appareil digestif dans son ensemble n'aura de véritable utilité qu'après la naissance, quand l'enfant ne sera plus nourri par le cordon ombilical, le foie occupe une place essentielle dès les premières semaines. Il sécrète d'abord du sang pour le fœtus, puis un produit à base de bile à partir du 4ᵉ mois. Quant aux autres glandes (le pancréas) et organes (estomac, intestins), formés au 2ᵉ mois, ils se préparent avant tout à assurer la digestion des aliments après la naissance.

SCHÉMA EN COUPE DE L'EMBRYON À 32 JOURS

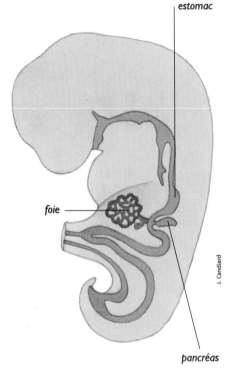

estomac

foie

pancréas

J. Candiard

L'ÉVOLUTION DES ORGANES GÉNITAUX CHEZ LE FŒTUS

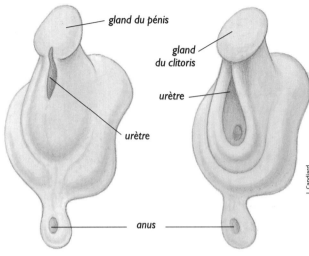

gland du pénis

gland du clitoris

urètre

urètre

anus

J. Candiard

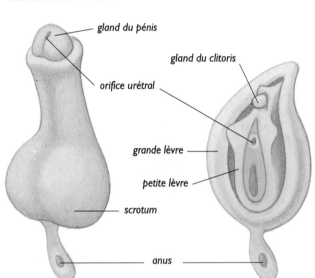

SEXE MASCULIN

gland du pénis

orifice urétral

scrotum

anus

SEXE FÉMININ

gland du clitoris

grande lèvre

petite lèvre

J. Candiard

FILLE OU GARÇON ?

Le sexe de l'enfant est déterminé dès le premier instant (fécondation). Mais les organes génitaux n'apparaissent qu'à la fin du 3ᵉ mois. Très ressemblants au début, on peut les différencier dès la fin du 5ᵉ mois grâce à une échographie.

DES POUMONS POUR S'ENTRAÎNER À RESPIRER

La structure définitive des poumons est déjà bien esquissée à la fin du 3ᵉ mois, à tel point que le fœtus peut effectuer ses premiers mouvements respiratoires. Il ne s'agit encore que de mouvements ponctuels, qui de mois en mois deviendront de plus en plus réguliers. Il est essentiel que la respiration soit devenue un automatisme avant la naissance ; sinon le bébé, à l'air libre, étoufferait.

LE DÉVELOPPEMENT DES POUMONS DU FŒTUS

5 SEMAINES

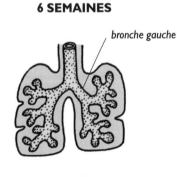

trachée

bourgeons bronchiques

6 SEMAINES

bronche gauche

8 SEMAINES

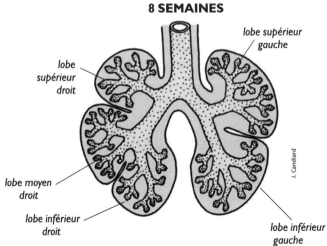

lobe supérieur gauche

lobe supérieur droit

lobe moyen droit

lobe inférieur droit

lobe inférieur gauche

J. Candiard

L'hôpital

L'hôpital, qui était à ses débuts un simple hébergement pour les pauvres, est devenu un ensemble médical très perfectionné. C'est une ville dans la ville, où les praticiens hospitaliers soignent les malades, enseignent leur discipline et font de la recherche.

LES PREMIERS HÔPITAUX ÉTAIENT L'ŒUVRE DES MOINES

Ce sont les religieux, clercs et moines, réunis en confréries, qui ont créé au XIIe siècle les premiers hôpitaux, pour y accueillir les malades et les pèlerins. L'aération étant la seule mesure d'hygiène qui préoccupait les moines, les plafonds étaient toujours très hauts. La halle se prolongeait par une chapelle pour que les hospitalisés puissent participer aux offices religieux.

▶ Au Moyen Âge,

chaque lit d'hôpital était occupé par au moins deux personnes !

F. Joos

© Explorer / E. Brenckle

LES MÉDECINS ENTRENT À L'HÔPITAL

À partir du XVIIIe siècle, des médecins furent affectés aux soins dans les hôpitaux, qui regroupaient alors souvent plus de 5 000 patients. Pour limiter le développement des épidémies, on construisit des pavillons qui hébergeaient les malades contagieux. Les architectes et les médecins pensaient que la végétation produit un air favorable à la convalescence.

© Explorer / E. Brenckle

CENTRE HOSPITALIER UNIVERSITAIRE BICHAT

© BSIP

L'HÔPITAL MÉDICALISÉ

Avec le développement de la médecine scientifique, il devient impossible d'assurer certains soins à domicile. Désormais, toute la population reçoit des soins à l'hôpital. Construit en 1979, l'hôpital Bichat est un exemple de construction monobloc. Grâce aux antibiotiques, les risques de contagion ont diminué et les médecins ne craignent plus de regrouper les malades en un seul bâtiment.

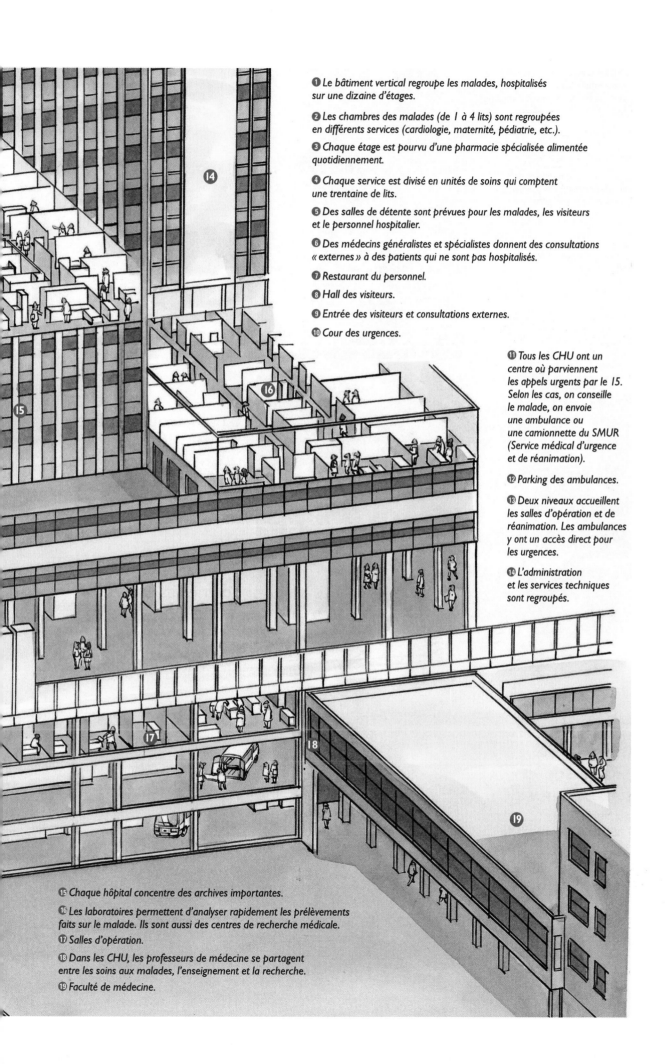

❶ Le bâtiment vertical regroupe les malades, hospitalisés sur une dizaine d'étages.

❷ Les chambres des malades (de 1 à 4 lits) sont regroupées en différents services (cardiologie, maternité, pédiatrie, etc.).

❸ Chaque étage est pourvu d'une pharmacie spécialisée alimentée quotidiennement.

❹ Chaque service est divisé en unités de soins qui comptent une trentaine de lits.

❺ Des salles de détente sont prévues pour les malades, les visiteurs et le personnel hospitalier.

❻ Des médecins généralistes et spécialistes donnent des consultations « externes » à des patients qui ne sont pas hospitalisés.

❼ Restaurant du personnel.

❽ Hall des visiteurs.

❾ Entrée des visiteurs et consultations externes.

❿ Cour des urgences.

⓫ Tous les CHU ont un centre où parviennent les appels urgents par le 15. Selon les cas, on conseille le malade, on envoie une ambulance ou une camionnette du SMUR (Service médical d'urgence et de réanimation).

⓬ Parking des ambulances.

⓭ Deux niveaux accueillent les salles d'opération et de réanimation. Les ambulances y ont un accès direct pour les urgences.

⓮ L'administration et les services techniques sont regroupés.

⓯ Chaque hôpital concentre des archives importantes.

⓰ Les laboratoires permettent d'analyser rapidement les prélèvements faits sur le malade. Ils sont aussi des centres de recherche médicale.

⓱ Salles d'opération.

⓲ Dans les CHU, les professeurs de médecine se partagent entre les soins aux malades, l'enseignement et la recherche.

⓳ Faculté de médecine.

L'ÉQUIPE MÉDICALE ●

Le professeur, entouré de l'équipe médicale et d'étudiants en cours de formation, visite le malade à son chevet une fois par semaine.

L'interne assure une visite aux patients deux fois par jour. Sélectionné par concours, il est médecin et se forme pour acquérir une spécialité.

L'externe a fait au moins quatre années de médecine. Il interroge le patient et l'examine, mais ne peut faire aucune prescription.

L'infirmière assure les soins quotidiens prescrits par le médecin et surveille le malade.

L'aide-soignante s'occupe essentiellement de l'hygiène de l'hospitalisé.

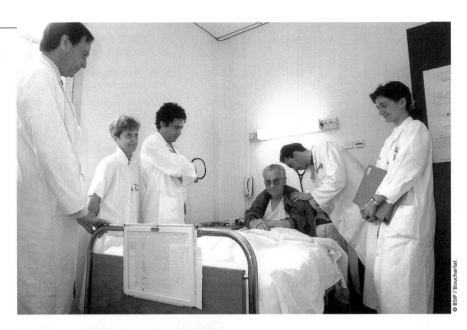

© BSIP / Boucharlat

© Explorer / A. Parinet

● UN PARCOURS FLÉCHÉ

Dans l'hôpital, les flèches et les panneaux ne servent pas seulement à trouver son chemin. Ces parcours sont obligatoires pour éviter que malades et bien portants utilisent les mêmes ascenseurs, et que les déchets médicaux et les plateaux repas circulent dans les mêmes couloirs.

LA LUTTE CONTRE LES INFECTIONS

Du sol au plafond, tous les matériaux utilisés dans les hôpitaux doivent être désinfectés régulièrement. C'est un moyen de lutter contre les maladies que l'on contracte à l'hôpital, appelées « nosocomiales ». ●

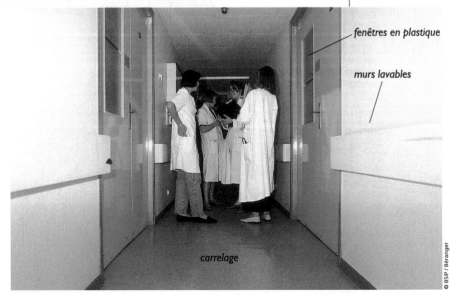

fenêtres en plastique

murs lavables

carrelage

© BSIP / Béranger

L'ambulance

Chariot traîné par des chevaux, camionnette ou hélicoptère : une ambulance est toujours un véhicule destiné à transporter les malades ou les blessés. Dans sa version moderne, c'est une portion d'hôpital mobile dans lequel le patient reçoit les premiers soins médicaux urgents.

Willis

SUR LES CHAMPS DE BATAILLE

Le baron Larrey, médecin des armées de l'Empire, avait créé les premières ambulances en 1792. Une équipe de chirurgiens et d'infirmiers allait au-devant des blessés pour assurer les soins d'urgence et les préparer à l'évacuation vers l'arrière.

DE L'ARMÉE AUX CIVILS

La médecine d'urgence est restée très longtemps une spécialité militaire qui n'avait pas d'équivalent dans la vie civile, sauf lors de catastrophes ou d'épidémies. Des ambulances hippomobiles sont apparues lors de l'épidémie de variole à Paris en 1882, et surtout pendant l'épidémie de choléra de 1884.

Willis

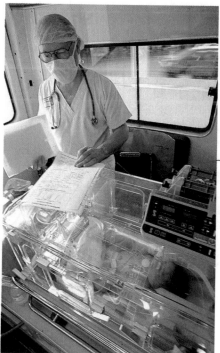

© Cosmos / Vo Trung

LES PREMIÈRES AMBULANCES MÉDICALISÉES

Les premières ambulances médicalisées, où le blessé est soigné pendant son transport, voient le jour dans les années 60. C'est le début de l'hôpital « hors les murs ». La réanimation respiratoire est possible grâce à un respirateur automatique. Il existe des ambulances très spécialisées comme cette ambulance pour les bébés.

▶ Des chameaux ambulanciers

Les premiers chariots couverts qui servaient d'ambulances étaient traînés par des chevaux.

On a utilisé des chameaux en Égypte en 1798, et des traîneaux pendant la campagne de Russie, en 1812.

F. Joos

1 *L'ambulance est en contact radio avec le centre 15 du SAMU (Service d'aide médicale d'urgence), entité administrative, qui la guide vers le service hospitalier le plus adapté à l'état du malade.*

2 *Réserves d'oxygène.*

3 *L'équipe d'intervention, le SMUR (Service médical d'urgence et de réanimation), doit pouvoir effectuer les soins dans la rue si nécessaire. C'est pourquoi le matériel est placé dans des conteneurs portables à la main.*

4 *Les conteneurs bleus renferment le matériel de réanimation respiratoire.*

5 *Les conteneurs rouges contiennent le matériel de réanimation circulatoire.*

6 *Les conteneurs verts sont destinés aux autres instruments (trousse d'urgence, matériel pour pansements, médicaments).*

7 *Une équipe du SMUR comporte obligatoirement trois personnes :*

8 *un médecin anesthésiste réanimateur ou urgentiste ;*

9 *un étudiant hospitalier peut être présent mais ne fait pas partie de l'équipe ;*

10 *une infirmière diplômée d'État ou anesthésiste ;*

11 *un conducteur ambulancier.*

12 *Identification du personnel de secours (pas de brassards).*

13 *Le matelas à dépression protège le blessé des chocs lors de son transport vers l'ambulance et pendant le voyage.*

14 *L'équipe du SMUR surveille en permanence les fonctions vitales du patient (prise du pouls, de la tension artérielle, de la fréquence respiratoire, du degré d'oxygénation du sang).*

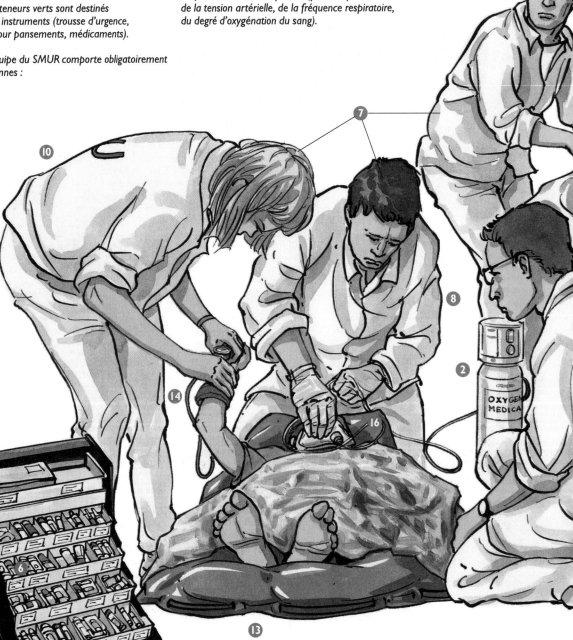

F. Davot

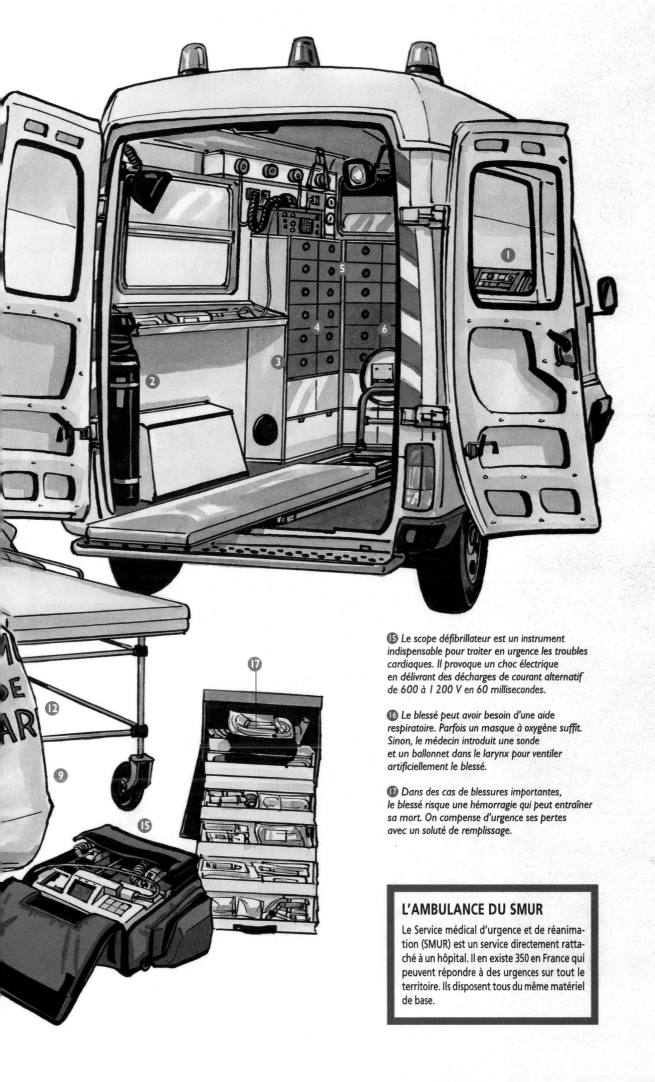

15 Le scope défibrillateur est un instrument indispensable pour traiter en urgence les troubles cardiaques. Il provoque un choc électrique en délivrant des décharges de courant alternatif de 600 à 1 200 V en 60 millisecondes.

16 Le blessé peut avoir besoin d'une aide respiratoire. Parfois un masque à oxygène suffit. Sinon, le médecin introduit une sonde et un ballonnet dans le larynx pour ventiler artificiellement le blessé.

17 Dans des cas de blessures importantes, le blessé risque une hémorragie qui peut entraîner sa mort. On compense d'urgence ses pertes avec un soluté de remplissage.

L'AMBULANCE DU SMUR

Le Service médical d'urgence et de réanimation (SMUR) est un service directement rattaché à un hôpital. Il en existe 350 en France qui peuvent répondre à des urgences sur tout le territoire. Ils disposent tous du même matériel de base.

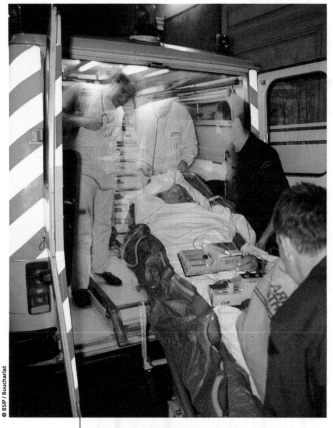

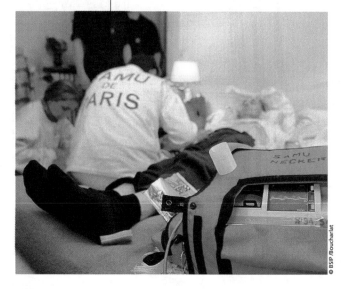

● *La plupart des sorties répondent à une urgence médicale survenue à domicile. Les problèmes pédiatriques et les malaises cardiaques sont le lot quotidien de l'ambulancier.*

● **LES DANGERS DE LA ROUTE**

Les accidents de la route représentent 1/10 des appels reçus au centre « 15 » du SAMU. 2 ou 3 % de ces alertes signalent un blessé dont la vie est en danger.
Toute l'organisation des secours est destinée à répondre au mieux à ces urgences extrêmes, même si elles sont rares.

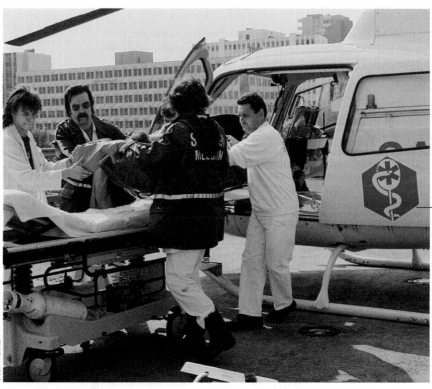

LE « 15 »

Le terme de « police secours » est encore présent dans les esprits, et de nombreuses personnes appellent les pompiers ou la police pour obtenir une ambulance. Mais le moyen le plus rapide pour obtenir un secours médical est de composer le « 15 », unique numéro de téléphone pour tout le territoire français. En une année, les centres « 15 » reçoivent 7 millions d'appels et gèrent 650 000 sorties de véhicules du SMUR.

● **LES SITUATIONS EXCEPTIONNELLES**

36 équipes d'intervention du SMUR (Service médical d'urgence et de réanimation) disposent de moyens héliportés pour faire face à une urgence extrême en cas de catastrophe naturelle ou d'attentat. Les hélicoptères sanitaires, de petite taille, se posent facilement en ville. Ils peuvent transporter le blessé, un médecin et un aide. Les premiers soins sont prodigués en vol, avec un confort supérieur à celui d'une ambulance automobile.

Notre planète

Planisphère du relief

La Terre est un immense système actif. Ses formes ont une histoire toujours en mouvement : les grandes chaînes de montagnes s'élèvent de quelques millimètres par an ; dans les plaines et les dépressions s'accumulent les matériaux que l'érosion arrache aux reliefs les plus exposés et aux roches les plus tendres.

montagne jeune

massif ancien

plaine

lit de cours d'eau

vallée encaissée

P. de Hugo

PRINCIPALES FORMES DE RELIEF

© Cosmos / P. M. Lerner/ Wood in camp

Sur les flancs presque verticaux des tourelles, une végétation tropicale s'est développée.

● KARST DE LA CHINE DU SUD
L'eau a dissous un immense plateau de calcaires de plusieurs centaines de mètres d'épaisseur.

● *À la base des pitons et tourelles qui subsistent encore, l'argile, née de la décomposition, s'est accumulée. Sur cette plaine, très plane et imperméable, les paysans chinois exploitent des rizières.*

TRIANGLE AFAR
De part et d'autre de cette dépression, les plateaux (ou trapps) somalien et éthiopien sont d'origine volcanique ; ils sont le résultat d'épanchements énormes de lave à partir de fissures de plusieurs centaines de kilomètres de long. Il y a environ 30 millions d'années, en Éthiopie, 1/2 million de km³ de lave se sont accumulés sur 1 million d'années !

© Hoaqui / B. Redares

Dans un million d'années sans doute, l'océan Indien pénétrera dans cette dépression pour constituer une nouvelle mer.

Dans le prolongement de la mer Rouge et de la grande fosse africaine (rift), la terre se déchire et s'affaisse. Elle s'est écartée de plusieurs mètres en 15 ans.

© Hoaqui / Icone / Manaud

RELIEFS KARSTIQUES ●
La dissolution des calcaires offre des formes très spectaculaires qui varient en fonction de l'intensité de l'action de l'eau. L'eau pénètre en profondeur par les failles : des gouffres et des galeries souterraines se forment, dans lesquelles elle peut s'écouler, parfois brusquement après un orage. La voûte de ces galeries peut s'effondrer pour former un canyon (Hell Canyon et canyon du Colorado aux États-Unis, gorges du Tarn et du Verdon en France).

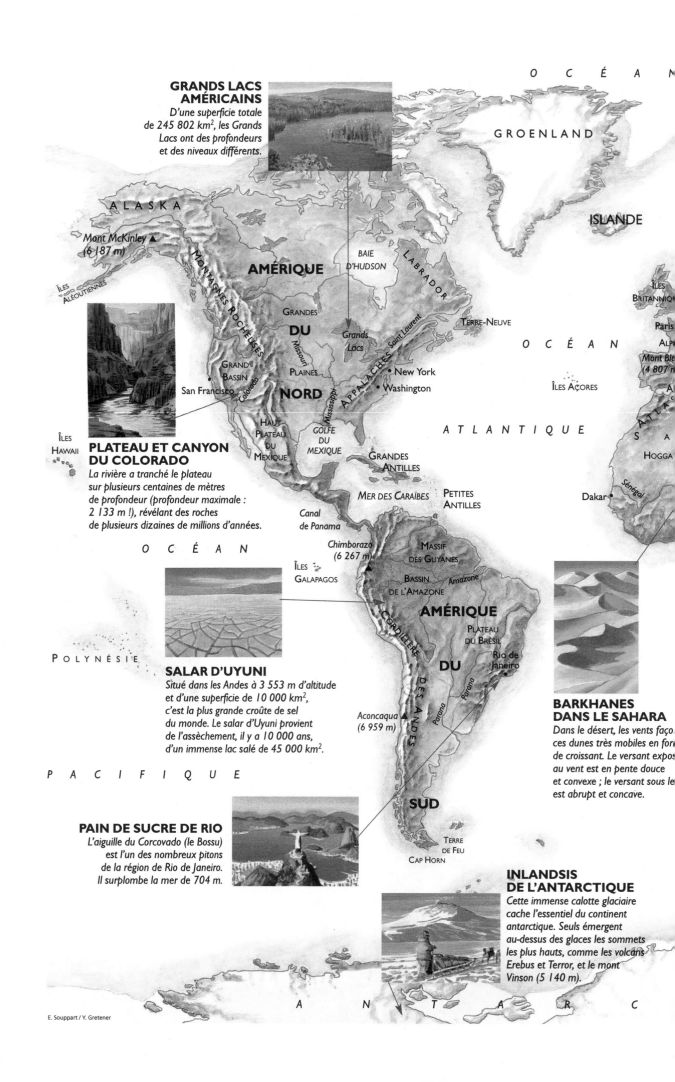

GRANDS LACS AMÉRICAINS

D'une superficie totale de 245 802 km², les Grands Lacs ont des profondeurs et des niveaux différents.

O C É A N

GROENLAND

ISLANDE

ALASKA

Mont McKinley ▲
(6 187 m)

ÎLES
ALÉOUTIENNES

AMÉRIQUE

BAIE
D'HUDSON

LABRADOR

TERRE-NEUVE

ÎLES
BRITANNIQ

Paris

O C É A N

DU

Grands
Lacs

Saint Laurent

ALP

Mont Bla
(4 807 m

GRANDES

Missouri

GRAND
BASSIN

PLAINES

San Francisco

Colorado

NORD

New York

Washington

APPALACHES

Mississippi

ÎLES AÇORES

A T L A N T I Q U E

S
A
A

ÎLES
HAWAII

HAUT
PLATEAU
DU
MEXIQUE

GOLFE
DU
MEXIQUE

GRANDES
ANTILLES

HOGGA

Dakar

Sénégal

PLATEAU ET CANYON DU COLORADO

La rivière a tranché le plateau sur plusieurs centaines de mètres de profondeur (profondeur maximale : 2 133 m !), révélant des roches de plusieurs dizaines de millions d'années.

MER DES CARAÏBES

PETITES
ANTILLES

Canal
de Panama

O C É A N

Chimborazo
(6 267 m)

MASSIF
DES GUYANES

ÎLES
GALAPAGOS

BASSIN
DE L'AMAZONE

Amazone

P O L Y N É S I E

AMÉRIQUE

PLATEAU
DU BRÉSIL

Rio de
Janeiro

SALAR D'UYUNI

Situé dans les Andes à 3 553 m d'altitude et d'une superficie de 10 000 km², c'est la plus grande croûte de sel du monde. Le salar d'Uyuni provient de l'assèchement, il y a 10 000 ans, d'un immense lac salé de 45 000 km².

DU

Parana

CORDILLÈRE DES ANDES

Aconcaqua
(6 959 m)

Parana

BARKHANES DANS LE SAHARA

Dans le désert, les vents faço ces dunes très mobiles en for de croissant. Le versant expos au vent est en pente douce et convexe ; le versant sous le est abrupt et concave.

P A C I F I Q U E

SUD

TERRE
DE FEU

CAP HORN

PAIN DE SUCRE DE RIO

L'aiguille du Corcovado (le Bossu) est l'un des nombreux pitons de la région de Rio de Janeiro. Il surplombe la mer de 704 m.

INLANDSIS DE L'ANTARCTIQUE

Cette immense calotte glaciaire cache l'essentiel du continent antarctique. Seuls émergent au-dessus des glaces les sommets les plus hauts, comme les volcans Erebus et Terror, et le mont Vinson (5 140 m).

A N T A R C T I C

E. Souppart / Y. Gretener

SPITZBERG

PLAINE D'ALSACE

Les Vosges et la Forêt-Noire sont les vestiges d'un massif très ancien qui s'est effondré en son milieu. Dans la dépression ainsi formée se sont accumulés des sédiments sur lesquels coule le Rhin.

Ob

Oural

PLAINE DE SIBÉRIE OCCIDENTALE

Iénissei

PLATEAU DE SIBÉRIE CENTRALE

Lena

MTS DE VERKHOÏANSK

• Moscou

Lac Baïkal

Amour

ÎLES KOURILES

OCÉAN

EUROPE

Dniepr

CAUCASE

Volga

Elbrouz (5 642 m)

MER NOIRE

MER CASPIENNE

MER D'ARAL

Lac Balkhach

TAKLA-MAKAN

KUN LUN

A S I E

DÉSERT DE GOBI

• Beijing (Pékin)

• Tokyo

OCÉAN

Danube

ARPATES

MER DITERRANÉE

e Caire

• Téhéran

PLATEAU D'IRAN

HIMALAYA

PLATEAU DU TIBET

Everest ▲ (8 848 m)

Hoang-Hé

Chang-Chian

• Shanghai

R

A

• Delhi

Indus

Gange

PLATEAU DE CHINE DU SUD

TAIWAN

ti

Nil

ARABIE

MER D'OMAN

DECCAN

Mékong

• Calcutta

Tchad

MASSIF ÉTHIOPIEN

GOLFE DU BENGALE

ARCHIPEL DES PHILIPPINES

KARST AU VIÊT-NAM

Ces tourelles et pitons aux flancs vertigineux sont les vestiges d'un immense plateau calcaire attaqué par l'eau.

RIQUE

SRI LANKA

P A C I F I Q U E

CÉLÈBES

Lac Victoria

hasa

▲ Kilimandjaro (5 895 m)

MASSIF AFRICAIN

O C É A N

SUMATRA

BORNÉO

NOUVELLE-GUINÉE

ÎLES SALOMONS

ire

Lac Malawi

JAVA

TIMOR

NLLES-HÉBRIDES

ÎLES FIDJI

mbèze

I N D I E N

NLLE-CALÉDONIE

MADAGASCAR

MTS MAC DONNELL

AUSTRALIE

CORDILLÈRE AUSTRALIENNE

HARI

GRAND DÉSERT DE VICTORIA

e Cap

ÎLES KERGUELEN

Melbourne •

▲ Mt Kosciusko (2 231 m)

NOUVELLE-ZÉLANDE

SOMMETS DE L'HIMALAYA

L'Everest ou Chomolungma culmine à 8 846 m. C'est le plus haut des 15 sommets qui dépassent 8 000 m dans la chaîne de l'Himalaya.

TASMANIE

▲ Mt Cook (3 766 m)

AYERS ROCK EN AUSTRALIE

Ces reliefs singuliers sont constitués de granites très anciens qui ont mieux résisté à l'érosion que les roches environnantes.

T I Q U E

GRANDS LACS AMÉRICAINS

Il y a 30 000 ans environ, un immense glacier a creusé de vastes dépressions qui se sont remplies d'eau lors du réchauffement de la planète. Les Grands Lacs communiquent par une série de canaux et d'écluses avec l'Atlantique par le Saint-Laurent, avec le golfe du Mexique par l'Ohio et le Mississippi.

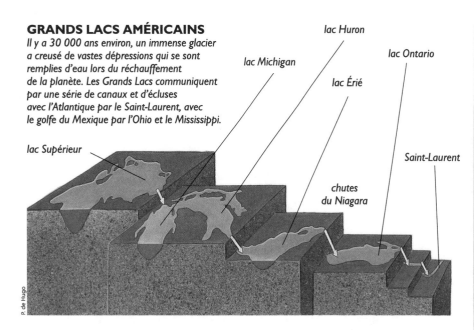

lac Huron

lac Michigan

lac Ontario

lac Érié

Saint-Laurent

lac Supérieur

chutes du Niagara

P. de Hugo

© Explorer / H. Veillet

● RELIEF JURASSIEN

Des couches (ou strates) de roches d'origines diverses ont été déformées et plissées avec la formation des montagnes. Torrents et rivières, glaciers et gel ont plus ou moins érodé ces couches en fonction de leur dureté et de leur disposition.

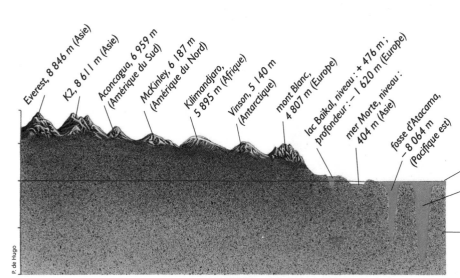

Everest, 8 846 m (Asie)

K2, 8 611 m (Asie)

Aconcagua, 6 959 m (Amérique du Sud)

McKinley, 6 187 m (Amérique du Nord)

Kilimandjaro, 5 895 m (Afrique)

Vinson, 5 140 m (Antarctique)

mont Blanc, 4 807 m (Europe)

lac Baïkal, niveau : + 476 m ; profondeur : − 1 620 m (Europe)

mer Morte, niveau : − 404 m (Asie)

fosse d'Atacama, − 8 064 m (Pacifique est)

niveau moyen des océans (altitude 0)

fosse des Mariannes, − 11 020 m (Pacifique ouest)

P. de Hugo

● LES PLUS HAUTS SOMMETS DE CHAQUE CONTINENT ET LES FOSSES LES PLUS PROFONDES

HIMALAYA ●

La plus haute chaîne du monde comprend, avec la chaîne du Karakorum qui la prolonge, 96 sommets de plus de 7 300 m. Il y a des millions d'années, une mer séparait l'Inde de l'Asie. En s'enfonçant dans l'Asie, l'Inde a soulevé les couches sédimentaires qui s'étaient accumulées au fond de cette mer. Voilà pourquoi on trouve aujourd'hui des fossiles d'animaux marins sur les flancs de l'Himalaya. Au nord, le Tibet est le plus haut et le plus vaste plateau du monde (hauteur moyenne : 5 000 m). Sa formation est également due à la poussée de l'Inde.

© Explorer / C. Boisvieux

La culture du riz

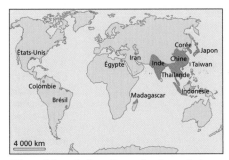

Répartition de la culture du riz en Asie

Cultivé depuis 3 000 ans en Chine et probablement il y a plus de 5 000 ans entre le Tigre et l'Euphrate, dans l'antique Mésopotamie, le riz fait vivre aujourd'hui 3 milliards d'hommes en Asie. Il peut nourrir une population nombreuse... et sa culture demande une main-d'œuvre importante. Voilà pourquoi les régions d'Asie les plus densément peuplées sont celles de la riziculture.

Rizières en terrasses

En Indonésie, pays au climat chaud et humide et au relief accidenté, la culture du riz se fait à flanc de colline, dans un gigantesque jardin en terrasses. C'est aussi le cas dans d'autres pays, comme le Népal, par exemple, où les contreforts de l'Himalaya sont couverts de rizières.

Toute la surface cultivable est utilisée soit pour les canaux et les digues, soit pour les champs eux-mêmes.

© Hoa-Qui / X. Zimbardo

Certaines parcelles ne dépassent pas 2 ou 3 m². Cela impose un mode de culture uniquement manuel. Les bœufs et leur charrue ne peuvent évoluer ici.

L'écoulement de l'eau, et surtout les fortes pluies saisonnières apportées par le vent de mousson, provoquent une érosion importante : la terre des champs doit être régulièrement remontée et les digues reconstruites.

Selon les régions, on peut obtenir deux ou trois récoltes de riz par an, car il fait chaud toute l'année. Des champs de riz mûr côtoient donc des rizières inondées.

Rizières en plaine

Les vallées fluviales, comme ici près de Guilin, en Chine, et les larges deltas enrichis par le limon fertile que charrient les fleuves sont couverts du grand quadrillage des rizières. L'eau du fleuve, captée et guidée par un savant réseau de canaux, permet l'irrigation des champs toute l'année.

Des vannes permettent d'inonder ou d'assécher les parcelles à volonté.

Les digues, moins fragiles en plaine que sur les flancs escarpés des montagnes, nécessitent cependant un travail d'entretien régulier.

Lors des labours, les bœufs évoluent sans difficulté dans les grandes parcelles. Petit à petit, des machines modernes font leur apparition dans les rizières, en particulier pour moissonner : cette opération se fait sur un sol sec et les roues ne risquent pas de s'embourber.

© Explorer / Gardette

PARCELLE EN COURS DE PRÉPARATION
Les digues sont reconstruites à la bêche et le sol de la parcelle est soigneusement nivelé.

PARCELLE INONDÉE
Le sol se détrempe. Il sera bientôt prêt pour le labour.

Les enfants et les vieillards ont la charge des troupeaux de canards : il faut les maintenir sur les digues et les empêcher de manger le riz !

LE LABOUR
Les hommes, enfoncés dans la boue jusqu'à mi-mollet, conduisent les charrues tirées par un ou deux bœufs.

LE REPIQUAG
Ce sont les femmes qui repiquent les jeunes plants de riz dans les parcelles inondées.

LE DÉSHERBAGE
Le riz en herbe couvre la parcelle d'un vert acide. Les femmes et les enfants enlèvent les mauvaises herbes.

Les travaux de la rizière

Toutes les phases des travaux de la rizière sont représentées ici. Même si certains de ces différents travaux peuvent se faire au même moment dans des parcelles proches, il n'arrive jamais, dans la réalité, qu'elles soient toutes simultanées.

LA MOISSON ET LE SÉCHAGE
Lorsque le riz est mûr, hommes et femmes le moissonnent, le plus souvent à la faucille. Puis on en fait de petites bottes que l'on met à sécher dans la rizière.

LE BATTAGE
À l'aide de fléaux, les hommes battent le riz sur l'aire de battage, pour séparer le grain de l'épi.

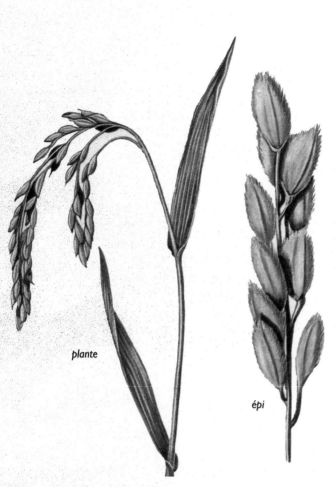

plante

épi

LE BATTAGE

Le plus archaïque se fait au fléau, deux morceaux de bois reliés par une lanière de cuir ou un bout de corde. Dans certaines régions du Népal, on se contente d'étaler les épis sur le chemin et de les faire piétiner par les mules et les troupeaux. Mais il existe aussi des machines spéciales, comme celle-ci, actionnées par une pédale. Certaines d'entre elles permettent à plusieurs personnes de travailler de front.

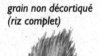

grain non décortiqué (riz complet)

grain décortiqué

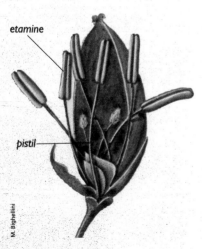

etamine

pistil

LA MOISSON

Les machines font leur apparition dans les rizières de plaines.

Les risques naturels

Les tremblements de terre, les éruptions volcaniques, les cyclones constituent les risques naturels les plus graves par l'étendue géographique qu'ils peuvent prendre et les populations qu'ils peuvent toucher.
Dans certaines conditions, les inondations peuvent provoquer la mort de milliers de personnes.

© Gamma / A. Weiner / Liaison

● **CYCLONE HUGO À LA GUADELOUPE**
Sur les mers soumises à un fort ensoleillement (mer des Caraïbes, golfe du Mexique), l'air chargé en vapeur d'eau peut s'élever rapidement, formant un tourbillon. Régulièrement alimenté en air chaud, le cyclone se déplace alors à grande vitesse pour atteindre et dévaster les îles et les zones littorales des mers chaudes.

Les habitants des régions fortement exposées aux cyclones ont appris à construire des maisons « légères », moins meurtrières en cas de tempête.

Un cyclone peut arracher des toits et faire « voler » des voitures.

ÉRUPTION AUX PHILIPPINES ●
En 1991, l'éruption du Pinatubo (Philippines) envoya dans l'atmosphère un tel nuage de cendres que celui-ci, poussé par les alizés, constitua en quelques jours autour de l'Équateur un anneau complet. En s'opposant au rayonnement solaire, de tels nuages peuvent entraîner un abaissement temporaire des températures de la planète.

© Altitude / P. Bourseiller

© Gamma /

● **TREMBLEMENT DE TERRE AU JAPON**
La catastrophe de Kobé a prouvé des déficiences tant dans la prévention des séismes que dans l'organisation des secours au Japon.

© Explorer / J.P. Saint Marc

● **AVALANCHE DANS LES ALPES**
La construction d'habitations dans les couloirs d'avalanches, liée au tourisme et au mépris des risques naturels, peut entraîner des accidents graves.

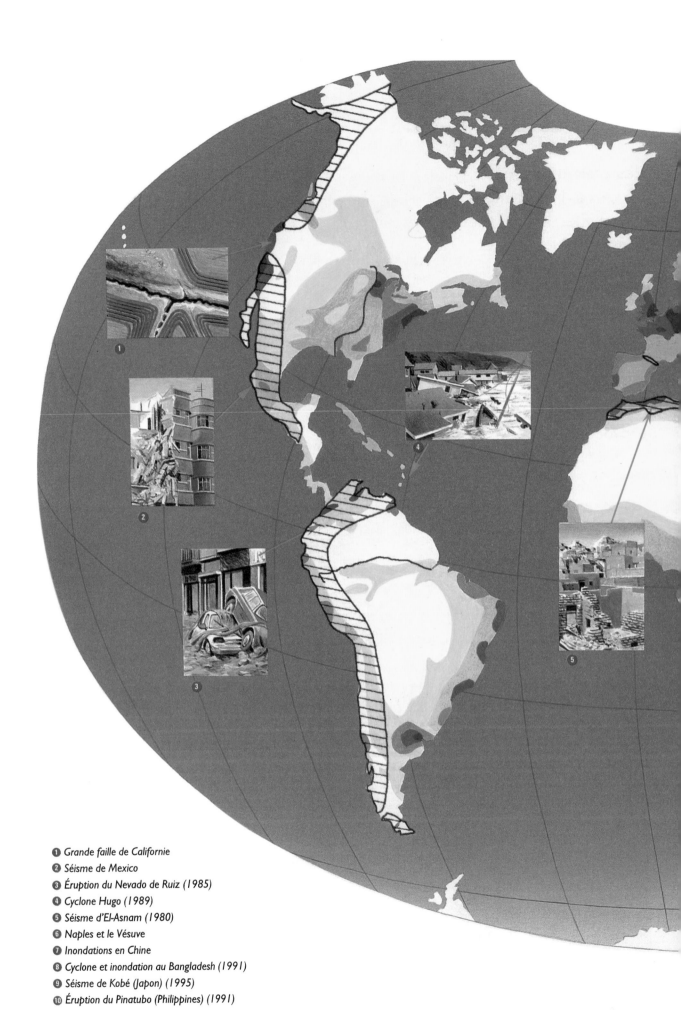

1. Grande faille de Californie
2. Séisme de Mexico
3. Éruption du Nevado de Ruiz (1985)
4. Cyclone Hugo (1989)
5. Séisme d'El-Asnam (1980)
6. Naples et le Vésuve
7. Inondations en Chine
8. Cyclone et inondation au Bangladesh (1991)
9. Séisme de Kobé (Japon) (1995)
10. Éruption du Pinatubo (Philippines) (1991)

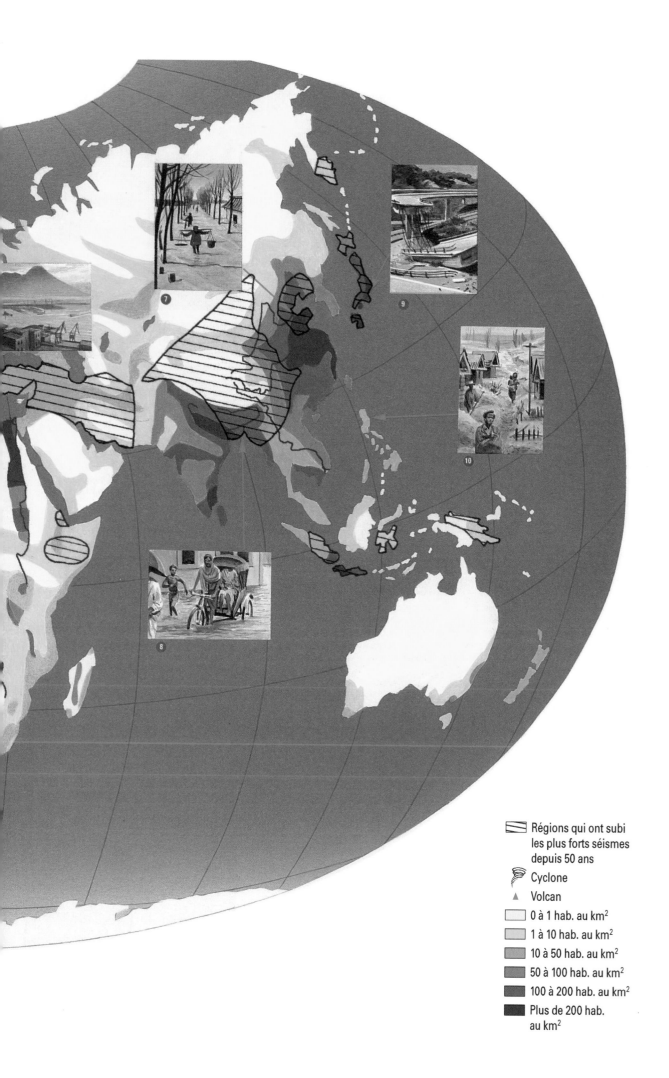

Régions qui ont subi
les plus forts séismes
depuis 50 ans

Cyclone

▲ Volcan

0 à 1 hab. au km²

1 à 10 hab. au km²

10 à 50 hab. au km²

50 à 100 hab. au km²

100 à 200 hab. au km²

Plus de 200 hab.
au km²

INÉGALITÉS
DEVANT LES RISQUES

Certaines populations cumulent les risques naturels comme les Bangladais, les Hollandais ou les Islandais. Mais les risques encourus varient en fonction des aménagements réalisés et des moyens de prévention mis en œuvre, c'est-à-dire du niveau de développement et de richesse du pays. Pauvreté et densité géographique aggravent l'impact des phénomènes naturels.

LE DELTA DU BENGALE AU BANGLADESH

Le Bangladesh est un immense delta où s'entassent 120 millions de personnes. Il cumule des risques hydrauliques et cycloniques. 80 % de la superficie ne s'élèvent pas à plus de deux mètres au-dessus du niveau de la mer et les terres les plus fertiles sont les plus exposées aux inondations. Les digues et les habitations, trop fragiles, ne résistent pas aux intempéries.

Le danger vient d'abord de la mer : raz-de-marée (quand la pression atmosphérique est trop faible), fortes marées et vagues très hautes, formées par un vent violent.

Une autre menace vient du ciel : cyclones et pluies intenses de la mousson. Les grands fleuves qui descendent de l'Himalaya, Gange et Brahmapoutre, ont des crues aussi violentes que soudaines.

EN ISLANDE, DE GROS DANGERS...

En Islande, à la limite du cercle polaire, 260 000 habitants cohabitent avec les volcans, les glaciers et le vent, sur 102 000 km². Il existe deux cents volcans actifs, c'est-à-dire susceptibles d'entrer en éruption ! (Une tous les cinq ans environ !)

...ET UNE BONNE PROTECTION

Les Islandais ont un très fort sentiment d'insécurité, mais leur faible densité démographique ainsi que leur système de prévision très poussé pourront peut-être éviter que ne se reproduise la catastrophe de 1783 : 8 000 personnes avaient été tuées par le volcan Laki.

LE FEU SOUS LA GLACE

En octobre 1996, l'éruption du volcan Grimsvötre, sous le Vatnajökull, le plus grand glacier islandais, a fait naître un lac sous-glaciaire de plusieurs milliards de m³. Au-dessus du volcan, la glace a fondu et une rivière s'est créée. Les eaux de la rivière et du lac sous-glaciaire sont parvenues à la limite du glacier, entraînant avec elles ponts et routes vers l'océan.

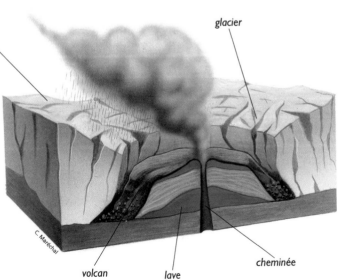

glacier

volcan   lave   cheminée

LES RISQUES INDUSTRIELS

Les hommes sont responsables d'une partie des risques de la planète. Ce sont des risques industriels et technologiques : centrales nucléaires qui explosent et irradient (Tchernobyl), usines chimiques et leurs émanations toxiques (Bhopal, Seveso...), déchets industriels de toutes sortes sur les continents et au fond des océans (Europe du Nord, Alaska...). Mais il est difficile d'établir une carte des risques industriels pour plusieurs raisons. Par exemple, les régions les plus fortement industrialisées des pays développés ne sont pas nécessairement les plus dangereuses ni les plus menacées, les conditions de sécurité y étant souvent renforcées.

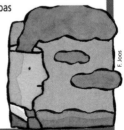

292

À bord d'un chalutier

Le métier de marin pêcheur varie beaucoup en fonction des bateaux de pêche sur lesquels les hommes embarquent. Entre le petit patron qui navigue à la journée et les équipages qui partent pour une campagne de plusieurs mois, il y a peu de points communs.

DES CHALUTIERS TRÈS DIFFÉRENTS

Ces bateaux de pêche industrielle sont utilisés en Atlantique nord et dans le Pacifique. Leur longueur varie de 15 m pour les petits crevettiers à plus de 100 m pour les chalutiers usines. Pour le marin, le rythme et la nature du travail diffèrent selon la taille et l'équipement du bateau.

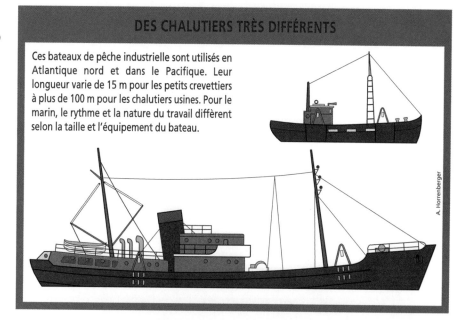

A. Horrenberger

UNE JOURNÉE DE PÊCHE CÔTIÈRE

La pêche artisanale, très présente sur les côtes françaises, est effectuée sur de très petits bateaux. Le patron pêche seul ou avec un homme d'équipage capable de tout faire à bord, de la navigation à la pêche en passant par la réparation du moteur. Ils sortent pour la journée et pratiquent la pêche côtière.

Selon les horaires de marées, les bateaux sortent plus ou moins tôt. Ils partent « pour la marée » et rentrent donc environ 6 heures plus tard. À bord, filets et casiers sont préparés, le plein de fuel est fait et les casse-croûte rangés à l'abri.

© Hoa-Qui / P. Plisson

● *Les casiers sont posés en bord de côte, sur des hauts-fonds connus des pêcheurs. Ces engins de pêche artisanaux permettent de prendre crabes, araignées, crevettes et autres crustacés. Filets et casiers sont posés le matin et relevés le lendemain.*

© Hoa-Qui / P. Plisson

● *Après la pêche, il faut encore décharger le poisson pour le porter à la criée (le marché), nettoyer à grande eau le pont et les cales, réparer filets et casiers abîmés et vérifier le moteur. Chaque homme sera payé en fonction de la quantité de poisson pêché. Une part est toujours réservée aux frais du bateau.*

© Explorer / S. Cordier

UN CHALUTIER CONGÉLATEUR

Les bateaux de pêche d'aujourd'hui sont de véritables usines flottantes et les hommes qui y travaillent des spécialistes. Chacun y a sa spécialité (cuisine, mécanique...), qu'il exerce en plus de la pêche proprement dite.

PORTIQUES

Les portiques supportent le mécanisme permettant de haler les filets. Celui de l'avant s'appelle portique de proue, celui de l'arrière portique de poupe. À l'aide de poulies et de câbles, les prises sont avancées et déversées sur le pont.

VIDE-POCHES

Le filet plein est halé à bord et déversé vers la centrale de froid par une porte appelée « cul de chalut ».

RAMPE ARRIÈRE

Cette rampe d'accès située à l'arrière (la poupe) permet de remonter le filet plein. Les chalutiers plus anciens remontent encore les filets par le côté.

TAMBOUR

Le filet vide est enroulé autour d'un tambour.

DÉVERSOIR

Le déversoir est un toboggan qui amène le poisson du pont vers la salle de travail.

CONGÉLATEUR

Il peut congeler jusqu'à 30 tonnes de poisson par jour, sous forme de blocs de 50 kg. Il faut environ une heure pour congeler un bloc. L'équipage charge ensuite ces blocs sur un convoyeur qui les transporte dans la centrale de froid.

SALLE DE TRAVAIL

On y trouve une machine pour laver le poisson, une pour le vider, une guillotine pour enlever la tête des poissons vendus en filets.

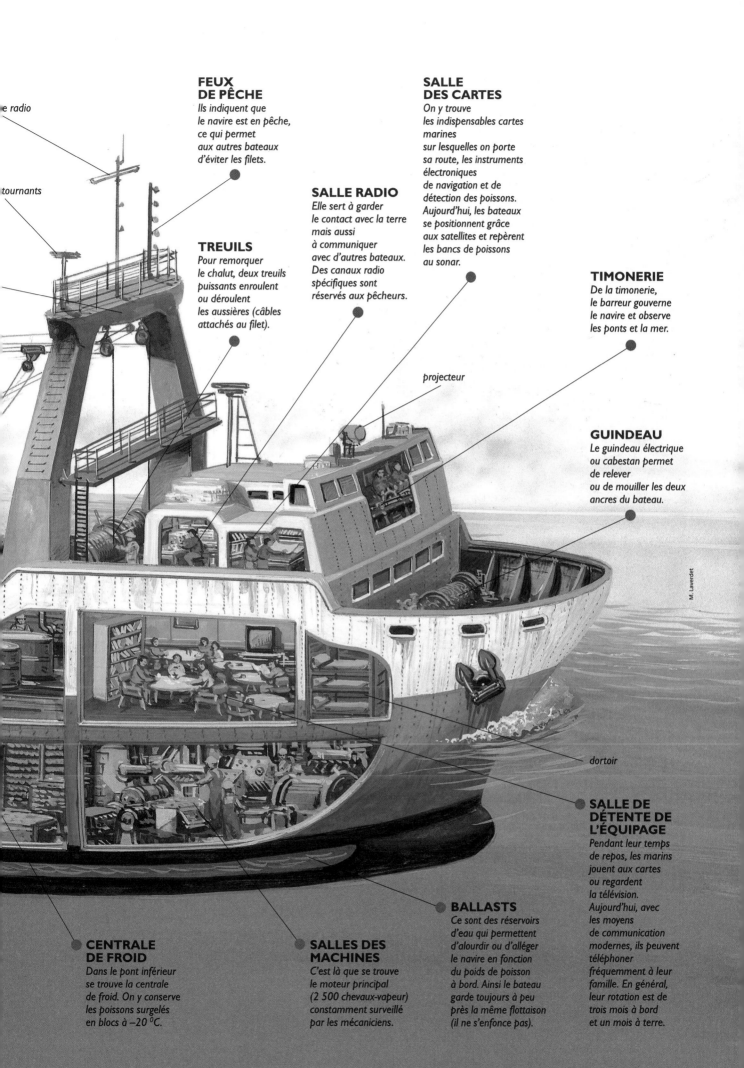

e radio

tournants

FEUX DE PÊCHE
Ils indiquent que
le navire est en pêche,
ce qui permet
aux autres bateaux
d'éviter les filets.

TREUILS
Pour remorquer
le chalut, deux treuils
puissants enroulent
ou déroulent
les aussières (câbles
attachés au filet).

SALLE RADIO
Elle sert à garder
le contact avec la terre
mais aussi
à communiquer
avec d'autres bateaux.
Des canaux radio
spécifiques sont
réservés aux pêcheurs.

SALLE DES CARTES
On y trouve
les indispensables cartes
marines
sur lesquelles on porte
sa route, les instruments
électroniques
de navigation et de
détection des poissons.
Aujourd'hui, les bateaux
se positionnent grâce
aux satellites et repèrent
les bancs de poissons
au sonar.

TIMONERIE
De la timonerie,
le barreur gouverne
le navire et observe
les ponts et la mer.

projecteur

GUINDEAU
Le guindeau électrique
ou cabestan permet
de relever
ou de mouiller les deux
ancres du bateau.

dortoir

M. Laverdet

SALLE DE DÉTENTE DE L'ÉQUIPAGE
Pendant leur temps
de repos, les marins
jouent aux cartes
ou regardent
la télévision.
Aujourd'hui, avec
les moyens
de communication
modernes, ils peuvent
téléphoner
fréquemment à leur
famille. En général,
leur rotation est de
trois mois à bord
et un mois à terre.

BALLASTS
Ce sont des réservoirs
d'eau qui permettent
d'alourdir ou d'alléger
le navire en fonction
du poids de poisson
à bord. Ainsi le bateau
garde toujours à peu
près la même flottaison
(il ne s'enfonce pas).

SALLES DES MACHINES
C'est là que se trouve
le moteur principal
(2 500 chevaux-vapeur)
constamment surveillé
par les mécaniciens.

CENTRALE DE FROID
Dans le pont inférieur
se trouve la centrale
de froid. On y conserve
les poissons surgelés
en blocs à –20 °C.

LA VIE À BORD

L'équipage au travail porte des vareuses et des salopettes imperméables en classique ciré jaune ainsi que des bottes pour se protéger des embruns et de l'humidité. Les gants ne sont guère appréciés car ils ralentissent le travail sur le poisson.

L'équipage des marins pêcheurs vit dans des cabines très exiguës, mais dispose également d'espaces collectifs, comme la salle à manger ou la salle de repos.

Le poisson n'est plus vidé à la main, c'est une machine qui effectue ce travail. La plupart des opérations sont d'ailleurs mécaniques. Ainsi la guillotine coupe la tête des poissons vendus en filets, pour économiser de la place de stockage. Cependant il faut toujours des hommes pour manipuler les poissons.

LE LIVRE DE BORD

Document obligatoire sur tous les navires, le livre de bord est rempli régulièrement par le capitaine, qui y note les indications météorologiques, la direction (cap) du bateau et les événements marquant de la vie à bord. Les lieux de pêche sont souvent tenus secrets à cause de la concurrence.

Livre de bord de « La Mouette de Concarneau »

Heure	Vent dir.	force	Baromètre (hectopascals)	Mer	Visibilité (milles)	Cap	Commentaires
6 h	NW	3-4	1 033	belle	5-10	170	Départ pour zone de pêche. Repéré au sonar un banc de thons.
12 h	N-NW	6-7	1 028	agitée à forte	3-5	sur zone	Le vent a forci. Grains occasionnels. Travail difficile mais bonne pêche.
18 h	NW	4-5	1 030	agitée	5-10	90	Le temps s'est calmé. Quittons lieu de pêche.
22 h	NW	3	1 035	belle	5-10	90	Tout est calme. Les hommes de quart veillent. Encore des grains annoncés pour demain.

UNE OASIS DANS LE DÉSERT SAHARIEN

C'est en combinant plusieurs activités – agriculture, arboriculture, élevage mais aussi commerce, contrôle du désert et des pistes des caravanes –, que les oasis se sont développées et ont pu émerger du désert. Surpeuplées, les oasis traditionnelles abritent les seuls habitants sédentaires du désert. Jadis, elles étaient les points de rencontre des nomades et des caravanes transportant l'or et le sel et amenant les esclaves depuis les empires noirs du Sud.

L'oasis

Un îlot de verdure fragile, en plein désert : l'oasis ne doit sa survie qu'au travail minutieux et constant des hommes et à une organisation sociale et économique très poussée.

L'OASIS DE LA VALLÉE DU NIL

Elle forme un long ruban de plus de 1 000 km. L'eau du Nil provient des plateaux éthiopiens, au sud, où les pluies sont généralement abondantes.

LE SOUF ALGÉRIEN

Dans le désert de sable (erg), les hommes ont creusé de larges cuvettes (ghout). Les racines des palmiers plantés au fond peuvent ainsi atteindre la nappe phréatique. Arbres et cultures sont à l'abri des vents secs et chauds dans les oasis de Tisserkpouk et de Tarhouzi.

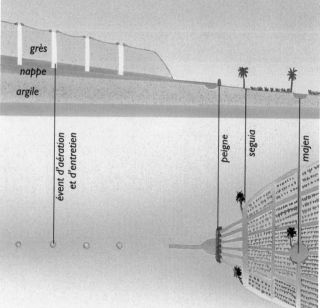

grès

nappe

argile

évent d'aération et d'entretien

peigne

seguia

majen

LA FOGGARA SAHARIENNE

Au XIIIe siècle, dans l'oasis de Tozeur (Sud tunisien), le mathématicien Ibn Chabbat inventa le réseau d'irrigation et de distribution de l'eau que l'on nomme foggara. Des peignes ou embranchements successifs répartissaient l'eau à partir d'une canalisation initiale. Des esclaves, y compris des enfants, assuraient la construction et l'entretien de ces réseaux.

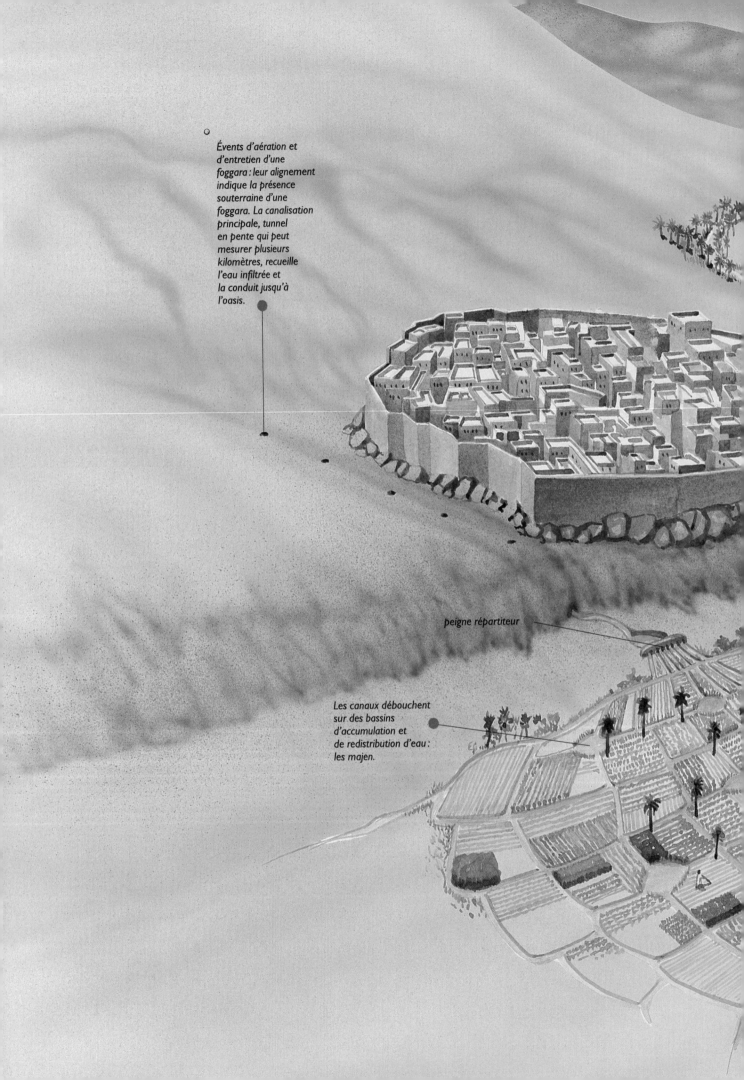

*Évents d'aération et
d'entretien d'une
foggara : leur alignement
indique la présence
souterraine d'une
foggara. La canalisation
principale, tunnel
en pente qui peut
mesurer plusieurs
kilomètres, recueille
l'eau infiltrée et
la conduit jusqu'à
l'oasis.*

peigne répartiteur

*Les canaux débouchent
sur des bassins
d'accumulation et
de redistribution d'eau :
les majen.*

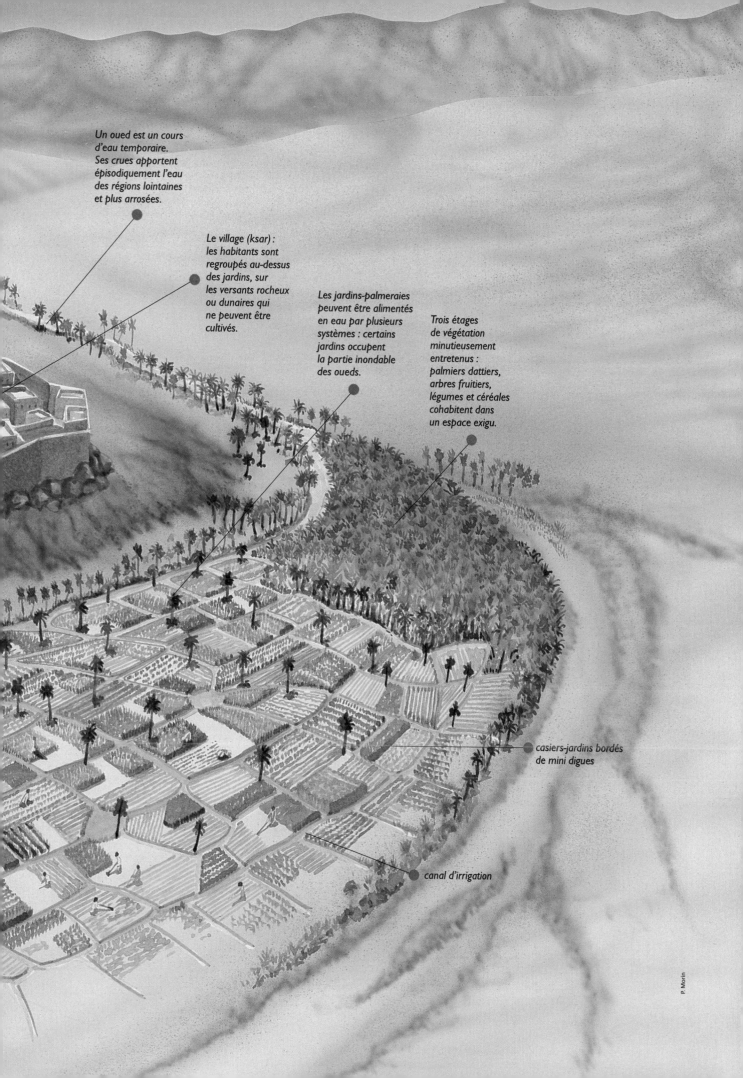

Un oued est un cours d'eau temporaire. Ses crues apportent épisodiquement l'eau des régions lointaines et plus arrosées.

Le village (ksar) : les habitants sont regroupés au-dessus des jardins, sur les versants rocheux ou dunaires qui ne peuvent être cultivés.

Les jardins-palmeraies peuvent être alimentés en eau par plusieurs systèmes : certains jardins occupent la partie inondable des oueds.

Trois étages de végétation minutieusement entretenus : palmiers dattiers, arbres fruitiers, légumes et céréales cohabitent dans un espace exigu.

casiers-jardins bordés de mini digues

canal d'irrigation

P. Morin

● OASIS MODERNES AU QATAR

À l'inverse des oasis traditionnelles,
les oasis modernes ont une faible densité
d'habitants et elles se sont fortement mécanisées.
Les capitaux de certains pays (c'est le cas des pays
à forts revenus pétroliers) et la technologie
permettent de créer des espaces de culture
dans les zones arides autrefois inhabitées.
Sur les déserts côtiers de la péninsule arabique,
des usines de dessalinisation alimentent
des oasis d'un type nouveau avec de l'eau de mer.

● IRRIGATION DU SUD-OUEST ÉGYPTIEN

Une grande mutation s'opère dans les anciennes
oasis de Kharga et Dakhla (Sud-Ouest égyptien).
Le lac Nasser a été conçu pour réguler le Nil :
il permet d'éviter les inondations, de constituer
des réserves d'eau. Grâce à lui, 200 000
nouveaux hectares ont été mis en culture dans
les oasis. Quand le niveau du lac sera
suffisamment élevé, l'eau se déversera dans
un nouveau lac artificiel situé à 22 km en
contrebas. Le canal Zahed (800 km de long),
creusé à partir de 1996, est destiné
à alimenter les oasis.

● L'IMPERIAL VALLEY AU SUD DE LA CALIFORNIE

200 000 hectares de cultures irriguées :
cette immense oasis moderne est alimentée
par un lac artificiel, le Salton Sea, et par un
aqueduc de 387 km de long et d'un débit de
4 millions de m³ par jour, branché sur le Colorado.
Plus de 80 % de l'eau sont absorbés par
l'agriculture. En augmentant leurs rendements,
les nouvelles oasis entrent en conflit avec
les industries et les villes, grandes consommatrices
d'eau également. Dans une région aussi
développée en technologie que la Californie,
l'approvisionnement en eau redevient
un problème majeur.

Le fleuve, de la source à la mer

Les cours d'eau sont de grands sculpteurs de l'écorce terrestre.
Du glacier ou des précipitations aux lacs, aux mers et aux océans, chaque fleuve a son parcours et son histoire, jusqu'à son exploitation par l'Homme.

LE CYCLE DE L'EAU ET LA FORMATION DES COURS D'EAU

L'air plus froid favorise les précipitations, qui tombent donc en quantité plus importante sur les reliefs.

Le soleil chauffe la surface de la Terre.

Le vent pousse les nuages.

L'eau de la mer ou des lacs s'évapore. Sa condensation, ainsi que l'humidité qui émane de la végétation (évapotranspiration), donnent lieu à la formation des nuages.

Les montagnes freinent le déplacement des nuages.

Si la température est inférieure à 4 °C sur les sommets, la neige peut tomber et s'accumuler selon la forme du terrain, puis se transformer peu à peu en glace sous l'effet de son propre poids.

R. Roussel

© Hoa-Qui / Bourseiller

● Une source sort de terre à l'endroit où une couche imperméable, sur laquelle l'eau souterraine coule, affleure à la surface. L'eau, filtrée à travers les roches et le sable, est souvent dépourvue de bactéries, potable et riche en sels minéraux (fer, calcium, magnésium…). La chaleur interne de la Terre chauffe certaines sources, dans certains cas jusqu'à les faire bouillir, comme pour les **geysers**.

© Altitude / J.Wark

© Altitude / F. Lechenet

● La fonte des neiges et des **glaciers** donne naissance à des cours d'eau, mais aussi à des infiltrations d'eau dans le sous-sol. Ce sont ces dernières qui, après un long parcours souterrain, peuvent confluer (se rejoindre) et surgir du terrain beaucoup plus en aval sous forme de source.

● En surface ou en sous-sol, les cours d'eau peuvent rencontrer des poches nappées de roches imperméables ou de terre argileuse, et donner ainsi naissance à des lacs. Le fleuve, rejoint par de nombreux affluents amenant leur débit d'eau, arrivera, après un long parcours, jusqu'à la mer. Tous les fleuves se jettent dans les mers et les océans, qui accueillent aussi l'eau souterraine. Le lieu où le fleuve se jette dans la mer est appelé **embouchure**.

LE FLEUVE ET L'HOMME

❶ *Lorsque le cours d'un fleuve est barré par une digue, il se forme en amont un lac de retenue dont les eaux peuvent alimenter une centrale hydro-électrique.*

❷ *Les centrales nucléaires et de nombreuses industries utilisent l'eau comme liquide de refroidissement : il leur en faut d'énormes quantités (100 t d'eau sont nécessaires à la fabrication d'une tonne d'acier).*

❸ *Le fleuve constitue souvent un obstacle aux communications terrestres. Un peu partout, de grands ponts modernes ont remplacé les passeurs et les barques d'autrefois.*

❹ *Lorsque ses rives sont pittoresques, le fleuve peut être exploité pour le tourisme.*

❺ *Les fleuves sont une source d'eau abondante : eau potable destinée aux habitants, eau à usage industriel. Un port fluvial permet l'accostage des bateaux et des péniches.*

❻ *Les eaux polluées des villes sont épurées avant d'être reversées dans le fleuve.*

❼ ❽ *Des canaux artificiels permettent d'utiliser l'eau des fleuves pour irriguer les champs.*

❾ ❿ ⓫ ⓬ ⓭ *Le transport fluvial reste, de nos jours, un moyen très pratique pour acheminer des marchandises lourdes et encombrantes, comme le charbon, le sable, des minerais… Pour faciliter ce trafic, on a construit des canaux et des écluses. La partie non utilisée par le trafic fluvial peut servir au flottage des troncs d'arbres, qui sont ainsi transportés à peu de frais vers les scieries ou les usines.*

⓮ *Jusqu'au siècle dernier, les roues des moulins à eau servaient à actionner les meules et d'autres machines à usage artisanal. Quelques moulins sont encore en fonction de nos jours.*

⓯ ⓰ *Les eaux des fleuves, en particulier dans les bras stagnants du delta ou dans les bassins d'élevage piscicole, abritent de nombreuses espèces de poissons d'eau douce.*

⓱ *Les fleuves charrient du sable et des graviers qui se déposent peu à peu sur le fond de leur lit.*

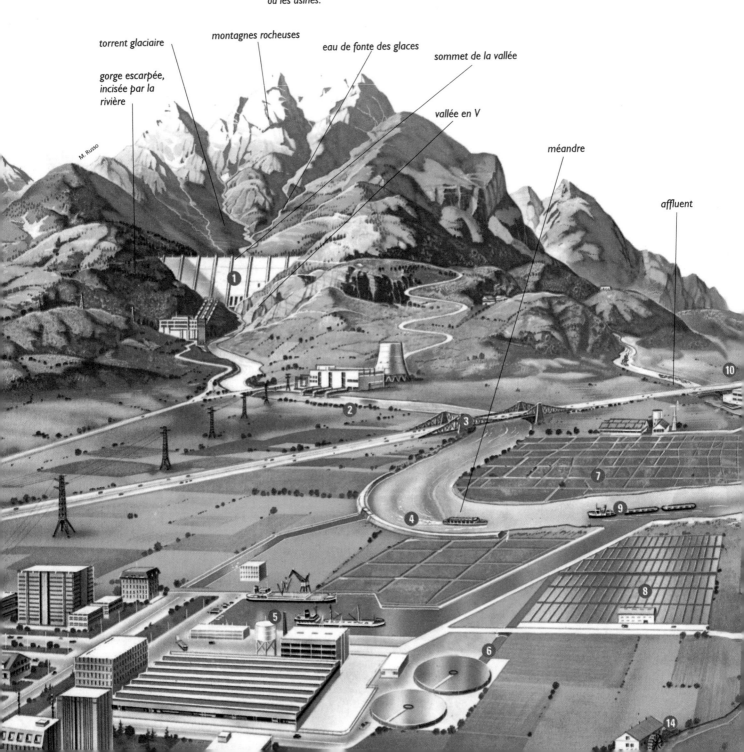

torrent glaciaire

montagnes rocheuses

eau de fonte des glaces

sommet de la vallée

gorge escarpée, incisée par la rivière

vallée en V

méandre

affluent

M. RUSSO

LA FORMATION D'UN DELTA

Si l'amplitude des marées est faible, un delta se forme. Le fleuve charrie des alluvions (sables et graviers) qui s'accumulent à l'embouchure, car le courant perd de puissance à cet endroit.

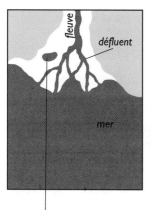

fleuve

défluent

mer

sédiments déposés
par le fleuve

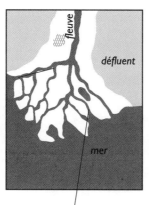

fleuve

défluent

mer

sédiments déposés
par le fleuve

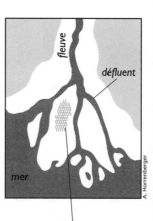

fleuve

défluent

mer

sédiments déposés
par le fleuve

A. Horrenberger

DELTA OU ESTUAIRE ?

● Là où l'amplitude de la marée est faible, les détritus (sable et graviers) s'accumulent en formant des cordons de terre et des îlots. Le fleuve se divise alors en plusieurs ramifications et dessine un delta, comme celui du Rhône.

● Là où la mer est agitée par de fortes marées, le fleuve n'a pas le temps d'accumuler ses alluvions, emportées au loin par les eaux marines. Son embouchure prend alors la forme caractéristique d'un entonnoir, dans lequel le fleuve et la mer mélangent leurs eaux : c'est un estuaire, comme celui de la Seine.

Un delta est ainsi nommé

parce qu'il a la forme triangulaire de la majuscule de la quatrième lettre de l'alphabet grec (Δ).

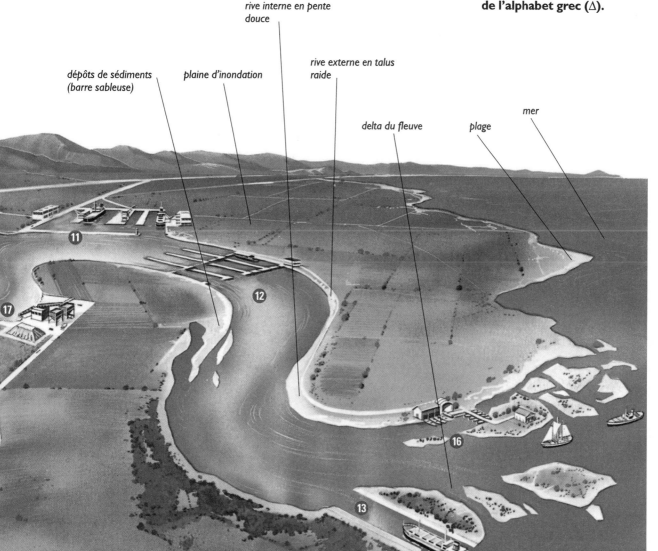

rive interne en pente douce

rive externe en talus raide

dépôts de sédiments
(barre sableuse)

plaine d'inondation

delta du fleuve

plage

mer

11

17

12

16

13

CANAUX ET ÉCLUSES

*Afin d'exploiter les fleuves en tant que voies de circulation, l'Homme doit intervenir sur leur forme. Il diminue ainsi certaines sinuosités excessives pour que les bateaux puissent manœuvrer plus facilement. Il met également en place des solutions techniques qui permettront aux bateaux de passer d'un fleuve à un autre, et de remonter ou descendre leur cours malgré des dénivellations importantes, en construisant des **écluses**.*

Fermé par des portes munies de vannes, ce sas permet de séparer momentanément des tronçons d'un même fleuve, afin d'y faire monter ou descendre le niveau de l'eau.

Un **canal** est un ouvrage d'art qui « corrige » le parcours d'un fleuve afin d'estomper les difficultés de navigation. On peut aménager un canal latéral lorsqu'il est malaisé ou impossible de « corriger » le parcours du fleuve afin de le rendre navigable.

BARRAGES

L'Homme intervient sur l'écoulement des cours d'eau afin de protéger une zone qui pourrait être envahie par ces eaux, de dévier un fleuve ou de le contenir. Il stocke également l'eau en vue de l'utiliser pour l'irrigation ou la production d'énergie hydro-électrique. Un barrage consiste essentiellement en un grand mur très solide qui permet de retenir l'eau. Dans certains cas, la force de l'eau est utilisée pour actionner des turbines qui permettront la production d'énergie électrique.

Les barrages construits dans les vallées étroites sont en forme de voûte, afin de répartir uniformément la formidable poussée qu'exerce l'eau de retenue sur l'ouvrage. La poussée la plus importante s'exerçant au centre, la forme convexe vers l'aval du barrage permet de « déplacer » en partie cette poussée vers les bords.

Les mers du monde

Les océans et les mers occupent 71 % de la surface de la Terre (361 millions de km²) et représentent une masse d'eau salée de 1 200 milliards de m³ ! Leur profondeur moyenne est de 3 800 m.

© Explorer / J. P. Nacivet

LES FJORDS

Aux époques de refroidissement de la planète, les langues glaciaires se sont étendues et le niveau des mers a baissé. Les glaciers ont pu creuser des vallées profondes, les fjords. Quand le climat de la Terre s'est réchauffé, ces glaciers ont en partie fondu, provoquant une remontée du niveau des mers, qui ont alors envahi les fjords.
Ce type de relief existe aussi sur la côte de l'Alaska, du Canada et de la Sibérie.

© Explorer / R. Baumgartner

LES ISTHMES

Un isthme est une étroite bande de terre entre deux mers. Il n'existe que deux grands isthmes sur la planète : Panama et Suez, chacun pourvu d'un canal. C'est à la fin du XIXᵉ siècle, que les hommes ont entrepris le creusement de ces canaux gigantesques, pour raccourcir les routes maritimes. Le canal de Panama permettait ainsi d'éviter le terrible passage du cap Horn et une longue route jusqu'aux côtes de Californie.
Le canal de Suez, quant à lui, a permis d'éviter de contourner l'Afrique.

© Explorer / S. Cordier

© Explorer / J. Valentin

LA MANGROVE

Dans la mangrove, forêt côtière des pays tropicaux, les arbres situés sur la partie du littoral temporairement immergée par la marée supportent la présence intermittente du sel (on les appelle « halophiles »). On retrouve les mangroves aux abords des mers tropicales et équatoriales : côte africaine, côte de Madagascar, côte amazonienne et côtes de l'Asie du Sud-Est.

LES FALAISES

La mer attaque, par érosion et dissolution, les plateaux de craie à silex. Les silex subsistent au pied des falaises sous forme de galets. D'autres plateaux, de grès cette fois, se délitent face à la mer, pour s'effondrer et former des plages de sable, au pied des à-pic.

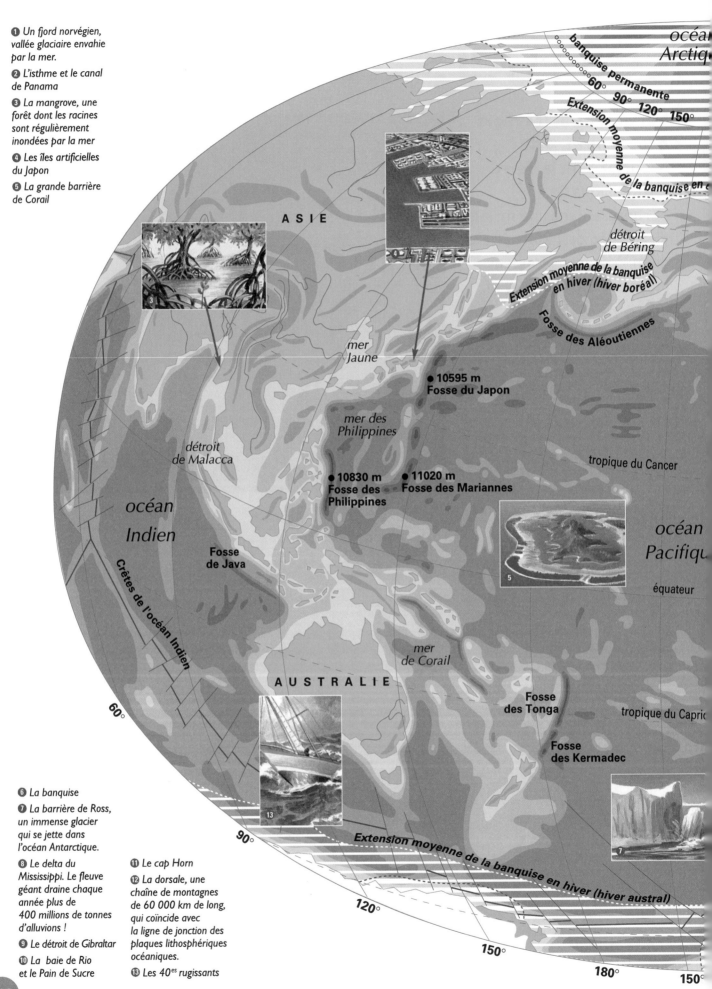

❶ Un fjord norvégien, vallée glaciaire envahie par la mer.

❷ L'isthme et le canal de Panama

❸ La mangrove, une forêt dont les racines sont régulièrement inondées par la mer

❹ Les îles artificielles du Japon

❺ La grande barrière de Corail

océan Arctiq

banquise permanente
60° 90° 120° 150°

Extension moyenne de la banquise en

ASIE

détroit de Béring

Extension moyenne de la banquise en hiver (hiver boréal)

Fosse des Aléoutiennes

mer Jaune

● 10595 m
Fosse du Japon

mer des Philippines

détroit de Malacca

tropique du Cancer

● 10830 m
Fosse des Philippines

● 11020 m
Fosse des Mariannes

océan Indien

océan Pacifiqu

équateur

Fosse de Java

Crêtes de l'océan Indien

mer de Corail

AUSTRALIE

Fosse des Tonga

tropique du Capri

Fosse des Kermadec

60°

❻ La banquise

❼ La barrière de Ross, un immense glacier qui se jette dans l'océan Antarctique.

❽ Le delta du Mississippi. Le fleuve géant draine chaque année plus de 400 millions de tonnes d'alluvions !

❾ Le détroit de Gibraltar

❿ La baie de Rio et le Pain de Sucre

⓫ Le cap Horn

⓬ La dorsale, une chaîne de montagnes de 60 000 km de long, qui coïncide avec la ligne de jonction des plaques lithosphériques océaniques.

⓭ Les 40es rugissants

90°

Extension moyenne de la banquise en hiver (hiver austral)

120°

150°

180°

150°

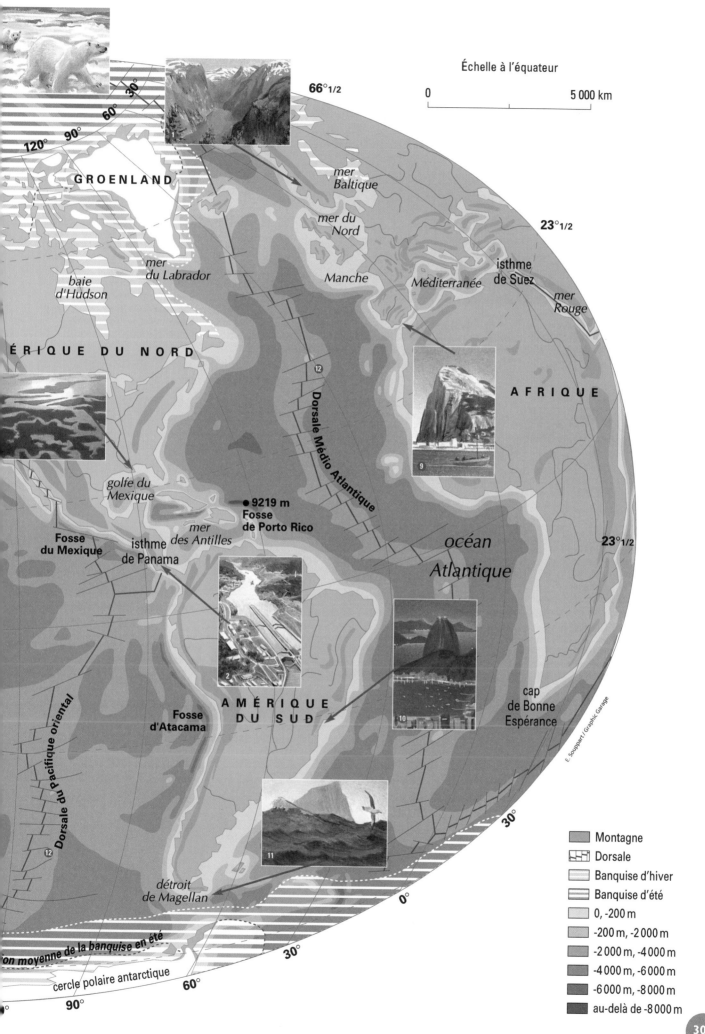

Échelle à l'équateur

0   5 000 km

66°1/2

23°1/2

23°1/2

GROENLAND

mer
Baltique

mer du
Nord

Manche

Méditerranée

isthme
de Suez

mer
Rouge

baie
d'Hudson

mer
du Labrador

ÉRIQUE DU NORD

AFRIQUE

golfe du
Mexique

● 9219 m
**Fosse
de Porto Rico**

**Fosse
du Mexique**

isthme
de Panama

mer
des Antilles

Dorsale Médio Atlantique

**océan
Atlantique**

**Fosse
d'Atacama**

**AMÉRIQUE
DU SUD**

cap
de Bonne
Espérance

Dorsale du Pacifique oriental

30°

détroit
de Magellan

0°

…on moyenne de la banquise en été

cercle polaire antarctique

30°

60°

90°

120°

90°

60°

30°

E. Soupart / Graphic Garage

30°

Montagne

Dorsale

Banquise d'hiver

Banquise d'été

0, -200 m

-200 m, -2 000 m

-2 000 m, -4 000 m

-4 000 m, -6 000 m

-6 000 m, -8 000 m

au-delà de -8 000 m

ARCHIPELS CORALLIENS

On ne rencontre d'îles ou de barrières de corail que dans les mers chaudes. Elles sont en effet édifiées par des colonies d'organismes vivants, le corail, qui ne supportent que les eaux chaudes. Les principaux archipels se trouvent dans le Pacifique (Polynésie, abords de l'Australie, Nouvelles-Hébrides) et dans l'océan Indien. Sur 2 400 km de long, atteignant par endroits une profondeur de 2 500 m, la grande barrière de Corail d'Australie est la plus gigantesque.

ICEBERGS

Ce sont les glaciers qui, glissant sur le continent et parvenus au bord des côtes, libèrent de grands blocs : les icebergs. La glace des icebergs est donc d'origine continentale, contrairement à la banquise. Les icebergs dérivent sur l'océan pendant des mois, voire des années, avant de fondre complètement. On les rencontre le long des côtes du Groenland et de l'Antarctique.

La hauteur émergée (jusqu'à 80 m) représente seulement 1/10 de la hauteur totale de l'iceberg.

L'iceberg le plus grand

jamais observé au large de l'Antarctique faisait 350 km de long sur 60 km de large !

BANQUISE

La mer gèle à partir de −1,8 °C. Elle forme alors la banquise, dont la superficie varie en fonction des saisons et des courants froids. Au cours de l'hiver boréal (hémisphère Nord), des glaces côtières peuvent se former jusqu'à l'embouchure du Saint-Laurent et à Vladivostok, (à la même latitude que la Bretagne). Il n'existe de banquise permanente que dans les régions polaires. Au centre de l'océan Arctique, la banquise permanente, ou pack, a une épaisseur moyenne de 3 m. Par endroits cette épaisseur peut atteindre 20 m.

DÉTROITS

Les détroits, chenaux maritimes entre deux continents, sont des lieux de passage stratégiques. La planète compte beaucoup plus de détroits que d'isthmes : parmi eux, les détroits de Malacca, à la hauteur de Singapour ; de Béring, entre l'Alaska et la Sibérie ; de Magellan, à l'extrémité sud de l'Amérique ; de Sund, entre mer du Nord et mer Baltique ; du Bosphore, en Turquie (sur la photo), et de la Manche, entre Grande-Bretagne et France...

GRANDS DELTAS

La pente étant très faible au niveau de l'embouchure des grands fleuves, une part importante des alluvions se dépose, formant un delta sur le plateau continental et un cône de déjection. Le fleuve doit alors emprunter plusieurs chenaux pour arriver à la mer. Les grands deltas du monde sont ceux du Nil (Afrique), du Huang-He, du Mékong, de l'Irrawaddy (Asie) et du Mississippi (Amérique). Au Bengale (Asie), un delta réunit les embouchures de deux grands fleuves : le Gange et le Brahmapoutre.

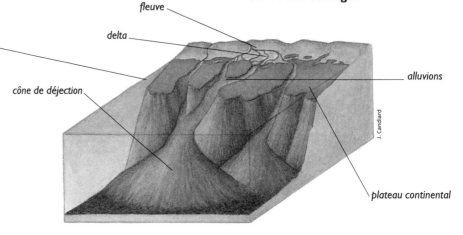

fleuve

delta

cône de déjection

alluvions

plateau continental

Sciences

Le laboratoire de physique

Le mot « laboratoire » vient du latin *laborare* qui signifie « travailler ». Le laboratoire de physique, équipé de divers appareils, d'instruments et de machines, permet aux physiciens de s'adonner à leurs recherches. Mais, la physique étant une discipline très vaste, chaque laboratoire est spécialisé dans un domaine, généralement très restreint.

DES SIÈCLES D'ÉCART

Les technologies ont évolué, et l'instrumentation aussi, surtout depuis l'avènement de l'électronique et de l'informatique. Seul point commun entre le laboratoire de Marie Curie (début du XXᵉ s.) et ce laboratoire moderne : la recherche effectuée par des physiciens...

Les laboratoires de recherche pure sont ceux des grandes écoles comme l'École polytechnique, l'École normale supérieure, les laboratoires universitaires, les laboratoires des grands organismes publics, tels le CNRS (Centre national de recherche scientifique), le CEA (Commissariat à l'énergie atomique), etc. Leur recherche a un but pédagogique et sert à « faire avancer la science ».

LA RECHERCHE : PURE OU APPLIQUÉE

Il existe deux grands types de laboratoires de recherche en France : d'une part les laboratoires scientifiques où l'on fait de la recherche pure, d'autre part les laboratoires industriels de recherche appliquée.

Les laboratoires de recherche appliquée sont les laboratoires des grandes entreprises. La recherche qui y est menée doit aboutir à des applications industrielles et commerciales.

© Cosmos / S.P.L. / Csiro / G. Lane

M. Laverdet

© Explorer / T. Borredon

© Explorer / H. Morgan

CLOCHE À VIDE

Certaines expériences doivent être réalisées sous une pression très réduite, proche du vide : les chercheurs utilisent alors une pompe et une cloche à vide.

ORDINATEUR

L'informatique est un outil indispensable pour les scientifiques. Dans un laboratoire, un ordinateur permet d'« enregistrer », de recueillir tous les résultats d'une série d'expériences. Avec l'aide d'un logiciel adapté, c'est-à-dire d'un programme informatique spécialement conçu pour cela, les résultats seront analysés rapidement et l'expérience comparée à la théorie.

ALIMENTATION ÉLECTRIQUE

Elle sert à alimenter un circuit électrique. Le courant qu'elle délivre peut être alternatif ou continu, et sa tension est réglable.

LASER

Un laser est une source de lumière qui possède des propriétés très intéressantes pour de nombreuses applications grâce à son faisceau très directif et puissant. Le laser Hélium-Néon est très utilisé.

BANC CHAUFFANT

Il sert à déterminer la température de fusion de substances. Il est constitué d'une surface métallique, chauffée par un dispositif permettant d'obtenir une croissance régulière de sa température. La substance en poudre est placée sur la surface chaude et progressivement déplacée vers la zone la plus chaude, jusqu'à ce qu'elle fonde. Il suffit alors de lire directement la température sur un curseur.

OSCILLOSCOPE

C'est un appareil ressemblant à un poste de télévision. Il permet de visualiser, caractériser et mesurer des courants électriques. Sur l'écran apparaît une trace qui représente l'allure du courant.

BALANCE

Une balance de précision assure un dosage exact des composants au milligramme près.

Illustrations : J.-Y. Kervevan

ÉTUVE

Elle permet de porter des échantillons à une température constante et élevée, pendant le temps nécessaire à une expérience ou à un test.

MULTIMÈTRE

Indispensable dans un laboratoire de physique, cet instrument permet de mesurer très facilement la tension et l'intensité d'un courant dans un circuit électrique, ainsi que la valeur d'une résistance.

MOTS CLÉS

● CHERCHEUR
Personne dont la profession est de se consacrer à la recherche scientifique. Un chercheur a très souvent une formation universitaire ou d'ingénieur.

● TECHNICIEN DE LABORATOIRE
Le technicien est le collaborateur du chercheur. Il maîtrise parfaitement l'utilisation des divers appareils du laboratoire.

● EXPÉRIMENTATION
Ou expérience. En physique, l'expérience est nécessaire à la recherche (contrairement aux mathématiques, par exemple). Une théorie ne peut être validée (considérée comme vraie) que lorsque des expériences ont confirmé son contenu.

● ESAO (expérience scientifique assistée par ordinateur)
Lorsque des expériences sont trop compliquées à réaliser, trop coûteuses ou trop dangereuses, on les simule à l'aide d'un ordinateur.

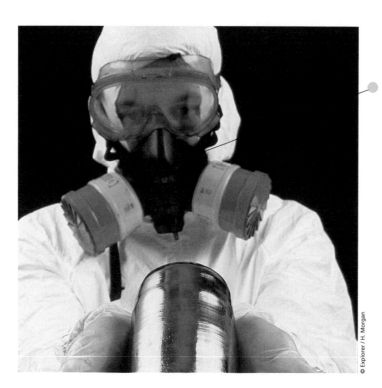

L'ÉQUIPEMENT DE L'EXPÉRIMENTATEUR

Pour réaliser sans danger une expérience qui nécessite la manipulation de substances dangereuses (corrosives, inflammables, toxiques), il est impératif de protéger les parties du corps les plus vulnérables, comme les yeux et les mains, ainsi que les vêtements. Le port de lunettes de protection, d'une paire de gants et d'une blouse est donc obligatoire dans de nombreux laboratoires de physique.

Le microscope électronique à balayage permet des grossissements très importants. On peut ainsi observer la structure de certains cristaux. Contrairement au microscope optique, il n'utilise pas la lumière, mais des faisceaux d'électrons.

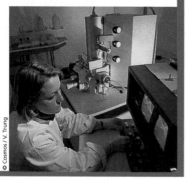

OBJECTIF « ZÉRO POUSSIÈRE »

Certaines expérimentations ne peuvent s'effectuer que s'il n'y a aucune poussière. Elles ont lieu dans des laboratoires spéciaux appelés « salles blanches ». On y rentre par un sas de « décontamination » après avoir revêtu une combinaison recouvrant tout le corps de la tête aux pieds. Même l'air venant de l'extérieur est filtré. C'est l'objectif zéro poussière !

▶ Victime de la science !

L'expérimentation scientifique n'est pas sans danger ! Pour « capter » la foudre dans son laboratoire, le physicien russe Georg Wilhelm Richman

installe, dans son cabinet de travail, à Saint-Pétersbourg, une barre métallique reliée à un paratonnerre équipant son toit. Le 6 août 1753, alors qu'un orage gronde, il a le malheur de s'approcher trop près de son dispositif et meurt foudroyé : il est la première victime des recherches sur l'électricité atmosphérique ! On voit ici d'autres expériences sur la foudre réalisées en 1761 en Sibérie.

Éruptions et volcanologues

À la fois chercheurs, techniciens et sportifs, les volcanologues nous livrent peu à peu les secrets des volcans. Les expéditions que mènent ces hommes, parfois au péril de leur vie, permettent même de prévoir les éruptions.

LES VOLCANS EXPLOSIFS

En 1980, l'entrée en activité du mont Saint Helens aux États-Unis a provoqué une explosion d'une énergie égale à celle de 27 000 bombes atomiques.
On voit ici trois moments successifs : les premières fumeroles ❶, le début de la nuée ❷ et l'énorme nuage de cendres et de fumées ardentes ❸.

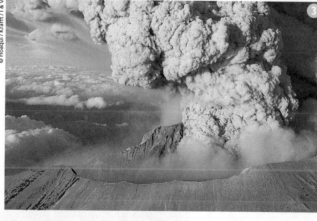

Ces volcans, dits « explosifs », sont les plus nombreux et les plus dangereux. Ils peuvent se réveiller après plusieurs siècles de repos, ce qui rend les prévisions d'éruptions peu précises.

En 1991, au cours de l'observation d'un tel volcan, les volcanologues français Katia et Maurice Krafft ont disparu, happés par une nuée ardente.

LES VOLCANS EFFUSIFS

Le piton de la Fournaise situé sur l'île de la Réunion entre en éruption en moyenne une fois par an. Le magma s'écoule ensuite sur les faibles pentes du volcan parfois pendant plus de 4 semaines.

Les éruptions des volcans des points chauds sont les plus spectaculaires car elles donnent naissance à des fontaines de lave.

MOTS CLÉS

● **AA**
Nom d'origine hawaïenne, donné à une coulée de lave visqueuse qui aplatit tout sur son passage.

● **BLOCS**
Les morceaux de magma refroidi aux bords anguleux peuvent atteindre plusieurs mètres et provoquent de gros dégâts.

● **PAHOEHOE**
D'origine hawaïenne, le pahoehoe est également une coulée de lave fluide qui se répand entre les obstacles naturels.

VOLCANOLOGUE CHIMISTE

Un suivi constant des échappements gazeux des volcans en activité est très utile car ces gaz ont une composition qui varie à l'approche d'une éruption.

VOLCANOLOGUE ALPINISTE

Pour atteindre le sommet d'un volcan, afin d'y pratiquer différentes mesures, le volcanologue doit utiliser les mêmes techniques que les alpinistes. Le masque qu'il porte sert à filtrer les gaz toxiques qui s'échappent des parois du volcan.

VOLCANOLOGUE GÉOLOGUE

À l'aide d'une tige en acier, ce volcanologue prélève un morceau de lave qui sera ultérieurement analysé dans un laboratoire. On connaîtra ainsi les roches qui le constituent, et l'on pourra définir leur origine géologique.

SURVEILLANCE

Cette petite station est équipée
d'un sismographe et d'un inclinomètre.
Le premier mesure le déplacement
du sol provoqué par des tremblements
de terre, qui précèdent
ou accompagnent
la majorité
des éruptions.
L'inclinomètre mesure
la déformation
des pentes d'un volcan,
due au magma
qui commence
à remonter
des profondeurs,
juste avant
une éruption.

OBSERVATOIRE VOLCANOLOGIQUE

C'est dans ce bâtiment que sont rassemblés
tous les renseignements recueillis par les volcanologues
et les petites stations réparties sur l'ensemble du volcan.
Ils permettent, le cas échéant, de prévenir les populations.
Mais une centaine de volcans seulement sont équipés
d'observatoires volcaniques permanents,
alors que 1 343 volcans sont considérés comme actifs
ou pouvant se « réveiller » à tout moment.

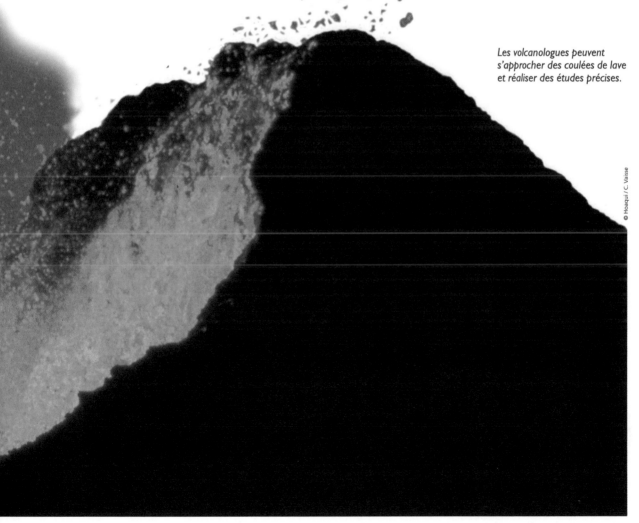

Les volcanologues peuvent
s'approcher des coulées de lave
et réaliser des études précises.

VOLCANOLOGIE DE L'EXTRÊME

On trouve des volcans en activité au fond des océans, à plus de 2 000 m de profondeur, mais aussi sur certaines planètes de notre système solaire, comme Io, une des seize Lunes de la planète Jupiter.

L'étude de ces volcans pose bien sûr des problèmes d'accessibilité. Les volcanologues ont donc recours à des méthodes d'observation indirecte, comme l'utilisation d'un sonar pour le fond des océans ou d'un satellite pour l'espace.

Le volcanologue pratique sur le terrain toute une série de relevés de gaz et de roches qui seront ensuite analysés en laboratoire. C'est grâce à de telles expéditions que les volcans nous livrent leurs secrets.

Les gants sont très épais et en amiante, un composé qui résiste à la chaleur.

Arrivé à l'air libre, le magma liquide atteint une température de 1 200 ⁰C environ. Pour s'en approcher, le volcanologue doit donc être efficacement protégé.

Pour escalader le volcan, les chaussures d'alpiniste sont essentielles. Leurs semelles résistent pendant de courts instants à des températures de 300 à 400 ⁰C !

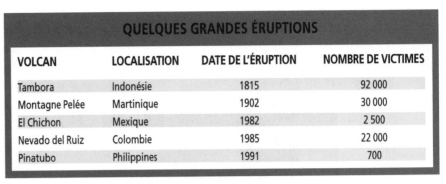

QUELQUES GRANDES ÉRUPTIONS			
VOLCAN	LOCALISATION	DATE DE L'ÉRUPTION	NOMBRE DE VICTIMES
Tambora	Indonésie	1815	92 000
Montagne Pelée	Martinique	1902	30 000
El Chichon	Mexique	1982	2 500
Nevado del Ruiz	Colombie	1985	22 000
Pinatubo	Philippines	1991	700

ÉQUIPEMENT DU VOLCANOLOGUE

La tête est revêtue d'un casque antichocs, le heaume, destiné à protéger le volcanologue d'éventuelles projections volcaniques.

La visière est recouverte d'une fine particule d'or qui reflète les rayons lumineux et la chaleur.

Le volcanologue porte une combinaison ignifugée (qui ne prend pas feu). Elle est, de plus, recouverte d'une couche d'aluminium qui renvoie la chaleur environnante à 90 %.

◼ Cette image satellite

nous montre le mont Olympe sur Mars, un volcan d'une hauteur de plus de 26 km (plus de 3 fois l'Éverest !). Il est inactif depuis des millions d'années.

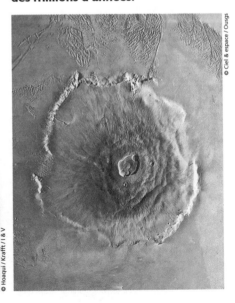

Neuf planètes et un soleil

Infiniment grand par rapport à l'Homme, mais infiniment petit à l'échelle de l'Univers, le système solaire, observé par les hommes depuis l'Antiquité, est composé d'une étoile, le Soleil, de neuf planètes principales, des satellites de ces planètes, et d'une multitude d'astres plus petits, les astéroïdes, les comètes et les météorites.

LES NEUF PLANÈTES DU SYSTÈME SOLAIRE

Le système solaire est composé de neuf planètes organisées autour d'une étoile, le Soleil. Les étoiles brillent par elles-mêmes, tandis que les planètes n'émettent pas de lumière, elle réfléchissent seulement celle qu'elles reçoivent d'une étoile.

LES PLUS PROCHES

Les planètes les plus proches du Soleil sont : Mercure ❶, Vénus ❷, Terre ❸, Mars ❹. Ce sont les planètes telluriques, dont la composition rocheuse est proche de celle de la Terre.

LES PLUS ÉLOIGNÉES

Plus loin du Soleil se trouvent les planètes gazeuses géantes : Jupiter ❺, Saturne ❻, Uranus ❼, Neptune ❽.

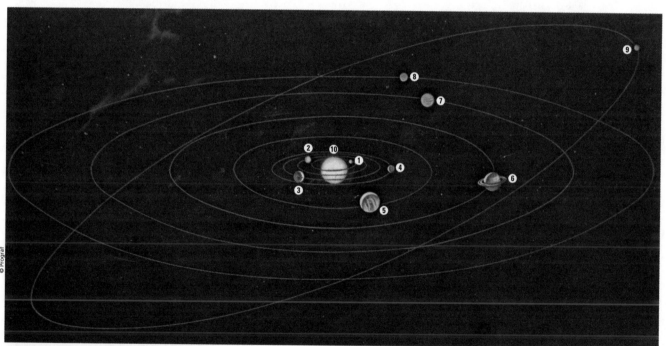

© Prograf

QUEL ÂGE A LE SOLEIL ?

À partir du début du XXᵉ siècle, le débat sur l'origine du système solaire s'est organisé autour de deux questions essentielles : le Soleil et les planètes du système solaire sont-ils nés au même moment ? Sont-ils constitués du même matériau ? L'examen d'atomes radioactifs a permis d'évaluer l'âge des roches terrestres et lunaires, ainsi que celui des météorites, avec une relative précision : 4,5 milliards d'années. Les astrophysiciens qui étudient le Soleil lui donnent le même âge.

PLUTON

La plus éloignée et la plus mal connue est Pluton, on suppose qu'elle est solide. L'orbite de Pluton ❾ ne se trouve pas dans le même plan que les autres.

LES ORBITES

Toutes ces planètes tournent autour du Soleil ❿, en suivant une orbite à peu près circulaire, quoique un peu aplatie, que l'on appelle « ellipse ».

▶ La Terre : très proche du Soleil !

Les distances dans l'espace sont bien sûr monstrueuses. Mais tout est relatif : si la distance qui sépare le Soleil de la Terre était de 1 mètre, parmi les autres étoiles des autres systèmes, la plus proche serait à 260 kilomètres…

Pluton. La plus mal connue,
en raison de son éloignement.
Elle n'a été découverte qu'en 1930. ⑩

Neptune. Elle a 8 satellites, dont 2 seulement
(Triton et Néréide) étaient connus avant 1989,
date à laquelle la sonde américaire Voyager
a survolé Neptune. ⑨

Uranus. Elle a 15 satellites connus. ⑧

Saturne. Elle a 21 satellites connus.
Une multitude de particules solides et
de poussières de satellites forment les anneau
qui entourent Saturne.
Ces anneaux sont des milliers et sont tous sit
sur le plan équatorial de la planète. ⑦

Comètes. Leur nom vient du grec komê,
« chevelure ». Il s'agit d'astres dont le noyau
est composé de glace, de poussières et d'eau,
mélangés à des gaz solidifiés. D'un diamètre
compris entre 1 et 10 km, ce noyau est suivi
d'une immense chevelure de gaz volatils. ⑪

**Distances moyennes séparant les planètes
du Soleil :**
Mercure : 57, 9 millions de km ;
Vénus : 108,2 millions de km ;
Terre : 149, 597 870 millions de km.
Cette distance forme ce que l'on appelle « unité
astronomique » (UA) qui permet de mesurer plus
facilement les gigantesques distances des galaxies ;
Mars : 227,9 millions de km ;
Jupiter : 778,3 millions de km ;
Saturne : 1 427 millions de km ;
Uranus : 2 869 millions de km ;
Neptune : 4 505 millions de km ;
Pluton : 5 913 millions de km.

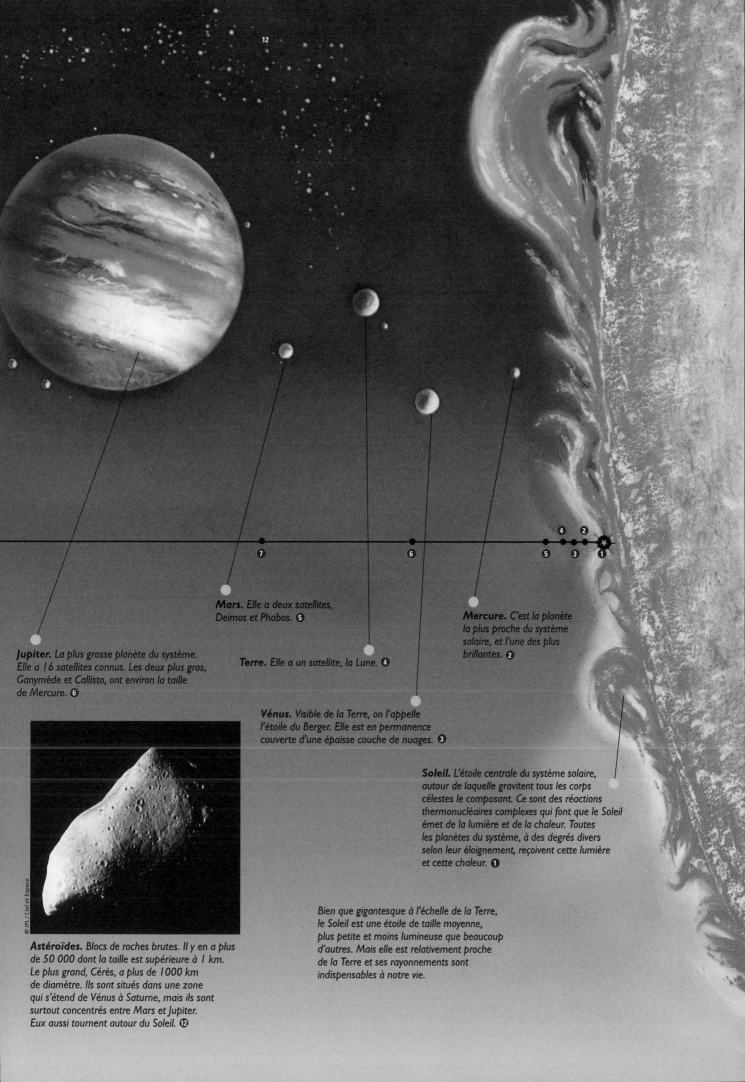

12

Mars. Elle a deux satellites, Deimos et Phobos. ❺

Mercure. C'est la planète la plus proche du système solaire, et l'une des plus brillantes. ❷

Jupiter. La plus grosse planète du système. Elle a 16 satellites connus. Les deux plus gros, Ganymède et Callisto, ont environ la taille de Mercure. ❻

Terre. Elle a un satellite, la Lune. ❹

Vénus. Visible de la Terre, on l'appelle l'étoile du Berger. Elle est en permanence couverte d'une épaisse couche de nuages. ❸

Soleil. L'étoile centrale du système solaire, autour de laquelle gravitent tous les corps célestes le composant. Ce sont des réactions thermonucléaires complexes qui font que le Soleil émet de la lumière et de la chaleur. Toutes les planètes du système, à des degrés divers selon leur éloignement, reçoivent cette lumière et cette chaleur. ❶

© JPL / Ciel et Espace

Astéroïdes. Blocs de roches brutes. Il y en a plus de 50 000 dont la taille est supérieure à 1 km. Le plus grand, Cérès, a plus de 1 000 km de diamètre. Ils sont situés dans une zone qui s'étend de Vénus à Saturne, mais ils sont surtout concentrés entre Mars et Jupiter. Eux aussi tournent autour du Soleil. ⓬

Bien que gigantesque à l'échelle de la Terre, le Soleil est une étoile de taille moyenne, plus petite et moins lumineuse que beaucoup d'autres. Mais elle est relativement proche de la Terre et ses rayonnements sont indispensables à notre vie.

COMMENT EST NÉ LE SYSTÈME SOLAIRE?

La théorie actuellement retenue pour la naissance du Soleil et du système solaire est celle de la « nébuleuse primitive », qui, par agglomérations successives de ses particules, a formé le Soleil et les planètes du système solaire.

La gravitation a donné à cette nébuleuse, nuage de gaz et de poussières, en rotation lente, la forme d'un disque gazeux tournant sur lui-même.

La gravitation a regroupé la majeure partie de la masse de gaz et de poussières vers le centre. Ils sont devenus de plus en plus chauds et denses, provoquant des réactions thermonucléaires : une nouvelle étoile, le Soleil, était née.

Autour de ce centre, des masses plus petites de gaz et de poussières se sont rassemblées et ont formé de vastes tourbillons tournant autour du Soleil.

Dans chacun de ces tourbillons, les grains de poussière se sont rassemblés pour former des boules de matières de plus en plus grosses. Ainsi sont nées les planètes. On estime, par exemple, qu'il a fallu entre 20 et 50 millions d'années pour que la Terre atteigne sa masse actuelle.

La carte du ciel

Combien y a-t-il d'étoiles ?

Personne ne le sait exactement, mais les astronomes les comptent en milliards de milliards. À l'œil nu, la nuit, on peut voir environ 3 000 étoiles.

© Ciel et Espace / A. Fujii

CONSTELLATION ORION

La constellation Orion est la plus brillante de toutes celles que l'on peut voir dans l'hémisphère Nord.

Bételgeuse est une étoile supergéante rouge.

Cette brume brillante est une grande nébuleuse, un amas de gaz et de poussières interstellaire.

Rigel, très scintillante et blanche.

GRANDE OURSE

La Grande Ourse est la constellation la plus connue. Elle comporte sept étoiles principales de brillance sensiblement égale. On l'appelle le Grand Chariot.

Mizar est une étoile double.

PETITE OURSE

On nomme aussi cette constellation le Petit Chariot.

L'étoile Polaire est située tout au bout de la queue de la Petite Ourse.

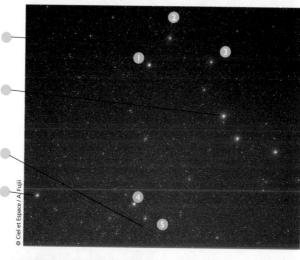

© Ciel et Espace / A. Fujii

1 Dubhé
2 Mérak
3 Phekda
4 Kochab
5 Pherkad

LES CONSTELLATIONS

● Pour se repérer dans le foisonnement des étoiles innombrables, les hommes ont très tôt inventé les constellations, des dessins imaginaires qui relient certaines étoiles de façon plus ou moins figurative. Il est souvent assez difficile de reconnaître le motif qui donne son nom à la constellation ! Les étoiles ainsi réunies artificiellement peuvent être très écartées les unes des autres et plus ou moins éloignées de la Terre.

● **LES CONSTELLATIONS**
les plus connues, visibles dans l'hémisphère Nord, sont les suivantes :

la Petite Ourse, la Grande Ourse, Orion, le Cygne, le Bouvier et Cassiopée, ainsi que les constellations du zodiaque (les Poissons, le Verseau, le Capricorne, le Sagittaire, le Scorpion, la Balance, la Vierge, le Lion, le Cancer, les Gémeaux, le Taureau et le Bélier).

● **LE ZODIAQUE**
est la zone de la sphère céleste dans laquelle on voit se déplacer le Soleil, la Lune et les planètes de notre système solaire, à l'exception de Pluton.

© AKG

L'ATLAS CÉLESTE

Voici une représentation de la voûte complète que l'on aperçoit depuis l'hémisphère Nord. Les étoiles ont toutes l'air situées à égale distance de nous... ce qui est tout à fait faux. De même, on représente ici la coupole céleste à plat. Pour mieux faire, il faudrait placer les constellations à l'intérieur d'une demi-boule. Cette carte n'est donc pas parfaite : plus on s'approche de ses bords, plus les distances entre les étoiles sont élargies par rapport à la réalité.

LES ÉTOILES BRILLANTES

Les points les plus gros ne représentent pas des étoiles plus grosses, mais plus brillantes : Arcturus, dans la constellation du Bouvier, Véga, bleutée, dans celle de la Lyre, Deneb (Cygne), Capella (Cocher), Bételgeuse (Orion), Procyon (Petit Chien), Regulus (Lion) et surtout Sirius la blanche (Grand Chien).

LA VOIE LACTÉE

La bande claire qui traverse la carte porte le nom de Voie lactée. Dans cette zone, la concentration d'étoiles visibles est si forte qu'elle « blanchit » le ciel nocturne. Notre galaxie étant composée de milliards d'étoiles disposées en un énorme disque, c'est la tranche de ce disque que nous voyons ainsi sous l'aspect d'un long ruban.

L'ÉTOILE POLAIRE

Elle est située au centre exact de cette carte. Si l'on fait tourner la carte, elle restera le seul point fixe. C'est la seule étoile sans déplacement apparent dans le ciel de l'hémisphère Nord, car elle est presque exactement dans l'axe de la rotation de la Terre. Elle indique donc parfaitement la direction du nord et, de tout temps, elle a servi de point repère aux voyageurs.

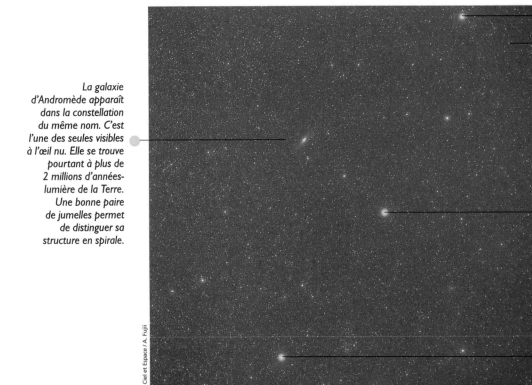

Sirrah

ANDROMÈDE
*La constellation
d'Andromède
est reliée à celle
de Pégase par
une étoile très
brillante, Sirrah.*

*La galaxie
d'Andromède apparaît
dans la constellation
du même nom. C'est
l'une des seules visibles
à l'œil nu. Elle se trouve
pourtant à plus de
2 millions d'années-
lumière de la Terre.
Une bonne paire
de jumelles permet
de distinguer sa
structure en spirale.*

Mirach

Almach

© Ciel et Espace / A. Fujii

**CONSTELLATION
DU TAUREAU**

*Au moment
où a été prise
la photo,
la planète Mars
se trouvait dans
la constellation
du Taureau.*

*Les Pléiades
et les Hyades sont
deux amas de plusieurs
centaines d'étoiles.
La taille de ces amas
est d'environ
30 années-lumière.*

*Aldébaran
la rouge est
une étoile très
brillante.*

© Ciel et Espace / A. Fujii

Antarès,

**la supergéante rouge
de la constellation du Scorpion,
a 100 fois la taille de notre Soleil.**

© Ciel et Espace / A. Fujii

LAGOON
*Cette superbe
nébuleuse
est parfois visible
à l'œil nu dans
la constellation
du Sagittaire,
en été.*

© NOAO / Ciel et espace

La croûte terrestre

La croûte terrestre, comparable à une écorce, est l'enveloppe superficielle et solide de notre planète.
Elle se compose de plaques séparées les unes des autres, qui « flottent » sur du magma en fusion. Sous les continents, elle peut atteindre 40 km d'épaisseur ; sous les océans, elle est quatre fois plus fine.

© Altitude / F. Jourdan

© Altitude / M. Gottschalk

● On appelle « orogenèse » tous les mouvements qui déterminent la formation des reliefs de l'écorce terrestre. Elle provient ici de la rencontre de deux plaques qui, en se heurtant, ont formé cette chaîne montagneuse.

● Les continents reposent sur des plaques. Les reliefs que nous connaissons résultent des lents mouvements de ces plaques, déformées par l'activité du manteau. On a donné à ces déformations le nom de « tectonique ». Les blocs continentaux se heurtent, s'éloignent et se chevauchent, et ce d'autant plus qu'ils sont parfois à cheval sur plusieurs plaques. Ainsi se créent des montagnes, des océans, des plaines et des vallées.

Croûte océanique, d'une dizaine de kilomètres d'épaisseur, tapissant le fond des océans.

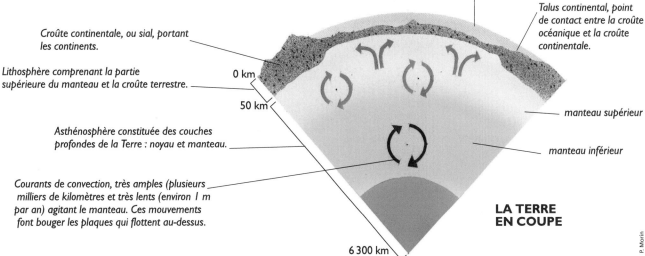

Talus continental, point de contact entre la croûte océanique et la croûte continentale.

Croûte continentale, ou sial, portant les continents.

Lithosphère comprenant la partie supérieure du manteau et la croûte terrestre.

Asthénosphère constituée des couches profondes de la Terre : noyau et manteau.

Courants de convection, très amples (plusieurs milliers de kilomètres et très lents (environ 1 m par an) agitant le manteau. Ces mouvements font bouger les plaques qui flottent au-dessus.

0 km

50 km

6 300 km

manteau supérieur

manteau inférieur

LA TERRE EN COUPE

P. Morin

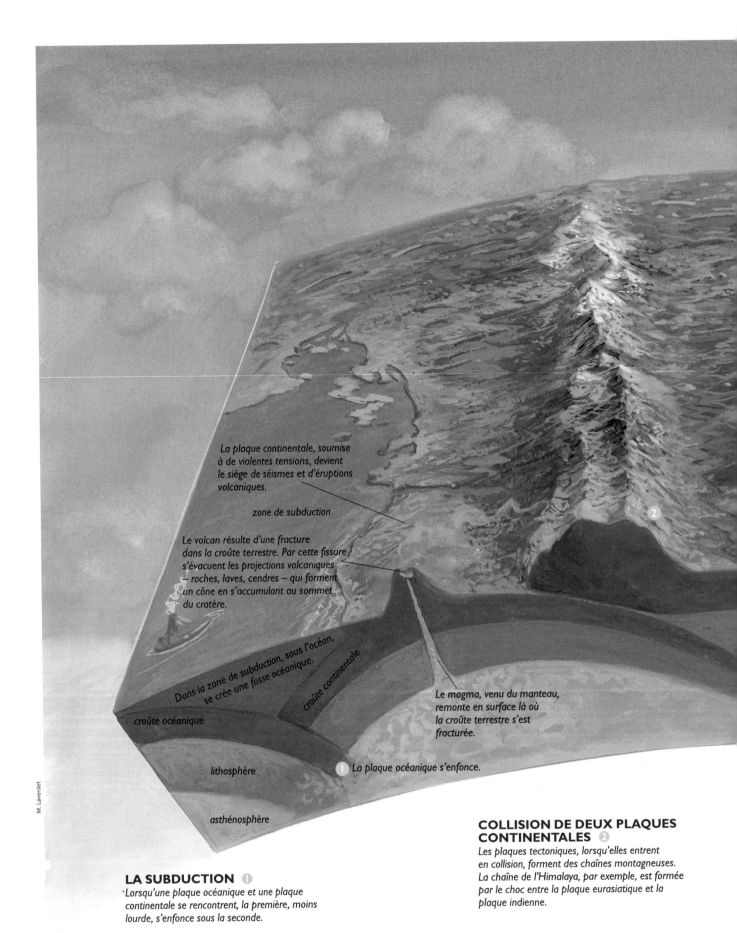

La plaque continentale, soumise à de violentes tensions, devient le siège de séismes et d'éruptions volcaniques.

zone de subduction

Le volcan résulte d'une fracture dans la croûte terrestre. Par cette fissure s'évacuent les projections volcaniques – roches, laves, cendres – qui forment un cône en s'accumulant au sommet du cratère.

Dans la zone de subduction, sous l'océan, se crée une fosse océanique.

croûte océanique

croûte continentale

Le magma, venu du manteau, remonte en surface là où la croûte terrestre s'est fracturée.

lithosphère

La plaque océanique s'enfonce.

asthénosphère

M. Laverdet

LA SUBDUCTION ❶
Lorsqu'une plaque océanique et une plaque continentale se rencontrent, la première, moins lourde, s'enfonce sous la seconde.

COLLISION DE DEUX PLAQUES CONTINENTALES ❷
Les plaques tectoniques, lorsqu'elles entrent en collision, forment des chaînes montagneuses. La chaîne de l'Himalaya, par exemple, est formée par le choc entre la plaque eurasiatique et la plaque indienne.

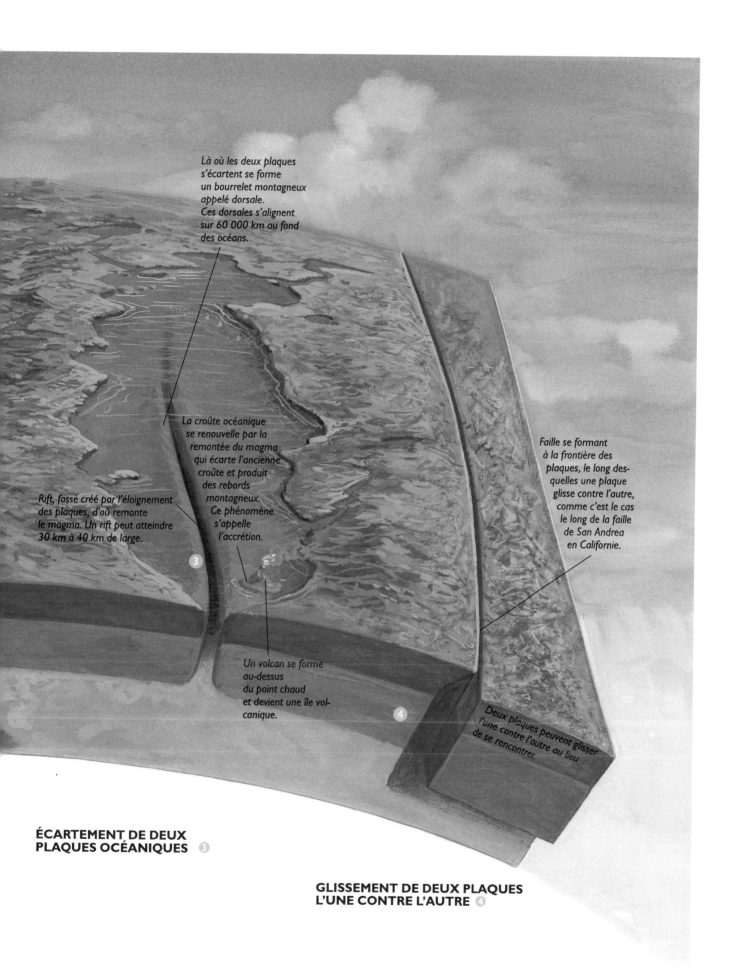

Là où les deux plaques s'écartent se forme un bourrelet montagneux appelé dorsale. Ces dorsales s'alignent sur 60 000 km au fond des océans.

La croûte océanique se renouvelle par la remontée du magma qui écarte l'ancienne croûte et produit des rebords montagneux. Ce phénomène s'appelle l'accrétion.

Rift, fossé créé par l'éloignement des plaques, d'où remonte le magma. Un rift peut atteindre 30 km à 40 km de large.

Faille se formant à la frontière des plaques, le long desquelles une plaque glisse contre l'autre, comme c'est le cas le long de la faille de San Andrea en Californie.

Un volcan se forme au-dessus du point chaud et devient une île volcanique.

Deux plaques peuvent glisser l'une contre l'autre au lieu de se rencontrer.

ÉCARTEMENT DE DEUX PLAQUES OCÉANIQUES ❸

GLISSEMENT DE DEUX PLAQUES L'UNE CONTRE L'AUTRE ❹

LA COMPOSITION CHIMIQUE DE LA CROÛTE TERRESTRE

Elle varie beaucoup selon les endroits : ces chiffres sont donc une moyenne. Tous ces éléments chimiques se combinent avec l'oxygène, l'élément le plus abondant de la Terre, de sorte que les roches sont toutes oxydées.

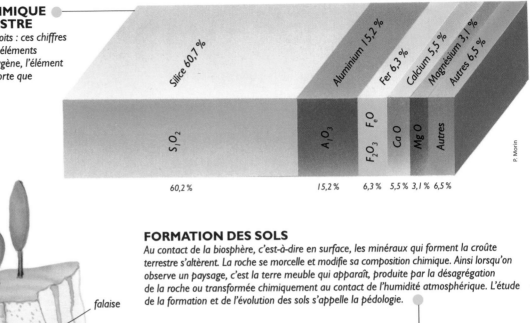

Silice 60,7 % — Aluminium 15,2 % — Fer 6,3 % — Calcium 5,5 % — Magnésium 3,1 % — Autres 6,5 %

S_iO_2 — A_lO_3 — F_2O_3 — F_eO — CaO — MgO — Autres

60,2 %   15,2 %   6,3 % 5,5 % 3,1 % 6,5 %

P. Morin

végétation

falaise

FORMATION DES SOLS

Au contact de la biosphère, c'est-à-dire en surface, les minéraux qui forment la croûte terrestre s'altèrent. La roche se morcelle et modifie sa composition chimique. Ainsi lorsqu'on observe un paysage, c'est la terre meuble qui apparaît, produite par la désagrégation de la roche ou transformée chimiquement au contact de l'humidité atmosphérique. L'étude de la formation et de l'évolution des sols s'appelle la pédologie.

débris végétaux décomposés

sédiments

rivière

mélange de matière organique et minérale

alluvions

zone minérale autre que la roche brute

roche brute

P. Morin

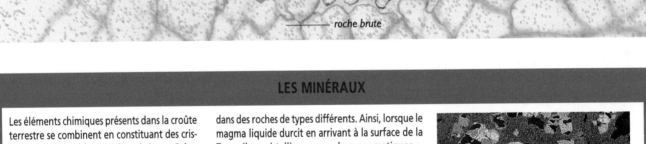

LES MINÉRAUX

Les éléments chimiques présents dans la croûte terrestre se combinent en constituant des cristaux. Ces cristaux forment les minéraux. Selon le traitement subi, ces minéraux s'associent dans des roches de types différents. Ainsi, lorsque le magma liquide durcit en arrivant à la surface de la Terre, il se cristallise en « roches magmatiques », dont la plupart sont à base de silice : granite, obsidienne, basalte, porphyre... Des roches déjà existantes peuvent à l'inverse se métamorphoser sous l'action de la chaleur et de la pression. Ce « métamorphisme » commence à 250 °C, souvent occasionné par la pression exercée par le phénomène de subduction. Le gneiss, les micaschistes, les quartzites, les marbres sont des « roches métamorphiques ».

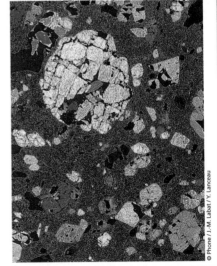

quartz

© Sunset / Braque

basalte

© Phone / J.-M. Labat / Y. Lanceau

Les nuages

**Ces voyageurs
qui animent parfois
magnifiquement le ciel**
sont souvent signes
d'intempéries : pluie, neige,
brouillard, grêle, orage et
tempête. Pourtant, un
nuage n'est rien d'autre que
de minuscules particules
d'eau ou de glace qui
flottent dans l'air.

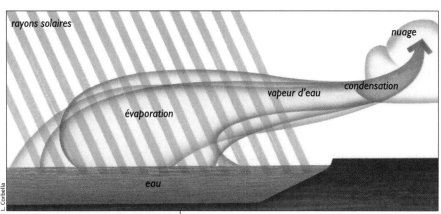

L. Corbella

NAISSANCE D'UN NUAGE

Le soleil chauffe la Terre et les océans.
L'eau et l'humidité qu'ils contiennent s'évaporent et forment de la vapeur d'eau invisible.
Quand cette vapeur d'eau s'élève suffisamment pour rencontrer les couches froides de l'air,
elle se condense et se transforme en gouttelettes autour de minuscules particules de poussière
en suspension dans l'air.
Si l'air était pur, il n'y aurait pas de nuage !

D. Horvath

LA MONTAGNE ET LES NUAGES

La montagne facilite la formation des nuages.
Face à l'obstacle d'une montagne, l'air humide
poussé par le vent s'élève.
Il se décomprime car il a plus d'espace
et se refroidit. La condensation forme alors
un nuage. Lorsque deux masses d'air
se rencontrent, l'une froide, l'autre chaude,
elles ne se mélangent pas.
L'air chaud, plus léger, s'élève.
Des fronts se forment à leur limite :
des nuages apparaissent.
Le temps se gâte.

LE DOMAINE DES NUAGES

Les nuages se forment et évoluent
dans la troposphère, fine couche de 12 km
de hauteur autour de la Terre,
qui contient les 4/5 de l'air que nous respirons.
La troposphère fait partie de l'atmosphère,
l'enveloppe gazeuse qui entoure la Terre.
Elle est couverte par la stratosphère
qui contient une couche d'ozone
et qui agit comme un couvercle,
nous protégeant de la chaleur du Soleil
ou du froid intense en son absence.

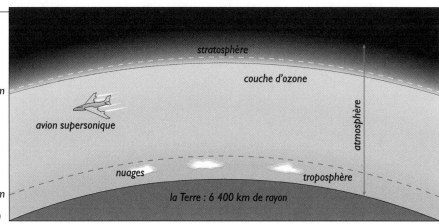

D. Horvath

Les types de nuages
Sont répertoriés 10 types de nuages,
en considérant leur forme et leur altitude.

LES CIRRO-CUMULUS
*nuages de glace très brillants, apparaissent
en banc, en couches minces et moutonneuses.
Avec eux, le temps est instable.*

LES CIRRUS
*sont composés essentiellement de cristaux
de glace ; ils sont fibreux et forment comme
des voiles aux hautes altitudes venteuses
où ils évoluent. Ils annoncent souvent la fin
du beau temps.*

LES ALTOCUMULUS
*fréquents dans les zones orageuses,
forment des bancs pommelés, blanc et gris.*

LES ALTOSTRATUS
*en couches denses et grises, parfois translucides,
annoncent eux aussi la pluie.*

LES STRATUS
*forment une couche grise, basse, pouvant donner
de la bruine. Ils ressemblent à du brouillard.*

LES CUMULUS
*bien séparés les uns des autres, denses,
formés de mamelons ou de tours, ressemblent
à des choux-fleurs. Ils ne donnent jamais de pluie,
ce sont des nuages de beau temps.*

M. Welply

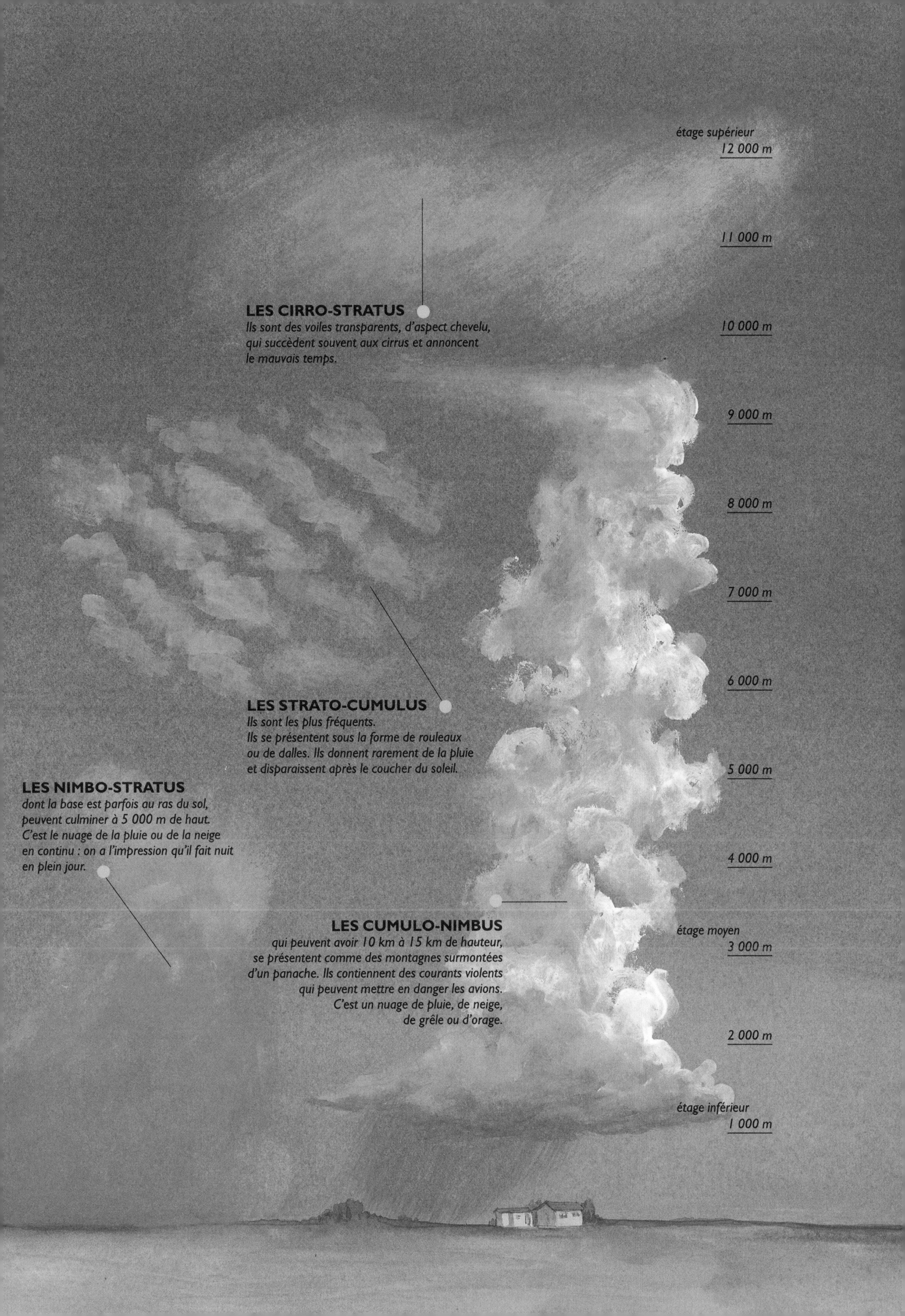

étage supérieur
12 000 m

11 000 m

LES CIRRO-STRATUS
Ils sont des voiles transparents, d'aspect chevelu,
qui succèdent souvent aux cirrus et annoncent
le mauvais temps.

10 000 m

9 000 m

8 000 m

7 000 m

6 000 m

LES STRATO-CUMULUS
Ils sont les plus fréquents.
Ils se présentent sous la forme de rouleaux
ou de dalles. Ils donnent rarement de la pluie
et disparaissent après le coucher du soleil.

5 000 m

LES NIMBO-STRATUS
dont la base est parfois au ras du sol,
peuvent culminer à 5 000 m de haut.
C'est le nuage de la pluie ou de la neige
en continu : on a l'impression qu'il fait nuit
en plein jour.

4 000 m

LES CUMULO-NIMBUS
qui peuvent avoir 10 km à 15 km de hauteur,
se présentent comme des montagnes surmontées
d'un panache. Ils contiennent des courants violents
qui peuvent mettre en danger les avions.
C'est un nuage de pluie, de neige,
de grêle ou d'orage.

étage moyen
3 000 m

2 000 m

étage inférieur
1 000 m

Ouragan Fran, photographié le 4 septembre 1996
par un satellite géostationnaire.

● LE CYCLONE

Il est appelé aussi ouragan ou typhon.
Il s'agit d'une dépression de grande intensité,
telle qu'on en rencontre autour des tropiques.
Il se déplace en détruisant tout sur son passage,
et il suit un chemin qui ne peut être prévu
avec précision malgré l'observation par satellite.
Sans doute parce qu'il semble animé d'une volonté
propre, on lui donne un prénom, Hugo
ou Barbara, qui sert à le classer dans l'histoire
de la météorologie.

œil du cyclone

 MOTS CLÉS

● PRESSION ATMOSPHÉRIQUE
se mesure en bars avec un baromètre.
Approximativement, c'est le poids de l'air
au-dessus de nous. Plus ce poids est grand,
plus l'air est lourd, plus il fait beau.

● ANTICYCLONE
une zone de hautes pressions, où la pression
est très élevée.

● DÉPRESSION
à l'inverse de l'anticyclone, l'air y est léger.
Une dépression tropicale peut atteindre
des pressions très basses (950 millibars).

© Ciel & Espace / Nasa

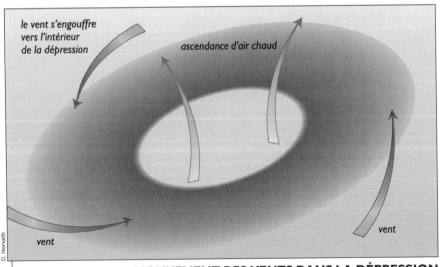

le vent s'engouffre
vers l'intérieur
de la dépression

ascendance d'air chaud

vent

vent

D. Horvath

MOUVEMENT DES VENTS DANS LA DÉPRESSION

© Cosmos / A. Wilkinson /Woodfin Camp

NAISSANCE D'UN CYCLONE

Il se forme au voisinage des tropiques, au-dessus
de l'océan. La température de l'eau doit avoisiner
les 27 °C, dans un air très humide.
Des mouvements tourbillonnaires se développent
autour de la dépression, accompagnés de bandes
nuageuses en spirale.

L'air s'engouffre vers le centre de la zone
de basses pressions.
Un « œil » (de 20 km à 30 km en moyenne)
se forme, où tout est calme.
Si l'œil se rétrécit, la vitesse du vent augmente
rapidement (120 km/h à 300 km/h) et le cyclone
devient plus violent.

LES RAVAGES

Grâce aux satellites, on surveille la naissance
et la progression d'un cyclone.
Mais, même si l'alerte est donnée à temps
et sauve des vies humaines, rien ne peut s'opposer
à la puissance destructrice du cyclone.

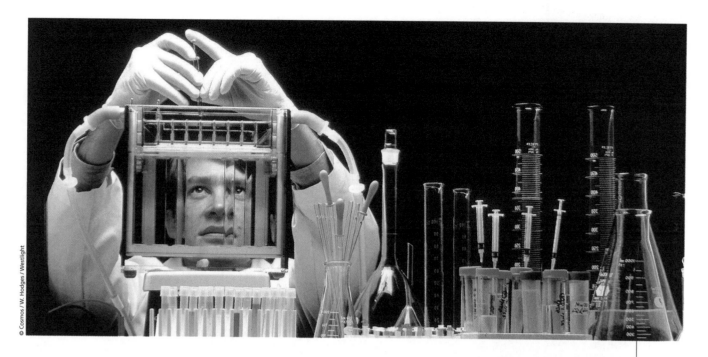

© Cosmos / W. Hodges / Westlight

Le laboratoire de chimie

Le laboratoire de chimie est un atelier où l'on manipule les molécules. Comme dans un jeu de mécano, les chimistes ont d'abord dû apprendre à les démonter, puis à les remonter... pour enfin en créer de nouvelles, inconnues dans la nature, à l'exemple des plastiques.

D'HIER À AUJOURD'HUI

Séparer des mélanges, peser, doser, filtrer… nombreux sont les gestes des chimistes d'aujourd'hui qui ressemblent à ceux de leurs prédécesseurs du siècle dernier.

© Cosmos / Geoff Tompkinson / S.P.L.

Visualisation sur l'écran d'une molécule géante

● ÉLECTRONIQUE ET INFORMATIQUE

Par souci de précision, mais surtout dans le but de reproduire industriellement certaines manipulations, les chimistes utilisent un appareillage électronique et informatique pour réaliser certaines expériences.

L'informatique n'accroît pas seulement la qualité des outils traditionnels, mais a également permis de créer un nouvel instrument. Ainsi, grâce à des logiciels très perfectionnés, les chimistes peuvent-ils aujourd'hui simuler des réactions chimiques, et demander à l'ordinateur d'en prévoir le résultat !

© Cosmos / Geoff Tompkinson

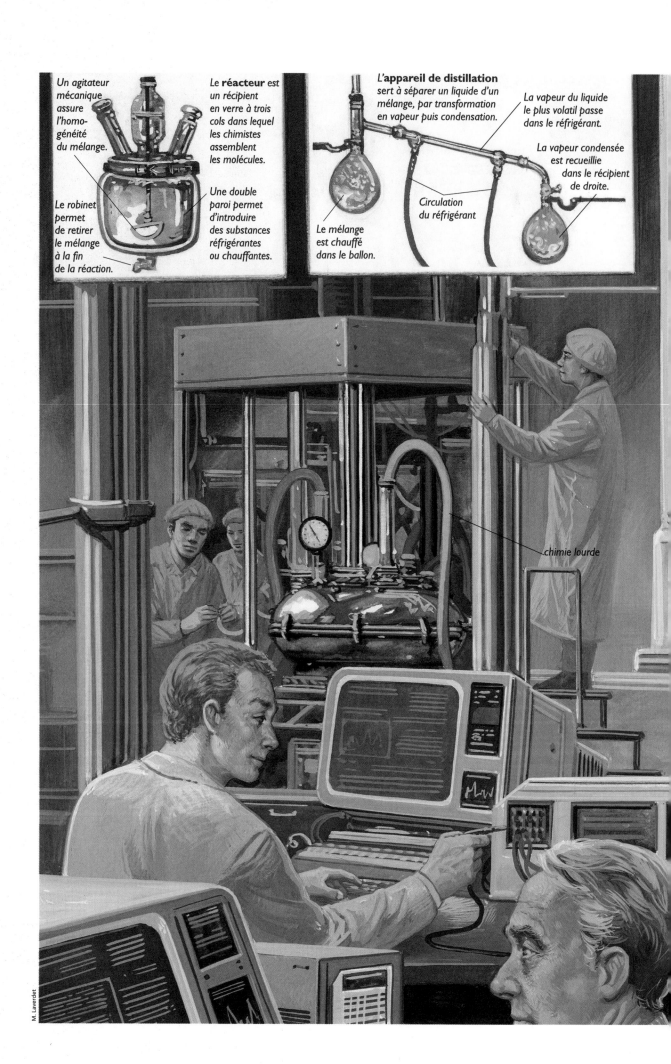

Un agitateur mécanique assure l'homogénéité du mélange.

Le **réacteur** est un récipient en verre à trois cols dans lequel les chimistes assemblent les molécules.

Le robinet permet de retirer le mélange à la fin de la réaction.

Une double paroi permet d'introduire des substances réfrigérantes ou chauffantes.

L'appareil de distillation sert à séparer un liquide d'un mélange, par transformation en vapeur puis condensation.

La vapeur du liquide le plus volatil passe dans le réfrigérant.

La vapeur condensée est recueillie dans le récipient de droite.

Le mélange est chauffé dans le ballon.

Circulation du réfrigérant

chimie lourde

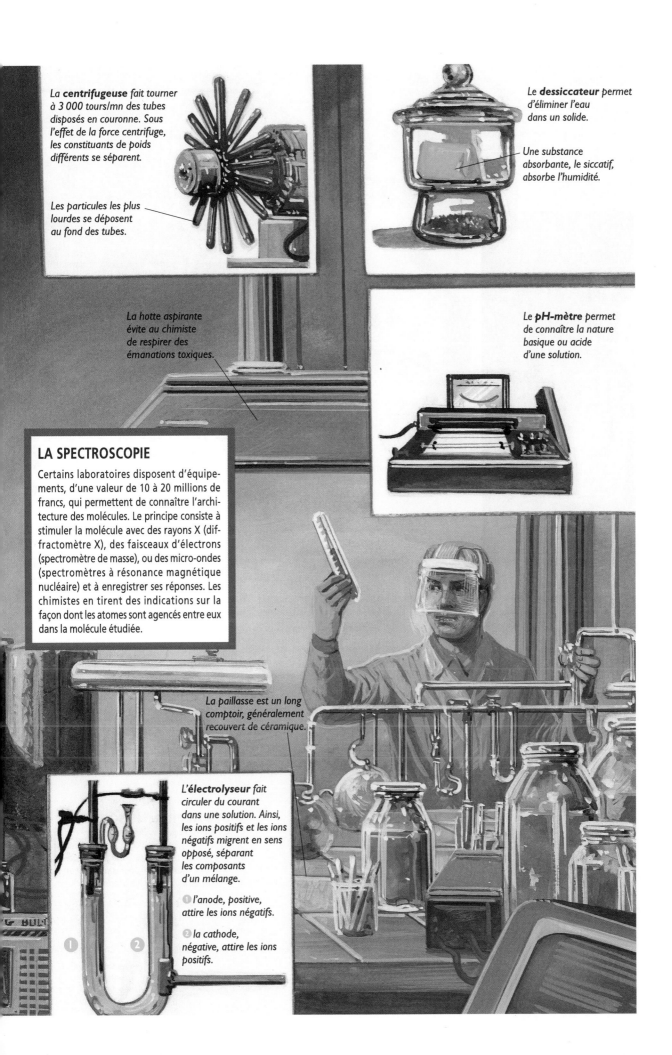

La **centrifugeuse** fait tourner à 3 000 tours/mn des tubes disposés en couronne. Sous l'effet de la force centrifuge, les constituants de poids différents se séparent.

Les particules les plus lourdes se déposent au fond des tubes.

Le **dessiccateur** permet d'éliminer l'eau dans un solide.

Une substance absorbante, le siccatif, absorbe l'humidité.

La hotte aspirante évite au chimiste de respirer des émanations toxiques.

Le **pH-mètre** permet de connaître la nature basique ou acide d'une solution.

LA SPECTROSCOPIE

Certains laboratoires disposent d'équipements, d'une valeur de 10 à 20 millions de francs, qui permettent de connaître l'architecture des molécules. Le principe consiste à stimuler la molécule avec des rayons X (diffractomètre X), des faisceaux d'électrons (spectromètre de masse), ou des micro-ondes (spectromètres à résonance magnétique nucléaire) et à enregistrer ses réponses. Les chimistes en tirent des indications sur la façon dont les atomes sont agencés entre eux dans la molécule étudiée.

La paillasse est un long comptoir, généralement recouvert de céramique.

L'**électrolyseur** fait circuler du courant dans une solution. Ainsi, les ions positifs et les ions négatifs migrent en sens opposé, séparant les composants d'un mélange.

❶ l'anode, positive, attire les ions négatifs.

❷ la cathode, négative, attire les ions positifs.

LE LABORATOIRE PILOTE : ENTRE RECHERCHE ET INDUSTRIE

Certains laboratoires, appelés laboratoires pilotes, ont pour objectif d'adapter à l'industrie des réactions chimiques connues. Travaillant à des échelles différentes de celles des laboratoires de recherche, ils sont donc équipés d'un matériel adapté.

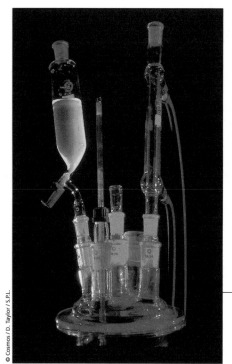

Un réacteur de laboratoire pilote en acier (100 litres).

Un réacteur de laboratoire en verre (quelques centilitres).

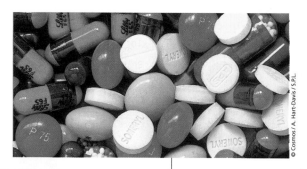

L'INDUSTRIE PHARMACEUTIQUE

Plus de 10 millions de molécules sont aujourd'hui connues. Mais ce chiffre s'accroît très rapidement puisque les laboratoires de chimie en créent environ cent mille chaque année. L'industrie pharmaceutique est la plus gourmande dans ce domaine. Il lui faut pourtant explorer une moyenne de 7 à 10 000 molécules pour mettre un nouveau médicament sur le marché.

DES APPRENTIS SORCIERS ?

Dans l'esprit du public, le chimiste exerce un métier dangereux et risque à chaque instant de faire exploser son laboratoire ! En réalité, les chimistes manipulent de très petites quantités de produit, limitant ainsi les risques.

Bien protégés, ils connaissent moins d'accidents que les travailleurs du bois, de la métallurgie ou du bâtiment.

On voit ici un chercheur opérer en milieu stérile.

Les roches

© Jacana / A. Ducrot

La formation des roches témoigne des activités naturelles de la Terre. Ainsi, certaines sont issues du refroidissement des laves volcaniques, d'autres sont constituées d'une accumulation de débris de roches, d'autres enfin sont déformées par les fortes chaleurs et les pressions qui peuvent apparaître lors de la formation d'une montagne.

DES ROCHES ANIMALES
Les calcaires, formés par l'accumulation de restes d'animaux, sont des roches sédimentaires d'origine organique. Dans le calcaire coquillier, ces restes sont visibles, alors que dans la craie leur observation nécessite l'emploi d'un microscope.

© Sunset

UNE SOLIDIFICATION SOUTERRAINE
Le granite est la roche la plus répandue. Appelée ignée ou magmatique, elle est issue d'un lent refroidissement du magma encore sous terre. Des cristaux d'une taille suffisante pour être visibles à l'œil nu se sont formés.

UNE ROCHE DE VERRE
À l'inverse du granite, l'obsidienne est une roche ignée qui s'est solidifiée à l'air libre. Le passage du stade de magma à celui d'une roche solide a été si rapide qu'elle n'a pas eu le temps de cristalliser, d'où son aspect vitreux.

© Sunset

© Jacana / A. Giannoni

UNE ROCHE COMPOSÉE
Ce conglomérat polygénique est une roche sédimentaire d'origine détritique, c'est-à-dire résultant de la destruction de roches préexistantes. Les fragments sont d'abord arrondis par l'action de l'eau, puis cimentés par des minéraux, dont le quartz et la calcite.

GRÈS ROUGE *La couleur de cette roche sédimentaire vient de l'oxyde de fer qui enrobe les grains de sable et joue le rôle de ciment. Cette roche s'effrite lorsqu'on la frotte contre ses doigts.*

SCHISTE À GRENAT

La présence de cristaux de grenat dans cette roche nous indique qu'elle a été soumise à des températures supérieures à 500 °C, température minimale pour leur formation.

GNEISS

Cette roche métamorphiq naît dans des conditions température et de pressi extrêmes pouvant dépass 700 °C et 6000 atmosph

CHONDRITE *Classées parmi les roches extra-terrestres, ces météorites sont datées d'environ 4 600 millions d'années, soit la date probable de la formation du système solaire.*

M. Laverdet

340

KIMBERLITE

Trouvées dans les cheminées des volcans, ces roches magmatiques ont la particularité de contenir des diamants, le plus dur de tous les minéraux connus.

PIERRE PONCE

Cette roche provient du refroidissement d'une lave à l'aspect mousseux du fait de la présence d'une grande quantité de gaz. Du fait de sa structure spongieuse, c'est la seule roche capable de flotter.

GYPSE

Cette roche sédimentaire est formée d'un seul minéral. Elle peut donc être considérée à la fois comme un minéral et comme une roche.

ANTHRACITE

Il s'agit d'une roche sédimentaire, communément appelée charbon, faite des restes de plantes qui vivaient il y a plusieurs centaines de millions d'années.

BRÈCHE

Les blocs de brèche peuvent être formés de toutes sortes de roches, comme le conglomérat. Mais ses fragments de roches sont par contre anguleux.

DES OUTILS DE PIERRE

Le silex se brise en éclats aux arêtes coupantes : on parle de fracture conchoïdale. Cette roche sédimentaire, d'une grande dureté, a servi dans la préhistoire à la confection d'outils et d'armes.

UNE FRAGILITÉ UTILE

L'ardoise est une roche métamorphique formée à partir de roches sédimentaires, comme l'argile ou le schiste. C'est aussi une roche feuilletée qui, une fois cassée, prend l'aspect de plaques, c'est pourquoi elle est utilisée, en tant que tuiles, dans la construction.

LE MARBRE : LA CHAIR DES STATUES

Le Pêcheur napolitain de François Rude. 1833. Le marbre, issu du métamorphisme (modification) du calcaire, est une roche tendre. Elle peut être grattée au couteau et sculptée. Appréciée pour ses grandes variétés de couleurs, de facilité de coupe et de polissage, le marbre a été utilisé en sculpture comme en architecture.

L'ARGILE, AVEC OU SANS EAU

Cette roche sédimentaire est dure à l'état sec et plastique dans un milieu riche en eau. Elle peut alors être moulée puis cuite à haute température. Elle est aussi utilisée pour fabriquer des briques.

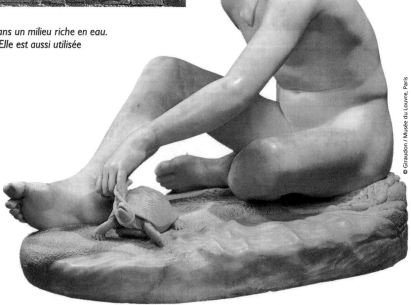

LE GRAIN DES ROCHES

Toutes les roches ont des constituants élémentaires appelés grains, à l'image des grains de sable. Suivant l'origine de la roche, les grains ont des tailles différentes. L'ardoise formée à basse pression est finement grenue, le schiste formé dans des conditions plus dures a des grains moyens, et le gneiss formé dans des conditions extrêmes a de gros grains.

Techniques

Les scaphandres de l'espace

Les premiers hommes lancés dans l'espace

à partir de 1961 ne quittèrent jamais leur vaisseau.
En 1965, le Russe Alexeï Leonov, puis l'Américain Edward White se risquèrent quelques minutes à l'extérieur. Un scaphandre protecteur leur permettait de continuer à respirer normalement. Depuis, des hommes et des femmes ont travaillé des centaines d'heures dans le vide pour réaliser des expériences, réparer des satellites en panne ou leur propre vaisseau.

La frayeur de Leonov

En 1965, le Russe Alexeï Leonov a bien failli mourir à l'issue de sa sortie historique dans l'espace.
Son scaphandre avait été gonflé à la pression atmosphérique normale. Une fois dans le vide, il s'était gonflé comme un ballon de baudruche et son volume avait augmenté. Si bien qu'au moment de rentrer, Leonov resta coincé dans le tunnel d'accès au vaisseau.
Il eut heureusement la présence d'esprit de dégonfler légèrement son scaphandre. Ce geste lui permit de se dégager.

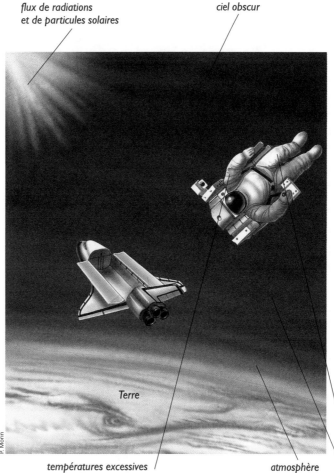

flux de radiations et de particules solaires

ciel obscur

P. Morin

Terre

températures excessives (+ 150 °C – 150 °C)

atmosphère ténue

vide

absence de pesanteur

POURQUOI SE PROTÉGER ?

Sur la Lune ou autour de la Terre, au-dessus de l'atmosphère, le spationaute se retrouve dans le vide de l'espace. C'est un milieu terrible, sans air, avec des températures extrêmes.
De dangereux flux de radiations, de particules ou de débris solides y créent une menace permanente.
Il est impossible d'y vivre sans protection. Dans son vaisseau, le spationaute est à l'abri des parois blindées et respire un air semblable à celui du sol.
Mais dès qu'il sort, il faut maintenir autour de son corps la même protection : tel est le rôle du scaphandre.

SUR LA LUNE, PAS DE SEMELLES DE PLOMB !

De 1969 à 1972, 12 astronautes ont marché sur la Lune. Une légende tenace prétend que leurs bottes possédaient des semelles de plomb. C'est faux ! Il est exact qu'au fond de l'eau les scaphandriers ont besoin de s'alourdir pour ne pas remonter, sous la « poussée d'Archimède ».
Rien de tel sur la Lune : on peut y marcher sans s'envoler. Il n'y a plus d'air, mais la pesanteur, force d'attraction exercée par la Lune, se manifeste toujours sur le corps de l'astronaute. Comme la Lune est plus petite que la Terre, son attraction est plus faible : un astronaute y est 6 fois plus léger. C'est pourquoi sa démarche est sautillante.

SCAPHANDRE AMÉRICAIN UTILISÉ PAR LES ASTRONAUTES POUR SORTIR DES VÉHICULES SPATIAUX HABITÉS

caméra de télévision

phare d'éclairage

bonnet avec écouteurs et micro intégrés

casque vissé au corps du scaphandre

double visière du casque

poche de boisson avec tuyau d'aspiration buccale

connection du circuit de refroidissement du scaphandre, utilisé lorsque ce dernier n'est pas autonome, mais branché sur la navette spatiale

visière

bouton de réglage de la température interne du scaphandre

manette de réglage de l'alimentation en oxygène du scaphandre

tableau de bord (interrupteurs, indicateurs de pression, température, etc.)

combinaison multicouche

tricot en contact avec la pe

scaphandre entièrement étanche

gant

tuyau de circulation du liquide de refroidissement

couche isolante thermique et contre les micro-météorites

sous-vêtement refroidi par un liquide

couche d'étanchéité

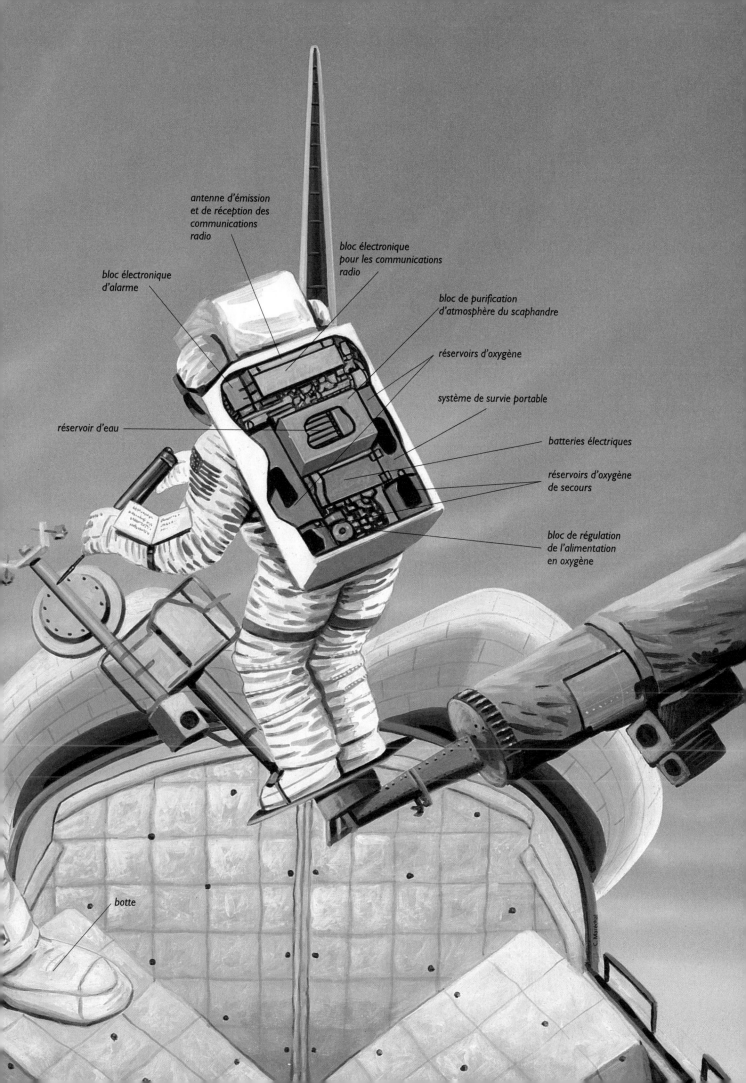

antenne d'émission
et de réception des
communications
radio

bloc électronique
pour les communications
radio

bloc électronique
d'alarme

bloc de purification
d'atmosphère du scaphandre

réservoirs d'oxygène

système de survie portable

réservoir d'eau

batteries électriques

réservoirs d'oxygène
de secours

bloc de régulation
de l'alimentation
en oxygène

botte

C. Maréchal

ENFILER UN SCAPHANDRE

LE SCAPHANDRE AMÉRICAIN

Le scaphandre américain se compose de deux morceaux principaux, la partie basse et la partie haute, que l'astronaute enfile successivement. Des gants et un casque viennent ensuite s'ajuster. L'astronaute doit enfin endosser le sac à dos contenant ce qui est nécessaire à sa survie.

Willis

LE SCAPHANDRE RUSSE

Le scaphandre russe est fait d'une seule pièce. Le cosmonaute s'y introduit par l'arrière, en ouvrant le panneau qui renferme tout le matériel permettant la survie de l'occupant.

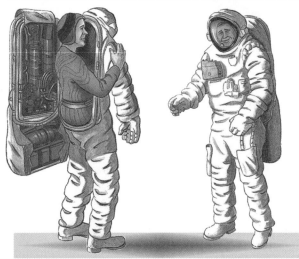

© Nasa / Ciel & Espace

SORTIES RECORD

La première marche dans l'espace d'Alexeï Leonov, en 1965, ne dura que dix minutes. En 1992, les astronautes Richard Heib, Thomas Akers et Pierre Thuot ont fait une sortie de 8 heures 29 minutes en orbite terrestre pour réparer le satellite Intelsat VI (en bas). Durant leur intervention, ils ont vu le Soleil se lever et se coucher 6 fois. Leur record a été battu le 13 mars 2001 par les Américains Susan Helms et Jim Voss qui ont travaillé 8 heures 56 minutes pour fixer une plate-forme à l'extérieur de la Station Spatiale Internationale.

© Nasa / Ciel & Espace

SOUS OXYGÈNE

Dans leurs vaisseaux spatiaux, les spationautes respirent le même air que nous sur la Terre : un mélange d'azote (79 %) et d'oxygène (21 %). Mais dans leurs scaphandres, ils respirent de l'oxygène à pression réduite (30 à 40 % de la pression atmosphérique normale). Pour faire cette transition, les astronautes respirent d'abord de l'oxygène pur avec des masques pendant 2 heures, afin de chasser l'azote de leur sang. Sinon, la baisse de pression en passant au scaphandre libérerait l'azote dissous dans le sang sous forme de bulles gazeuses, souvent mortelles. Ce phénomène de décompression est bien connu des plongeurs sous-marins.

Le paquebot

Le temps des immenses paquebots

qui traversaient les océans pour transporter voyageurs ou immigrants en quête de fortune, de l'autre côté des océans, est désormais révolu… Bien sûr, il y a toujours des paquebots de ligne, mais leur rentabilité commerciale est essentiellement assurée par les croisières de luxe.

© J. L. Charmet / Bibliothèque des Arts décoratifs

● **Le *Péreire***
Le transport maritime des passagers est né grâce au développement des moteurs à vapeur. Ces derniers nécessitaient des quantités très importantes de charbon, aussi les bateaux à vapeur avaient un rayon d'action et un volume utile limités.

▶ **Problèmes de logement !**

Au milieu du XIXᵉ siècle, les moteurs des paquebots étaient alimentés par du charbon. Celui-ci prenait souvent la moitié de la place disponible à bord !

Le *Queen Mary*
Voyage inaugural du Queen Mary en juin 1936. De nombreux paquebots ont assuré la liaison entre l'Europe et les États-Unis jusque dans les années 70. ●

© J. L. Charmet / collection particulière

Le *Lusitania* ●
On le voit ici représenté sur un puzzle ; ce paquebot qui débuta sa carrière en 1907, était équipé d'une turbine à vapeur Parsons : sa vitesse dépassait largement celle des autres grands paquebots de l'époque. Il fut torpillé huit ans plus tard par un sous-marin allemand, et on compta 1 198 morts.

© Explorer / Collection Bauer

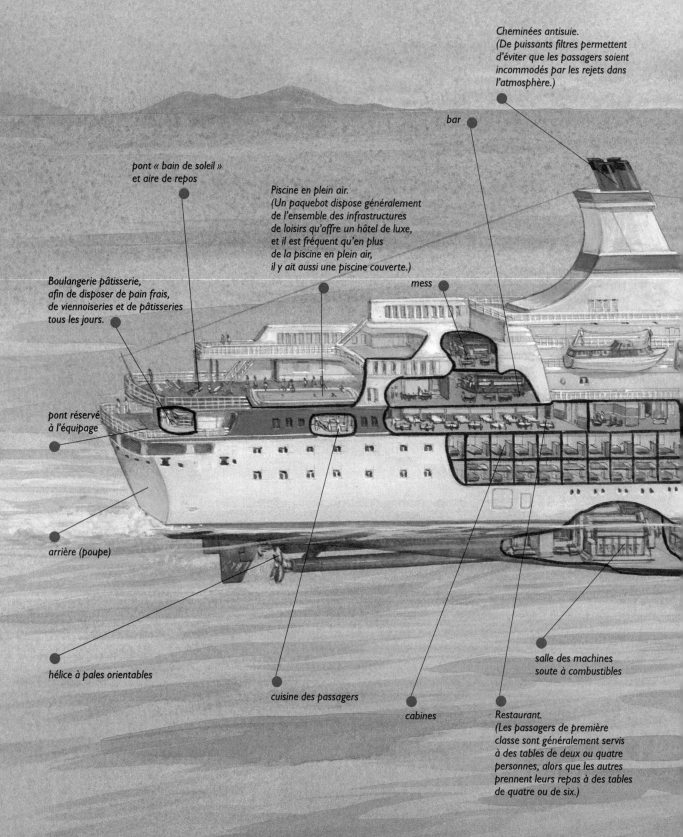

M. Welply

Cheminées antisuie.
(De puissants filtres permettent
d'éviter que les passagers soient
incommodés par les rejets dans
l'atmosphère.)

bar

pont « bain de soleil »
et aire de repos

Piscine en plein air.
(Un paquebot dispose généralement
de l'ensemble des infrastructures
de loisirs qu'offre un hôtel de luxe,
et il est fréquent qu'en plus
de la piscine en plein air,
il y ait aussi une piscine couverte.)

mess

Boulangerie pâtisserie,
afin de disposer de pain frais,
de viennoiseries et de pâtisseries
tous les jours.

pont réservé
à l'équipage

arrière (poupe)

hélice à pales orientables

cuisine des passagers

cabines

salle des machines
soute à combustibles

Restaurant.
(Les passagers de première
classe sont généralement servis
à des tables de deux ou quatre
personnes, alors que les autres
prennent leurs repas à des tables
de quatre ou de six.)

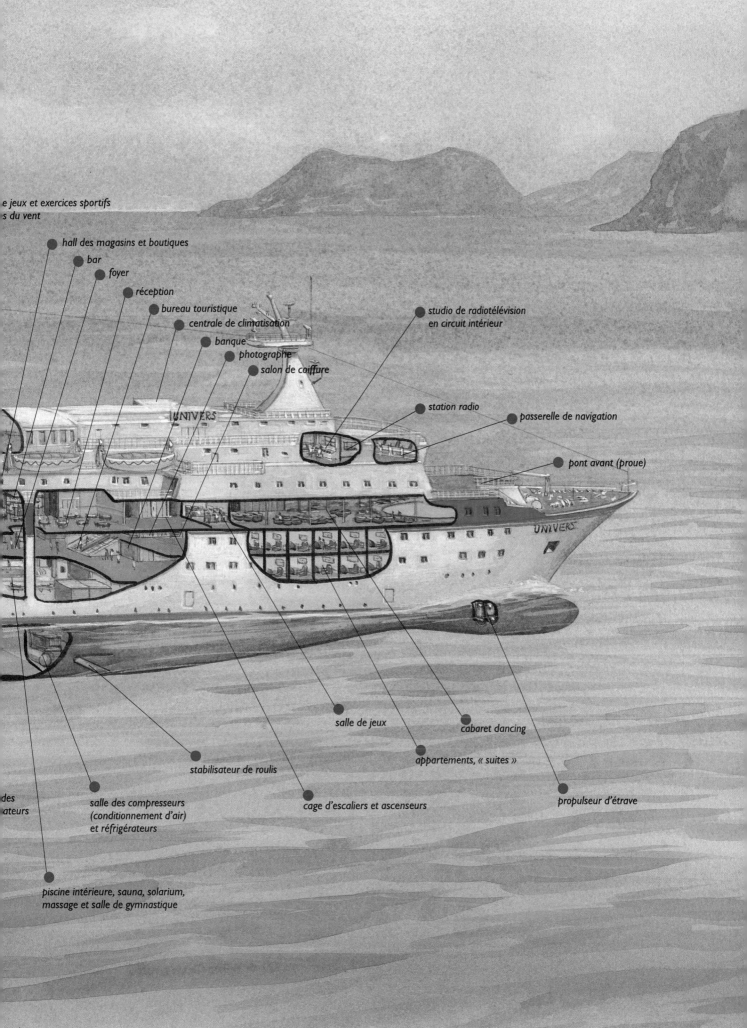

e jeux et exercices sportifs
s du vent

hall des magasins et boutiques

bar

foyer

réception

bureau touristique

centrale de climatisation

banque

photographe

salon de coiffure

studio de radiotélévision
en circuit intérieur

station radio

passerelle de navigation

pont avant (proue)

salle de jeux

cabaret dancing

appartements, « suites »

stabilisateur de roulis

cage d'escaliers et ascenseurs

propulseur d'étrave

des
ateurs

salle des compresseurs
(conditionnement d'air)
et réfrigérateurs

piscine intérieure, sauna, solarium,
massage et salle de gymnastique

● Le Washington, *navire transatlantique, 1864.*

Du navire courrier...

Le mot *paquebot* vient de l'anglais *packet boat,* c'est-à-dire « navire courrier » : en effet, à l'origine, ces bateaux acheminaient le courrier – qu'on appelait il y a un siècle et demi le « paquet » – par voie de mer. Par la suite, le transport de passagers devint sa mission principale. Au cours des années 1850, par la signature des premières conventions postales françaises, furent mis en place les premiers paquebots de ligne. Les armateurs faisaient tout leur possible afin d'emporter les concessions postales des principales lignes...

À partir des années 60, la concurrence du transport aérien devenant de plus en plus importante, les paquebots se destinèrent essentiellement à un aspect jusque-là secondaire de leur exploitation : la croisière. Les plus gros bateaux destinés au transport des passagers sont antérieurs au formidable développement des transports aériens. Les grands paquebots offrent désormais des croisières de luxe aux touristes fortunés. On voit ici le fumoir des I^{res} classes du célèbre France. ●

© Explorer / J.L. Charmet

... au transport en commun

À la fin du XIXe siècle, le transport maritime se développa davantage, notamment afin d'assurer la liaison avec les colonies lointaines, de répondre à l'engouement récent pour les voyages et aux besoins suscités par les mouvements d'émigration outre-Atlantique. On estime ainsi qu'environ 20 millions de personnes quittèrent l'Europe en à peine une trentaine d'années avant la Première Guerre mondiale, pour se rendre aux États-Unis... ■

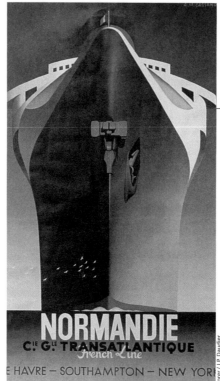

NORMANDIE
Cie G^{le} TRANSATLANTIQUE
French Line
E HAVRE – SOUTHAMPTON – NEW YOR

© Explorer / J.P. Daudier

© Cosmos / C. Fishman

● *Les immigrés arrivés en paquebot touchaient les États-Unis à Ellis Island (New York).*

● *Un des géants des années 1930, le* Normandie *(83 000 t). Mais le plus grand paquebot de tous les temps est le* Queen Mary 2, *sorti fin 2003 des Chantiers de l'Atlantique (Saint-Nazaire) : 345 m de long, 150 000 t (2 fois le* France*), capable d'emporter 2 600 passagers.*

MOTS CLÉS

● **ASSIETTE**
manière dont la coque repose sur l'eau.

● **AU VENT**
côté d'où vient le vent.

● **BÂBORD**
côté gauche en regardant vers la proue.

● **BAU**
largeur maximale de la coque.

● **FRANC-BORD**
distance entre le fil de l'eau et le pont.

● **LIGNE DE FLOTTAISON**
bande peinte sur la coque, dont la partie basse se situe au niveau de l'eau lorsque le navire est en charge, et la partie haute lorsqu'il est allégé.

● **ŒUVRES MORTES**
flancs du navire situés au-dessus de la flottaison.

● **QUÊTE**
inclinaison des cheminées ou des mâts.

● **SOUS LE VENT**
côté du navire à l'abri du vent.

● **TIRANT D'EAU**
hauteur de partie de la coque immergée dans l'eau.

● **TRIBORD**
côté droit du navire en regardant vers la proue.

S.S. "FRANCE"

Fumoir 1ères Classes

© Explorer / Collection Bauer

Ariane V et la navette

La fusée européenne *Ariane V* est capable de satelliser des charges utiles de plus de 6 000 kg sur toutes sortes d'orbites, mais ne sert qu'une seule fois. La navette spatiale américaine, pilotée par des astronautes, revient se poser sur terre après chaque mission. Ce sont les deux lanceurs les plus performants à l'aube du XXIᵉ siècle : ils se disputent le marché des lancements commerciaux.

ARIANE V

Elle mesure 45 ou 55,40 m selon la coiffe utilisée et pèse 750 tonnes au décollage.

L'étage à propergols stockables (EPS)
Il n'est pas allumé au décollage mais en vol, selon les missions, qu'il s'agisse de placer des satellites en orbite géostationnaire ou d'envoyer des sondes vers les planètes.

L'étage d'accélération à poudre
Les deux propulseurs qui composent cet étage (EAP) fournissent à eux seuls plus de 90 % de la force nécessaire au décollage et brûlent leurs 237 tonnes de carburant en à peine plus de 2 mn.

L'étage à propulsion cryotechnique
(EPC) mesure 30 m de haut. Son moteur, allumé et contrôlé quelques secondes avant le décollage, développe une poussée de 100 t et brûle ses 155 tonnes de propergol en moins de 10 mn.

La coiffe
Les deux demi-coquilles de la coiffe protègent les charges utiles (les satellites à placer en orbite). Dès la sortie de l'atmosphère, la coiffe, devenue inutile, est larguée. Elle mesure 12,70 ou 17 m de haut, selon le nombre de satellites à transporter.

La Speltra
La structure porteuse pour lancement multiple Ariane (Speltra) sert à loger sous la coiffe plusieurs satellites qui sont empilés les uns au-dessus des autres. Elle mesure 7 m.

La case à équipements
C'est le cerveau électronique du lanceur qui garde en mémoire toutes les instructions du vol. Il n'est pas piloté depuis le sol mais se guide lui-même. Cette autonomie lui permet une extraordinaire précision dans toutes les manœuvres, séparations, largages, orientations et placements de charges en orbite.

UN PUZZLE EUROPÉEN

F. Joos

Le premier et le troisième étage d'Ariane sont fabriqués en France, par l'Aérospatiale. C'est aussi en France que sont construits les moteurs, les instruments de mesure (capteurs) et les batteries électriques. La Grande-Bretagne fabrique le bloc de pilotage dont les boîtiers électroniques de contrôle sont faits au Danemark.

L'Italie s'occupe des propulseurs d'appoint et des impulseurs de séparation des étages.

L'Allemagne fabrique, entre autres, le deuxième étage et une partie du moteur du troisième étage.

Belgique, Espagne, Pays-Bas et Irlande participent également aux travaux, de même que la Suisse et la Suède.

Willis

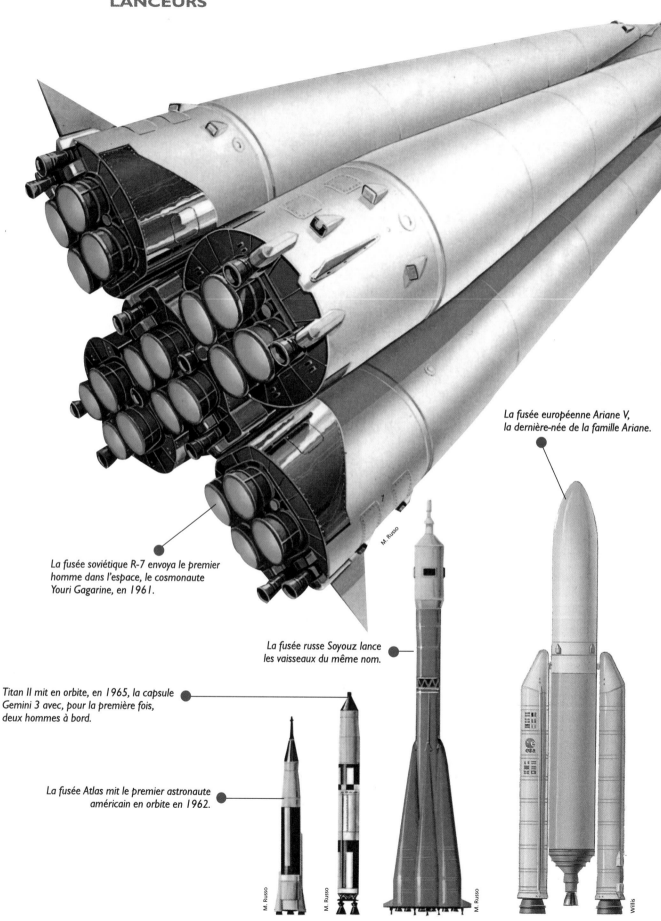

LES PRINCIPAUX
LANCEURS

La fusée européenne Ariane V,
la dernière-née de la famille Ariane.

La fusée soviétique R-7 envoya le premier
homme dans l'espace, le cosmonaute
Youri Gagarine, en 1961.

M. Russo

La fusée russe Soyouz lance
les vaisseaux du même nom.

Titan II mit en orbite, en 1965, la capsule
Gemini 3 avec, pour la première fois,
deux hommes à bord.

La fusée Atlas mit le premier astronaute
américain en orbite en 1962.

M. Russo

M. Russo

M. Russo

Willis

354

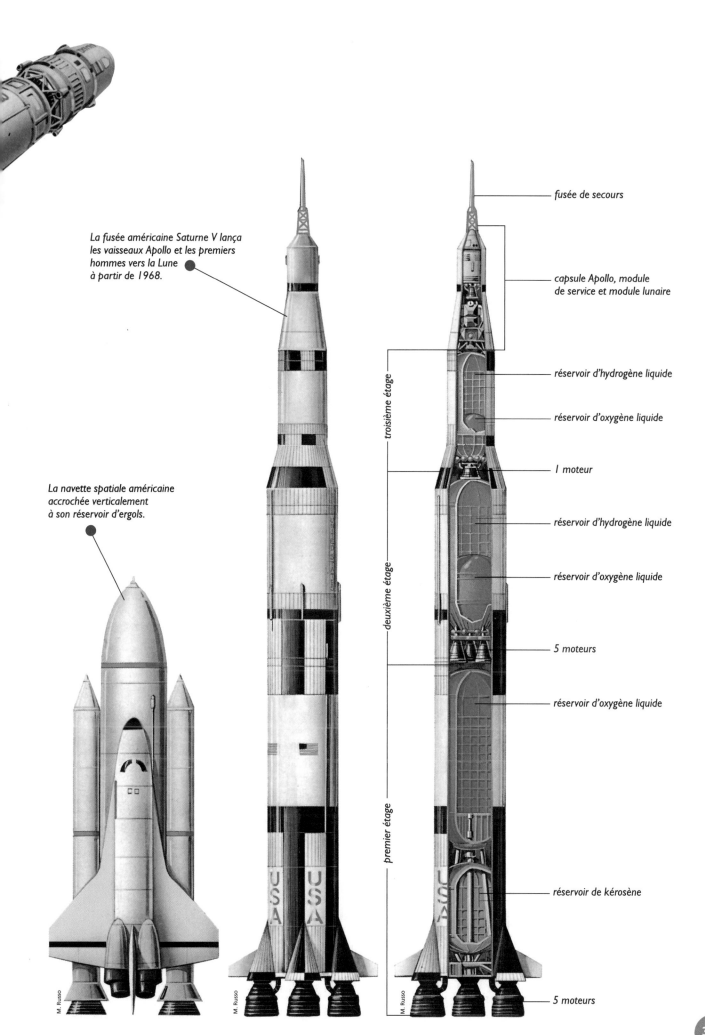

La fusée américaine Saturne V lança les vaisseaux Apollo et les premiers hommes vers la Lune à partir de 1968.

La navette spatiale américaine accrochée verticalement à son réservoir d'ergols.

fusée de secours

capsule Apollo, module de service et module lunaire

réservoir d'hydrogène liquide

réservoir d'oxygène liquide

1 moteur

réservoir d'hydrogène liquide

réservoir d'oxygène liquide

5 moteurs

réservoir d'oxygène liquide

réservoir de kérosène

5 moteurs

troisième étage

deuxième étage

premier étage

M. Russo

M. Russo

M. Russo

LE VOL DE LA NAVETTE

Largage des propulseurs à carburant solide

Décollage

*Mise sur orbite
de la navette*

Utilisation du laboratoire de l'espace, en orbite

AVANTAGES ET INCONVÉNIENTS

LES FUSÉES
– Grande variété d'orbites possibles : orbites basses, géostationnaires, polaires, etc.
– Possibilité d'adapter la fusée à différentes missions pour réduire le coût des lancements.
– Moins complexe que la navette, mais utilisable une seule fois.

LES NAVETTES
– Système réutilisable en partie (orbiteur et propulseurs à poudre récupérés).
– Possibilité de loger dans la soute un laboratoire qui constitue une mini-station orbitale.
– Possibilité de rapporter des charges sur la Terre, comme des satellites à réparer.
– N'atteint qu'une orbite basse à 500 km d'altitude. Nécessite des étages additionnels sur les satellites embarqués pour atteindre des orbites plus hautes.

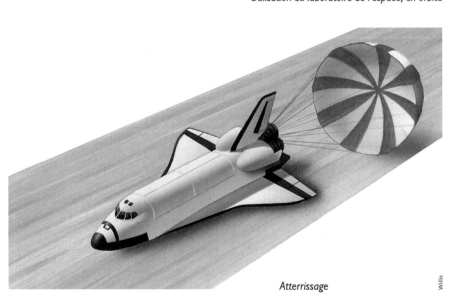

Atterrissage

Willis

L'aéroport

En1918 était bâti en France l'aéroport du Bourget, 15 ans seulement après le premier vol homologué des frères Wright. En l'espace d'une vie d'homme, l'aviation a révolutionné les transports : le monde compte aujourd'hui plus de 35 000 aéroports, publics ou privés, grands ou petits, où se croisent des voyageurs de tous les horizons.

Centre nerveux de l'aéroport, la tour de contrôle domine toutes les installations et dépasse parfois 50 m de haut.

Le travail de contrôleur exige une très grande concentration. Chaque opérateur s'occupe de plusieurs avions, qu'il surveille sur son écran. Il les conduit jusqu'à l'aéroport

L'ATTERRISSAGE

L'approche est l'étape la plus délicate : le contrôleur doit tenir compte des arrivées et des départs des autres avions ainsi que des conditions climatiques. 35,5 % des accidents surviennent lors de l'approche.

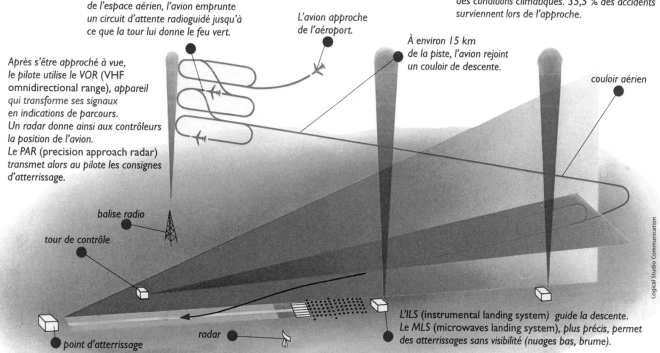

En cas d'encombrement de l'espace aérien, l'avion emprunte un circuit d'attente radioguidé jusqu'à ce que la tour lui donne le feu vert.

L'avion approche de l'aéroport.

À environ 15 km de la piste, l'avion rejoint un couloir de descente.

couloir aérien

Après s'être approché à vue, le pilote utilise le VOR (VHF omnidirectional range), appareil qui transforme ses signaux en indications de parcours. Un radar donne ainsi aux contrôleurs la position de l'avion. Le PAR (precision approach radar) transmet alors au pilote les consignes d'atterrissage.

balise radio

tour de contrôle

L'ILS (instrumental landing system) guide la descente. Le MLS (microwaves landing system), plus précis, permet des atterrissages sans visibilité (nuages bas, brume).

point d'atterrissage

radar

Willis

UN AÉROPORT INTERNATIONAL

❶ Tour de contrôle.

❷ Le bâtiment principal forme un éventail afin
d'être relié aux structures destinées à entrer
en contact direct avec les avions, à l'arrivée,
au départ ou en cours de chargement.

❸ Dans les passages couverts, des tapis roulants
facilitent les déplacements des passagers.

❹ L'aérogare principale, où embarquent
et débarquent les voyageurs. Cette grande étoile
fait face aux pistes.

❺ Une ou plusieurs passerelles, couvertes
et orientables, partent des branches de l'aérogare.

❻ La gare de fret, où sont embarquées
et débarquées les marchandises.

❼ Un hangar, directement relié à la gare de fret,
est loué aux entreprises de transport routier.

❽ Les voyageurs arrivent ou s'en vont
par le chemin de fer qui mène à la ville
(pour des raisons de bruit et de sécurité,
les aéroports sont en général bâtis loin des centres
urbains). Un passage relie gare et aérogare.

❾ Emplacement destiné aux petits avions
et au trafic privé.

Willis

⑩ Un avion de tourisme décolle sur une piste secondaire, qui peut mesurer de 1,2 à 2,2 km de long.

⑪ Un avion de ligne roule vers la piste principale, invisible ici. Dans les grands aéroports, les pistes principales ont entre 2,5 et 3,5 km de longueur, voire 4,5 km pour les avions supersoniques comme le Concorde.

⑫ Un autre avion de ligne est approvisionné en carburant et subit les contrôles techniques avant de s'envoler.

⑬ Un aéroport possède souvent une plate-forme pour les hélicoptères, qui assurent un service régulier avec la ville ou interviennent dans les cas d'urgence.

⑭ Bâtiment de repos entre deux vols pour le personnel navigant.

⑮ Parking extérieur destiné aux personnes qui viennent chercher ou accompagner des voyageurs. Il existe aussi des parkings intérieurs, sur plusieurs niveaux.

L'ATTERRISSAGE DE NUIT ●

Lors des vols de nuit, la disposition des lumières indique l'axe d'approche et les corrections à apporter à l'inclinaison de l'avion. Ce système, appelé VASIS, contribue largement à assurer la sécurité. Il est complété par un ensemble de lampes très puissantes qui précèdent la piste et constituent un véritable chemin d'approche.

Approche haute
T renversé en lumière blanche

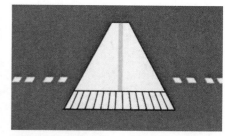

Approche correcte
Barre horizontale en lumière blanche

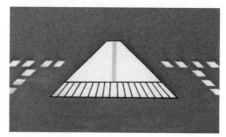

Approche basse
T droit en lumière blanche

Approche au-dessous de la limite de sécurité
T droit en lumière rouge

© Explorer / E. de Malglaive

L'HÉLIPORT ●

L'héliport peut se trouver tout près ou à l'intérieur des villes car un hélicoptère décolle et atterrit verticalement, ce qui demande peu de place. On en rencontre même au sommet des gratte-ciel. Un héliport comprend un hangar abritant les appareils au repos, un autre pour l'entretien, une aire de stationnement et une zone, généralement circulaire, pour décoller et atterrir.

La piste est longue d'environ 120 m et d'une largeur minimale égale à deux fois le diamètre des pales de la grande hélice des appareils.

L'AÉROPORT EN SATELLITES

Dans les aéroports modernes, comme celui de Roissy-Charles-de-Gaulle, au lieu de tout réunir dans un seul bâtiment, on a construit des satellites communiquant par des galeries souterraines.

Chaque satellite accomplit des fonctions autonomes, comme les contrôles de police et des douanes. Seuls quelques services communs sont réunis dans un corps central.

© Explorer / E. de Malglaive

LES BAGAGES ●

Une fois enregistrés, les bagages filent sur un tapis roulant. Les bagagistes les récupèrent au bout du tapis et les chargent dans des containers placés sur des chariots. Ils travaillent très vite car il faut charger plusieurs centaines de bagages en moins d'une heure.

passerelle extensible pour gagner l'avion sans subir les intempéries ni emprunter de navette ●

satellite ●

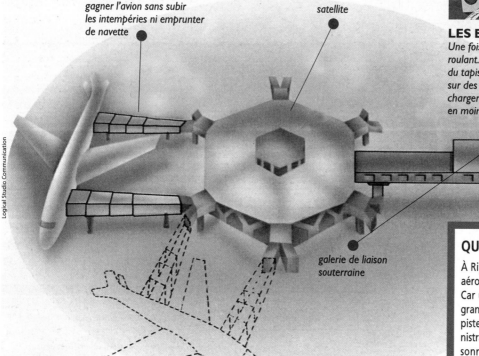

Logical Studio Communication

galerie de liaison souterraine

QUELQUES CHIFFRES

À Riyâd, en Arabie saoudite, le plus grand aéroport du monde couvre 22 100 hectares. Car un aéroport international occupe une grande surface, dont la majorité revient aux pistes. Il nécessite aussi un personnel administratif et technique important : 7 000 personnes travaillent aux Aéroports de Paris (Orly et Roissy-Charles-de-Gaulle).

Les secrets du sous-marin

Le monde sous-marin est un milieu extrême où l'Homme n'a, a priori, pas sa place. Au-delà de 80 m, l'obscurité est totale, la pression de l'eau devient très forte, la température descend à 5 °C. Pour évoluer sous l'eau, l'Homme a éliminé toutes ces contraintes en construisant des sous-marins. Ces derniers bénéficient des technologies de pointe et ont plus d'un tour dans leur coque.

Le premier sous-marin de guerre

La coque en cuivre de cet engin monoplace, mis à l'eau en 1776, avait la forme de deux carapaces de tortues accolées. La Tortue, évoluant à faible profondeur, les hublots suffisaient au pilote pour se diriger et placer des charges explosives sous la coque d'un navire ennemi.

La Tortue

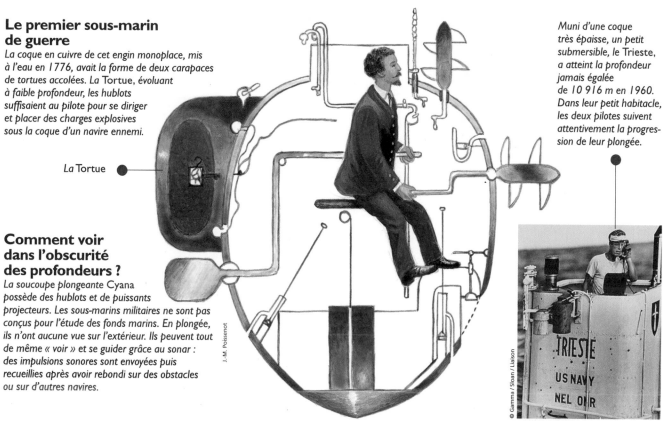

J.-M. Pois
senot

Muni d'une coque très épaisse, un petit submersible, le Trieste, a atteint la profondeur jamais égalée de 10 916 m en 1960. Dans leur petit habitacle, les deux pilotes suivent attentivement la progression de leur plongée.

Comment voir dans l'obscurité des profondeurs ?

La soucoupe plongeante Cyana possède des hublots et de puissants projecteurs. Les sous-marins militaires ne sont pas conçus pour l'étude des fonds marins. En plongée, ils n'ont aucune vue sur l'extérieur. Ils peuvent tout de même « voir » et se guider grâce au sonar : des impulsions sonores sont envoyées puis recueillies après avoir rebondi sur des obstacles ou sur d'autres navires.

© Gamma / Sloan / Liaison

Logical Studio Communication

Le périscope permet de voir au-dessus du niveau de la mer lorsque le sous-marin est immergé à faible profondeur.

Derrière les hublots du Nautile (qui peut plonger jusqu'à 6 000 m de profondeur) se trouvent deux hommes d'équipage.

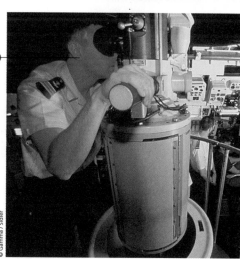

© Gamma / Sidler

LE « TRIOMPHANT »
Sous-marin nucléaire stratégique lanceur d'engins (SNLE)

- **MISE À L'EAU**
1996.

- **LONGUEUR**
128 m.

- **DIAMÈTRE**
12,50 m.

- **POIDS**
14 000 t.

- **ÉQUIPAGE**
140 personnes.

- **ARMEMENT**
missiles à tête nucléaire.

- **PROFONDEUR MAXIMALE**
300 m.

- **VITESSE EN PLONGÉE**
25 nœuds (46 km/h).

- **COÛT**
14 milliards de francs.

Le sous-marin nucléaire

*Grâce à l'utilisation de l'énergie nucléaire, l'autonomie, les performances et la puissance de feu des sous-marins ont été sensiblement augmentées. Les sous-marins lance-missiles, comme celui présenté en coupe ci-dessous, constituent une arme terrifiante.
Chacun de leurs missiles nucléaires peut être tiré des profondeurs de l'océan et détruire une ville située à plusieurs milliers de kilomètres. Ils sillonnent sans relâche les océans, prêts à une représaille immédiate. Mais cette menace permanente sert avant tout à éviter le déclenchement d'une guerre nucléaire en maintenant une crainte mutuelle.*

1 *Barre de plongée*

2 *Barre de direction*

3 *Moteur diesel électrique de secours*

4 *Sas de sauvetage arrière*

5 *Missile à tête nucléaire dans son tube*

6 *Porte de sortie des missiles nucléaires*

7 *Antenne radio*

8 *Poste de conduite en surface*

9 *Sas de sauvetage avant*

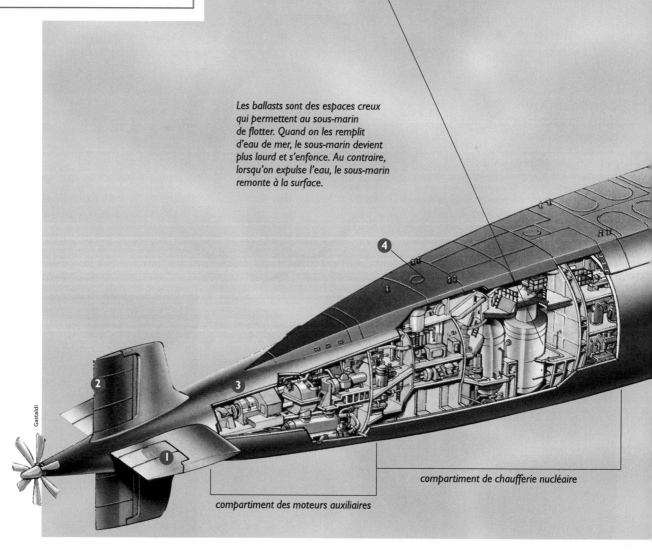

Le réacteur nucléaire est le cœur du sous-marin. Il fournit l'énergie de propulsion, il permet également de transformer l'eau de mer en eau potable et de renouveler l'air à bord.

Les ballasts sont des espaces creux qui permettent au sous-marin de flotter. Quand on les remplit d'eau de mer, le sous-marin devient plus lourd et s'enfonce. Au contraire, lorsqu'on expulse l'eau, le sous-marin remonte à la surface.

Gastaldi

compartiment de chaufferie nucléaire

compartiment des moteurs auxiliaires

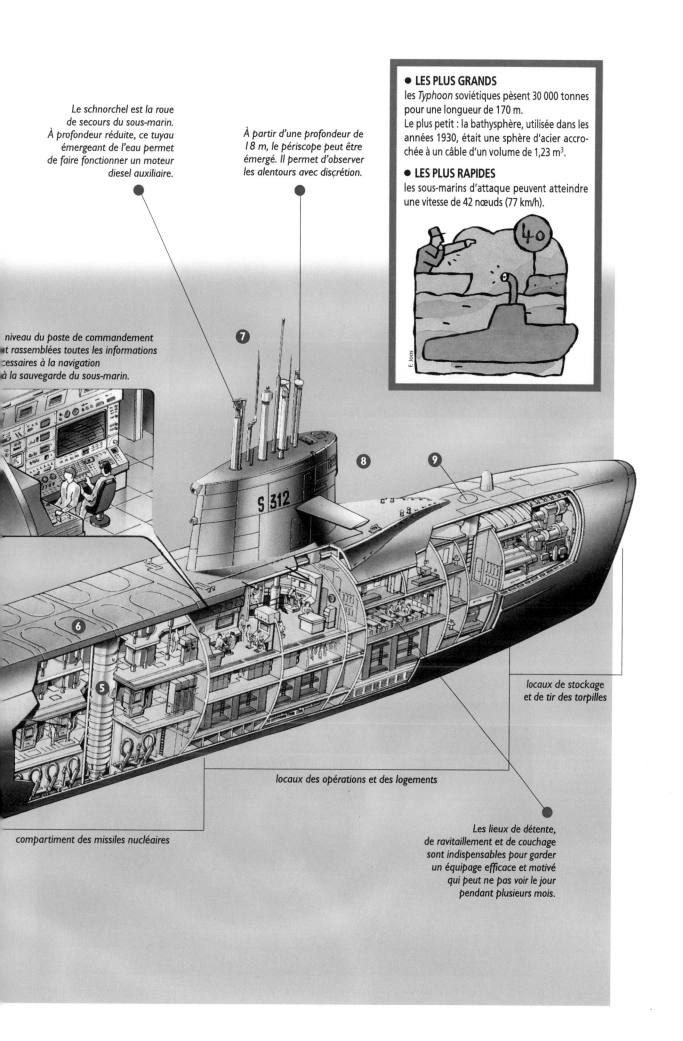

Le schnorchel est la roue de secours du sous-marin. À profondeur réduite, ce tuyau émergeant de l'eau permet de faire fonctionner un moteur diesel auxiliaire.

À partir d'une profondeur de 18 m, le périscope peut être émergé. Il permet d'observer les alentours avec discrétion.

niveau du poste de commandement t rassemblées toutes les informations cessaires à la navigation à la sauvegarde du sous-marin.

S 312

7

8

9

6

5

locaux de stockage et de tir des torpilles

locaux des opérations et des logements

compartiment des missiles nucléaires

Les lieux de détente, de ravitaillement et de couchage sont indispensables pour garder un équipage efficace et motivé qui peut ne pas voir le jour pendant plusieurs mois.

Pour que les marins
ne soient pas totalement
désorientés par leur
longue mission,
l'éclairage blanc
est remplacé par
un éclairage rouge
quand, en surface,
il fait nuit.

Le sous-marin
atomique français
le Triomphant
en cale sèche.

Une puissance illimitée ?

*L'hélice reste le moyen de propulsion privilégié.
En revanche, les réacteurs nucléaires ont remplacé les moteurs
diesels et électriques des sous-marins militaires. Ils fournissent
aux sous-marins une autonomie totale par rapport à la surface,
en dehors des ravitaillements en nourriture. La durée des missions,
qui peut aller jusqu'à trois mois, est uniquement limitée
par la résistance de l'équipage.*

Une résistance à toute épreuve ?

*Le dernier-né des sous-marins nucléaires français, le Triomphant,
peut évoluer jusqu'à 300 m sous la surface des mers. À cette
profondeur, la pression est de 30 kg/cm^2, soit 30 fois plus que
la pression atmosphérique. Au-delà de 300 m, le sous-marin serait
écrasé par la pression de l'eau, car sa coque en acier ne serait pas
assez résistante.*

L'Homme au secours du sous-marin

**Ce scaphandre baptisé
Newtsuit permet
à un homme d'intervenir
jusqu'à une profondeur
de 330 m. Muni d'une
réserve d'air de plusieurs
heures et de quatre
hélices, il pourrait
constituer à l'avenir
un moyen d'intervention
efficace et rapide pour
les sous-marins
en difficulté.**

La gare

Simple halte de campagne ou vaste complexe urbain, les gares font partie du paysage depuis les années 1830. Finis les nuages de vapeur des locomotives à charbon, mais le sifflet du départ est toujours là ! Dernier vestige du passé car, avec l'intensité du trafic, la gare fonctionne aujourd'hui de façon très complexe.

LE CENTRE VITAL

Le poste de contrôle du trafic gère la circulation dans une zone déterminée. Le réseau en compte environ 2 300. Chacun est commandé par un aiguilleur. Ce dernier dirige un train sur les voies qui le mèneront à sa destination. Il surveille aussi les autres convois, pour éviter les collisions ou les croisements. Les postes mécaniques, longtemps en vigueur, disparaissent au profit des postes électriques.

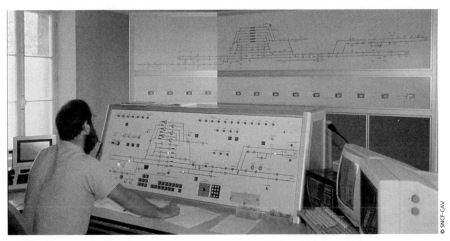

LE PRG

Le « poste tout relais à transit souple », ou PRS, des années 1950 à 1980 cède peu à peu la place au PRG ou au PRCI. Le « poste tout relais à câblage géographique », ou PRG, présent dans les gares de moyenne importance, se distingue par son unique table de commande et de contrôle (TCC).

LE PRCI

Pour le « poste à relais et commande informatique », ou PRCI, des grandes gares, la surveillance se fait sur un tableau de contrôle optique (TCO) ou sur une console de visualisation.
1- Le TCO reproduit les installations et les signaux de la gare.
2- Écrans de dialogue
3- Pupitres de commande : l'aiguilleur compose sur le clavier le ou les itinéraires prévus. Ces derniers restent affichés sur l'écran pendant que l'ordinateur sélectionne et vérifie les conditions de sécurité. Une fois réalisé, l'itinéraire apparaît sur le TCO.

SNCF : DES SIGLES QUI FONT DU CHEMIN !

Un TGV qui va de Paris à Quimper traverse les zones de 35 postes, dont 9 PRS, 8 PRG, 6 PRCI et 4 postes mécaniques. Les PRCI des lignes à grande vitesse (LGV) sont télécommandés à partir d'une unité centrale, le PAR (poste d'aiguillage et de régulation). Par exemple, le PAR de Lille gère 26 PRCI. Dans l'avenir, ces PAR remplaceront les postes existants.

LES POSTES ÉLECTRIQUES

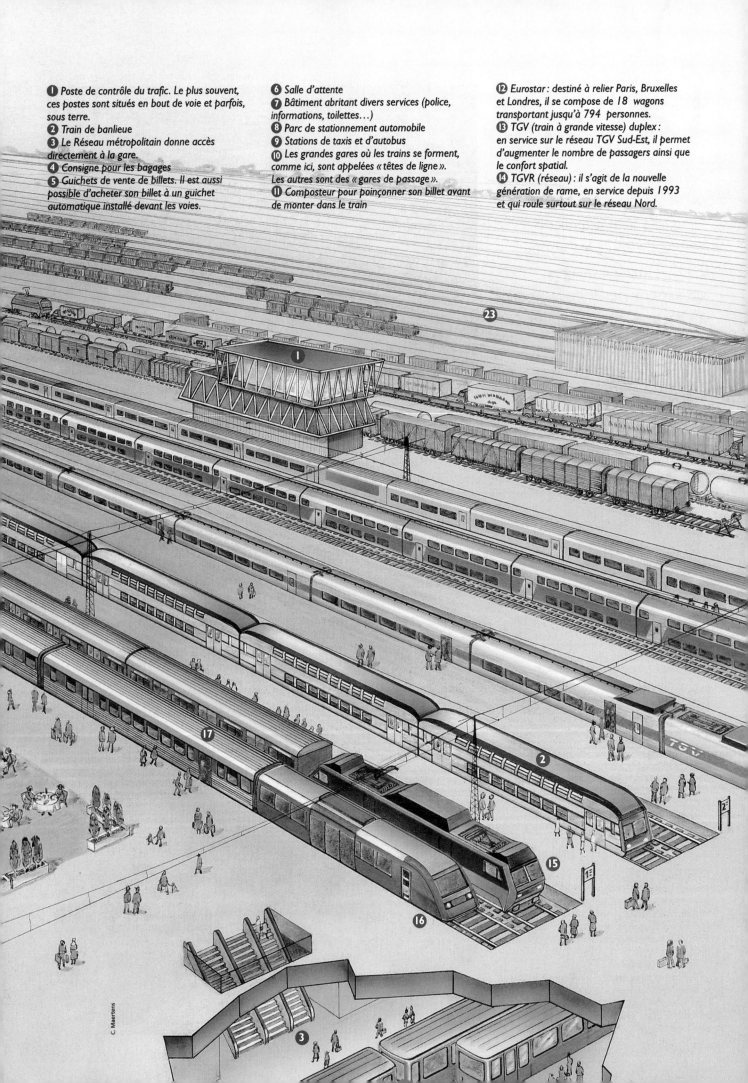

❶ Poste de contrôle du trafic. Le plus souvent, ces postes sont situés en bout de voie et parfois, sous terre.
❷ Train de banlieue
❸ Le Réseau métropolitain donne accès directement à la gare.
❹ Consigne pour les bagages
❺ Guichets de vente de billets. Il est aussi possible d'acheter son billet à un guichet automatique installé devant les voies.

❻ Salle d'attente
❼ Bâtiment abritant divers services (police, informations, toilettes…)
❽ Parc de stationnement automobile
❾ Stations de taxis et d'autobus
❿ Les grandes gares où les trains se forment, comme ici, sont appelées « têtes de ligne ». Les autres sont des « gares de passage ».
⓫ Composteur pour poinçonner son billet avant de monter dans le train

⓬ Eurostar : destiné à relier Paris, Bruxelles et Londres, il se compose de 18 wagons transportant jusqu'à 794 personnes.
⓭ TGV (train à grande vitesse) duplex : en service sur le réseau TGV Sud-Est, il permet d'augmenter le nombre de passagers ainsi que le confort spatial.
⓮ TGVR (réseau) : il s'agit de la nouvelle génération de rame, en service depuis 1993 et qui roule surtout sur le réseau Nord.

C. Maertens

15 *Locomotive Sybic : elle équipe les trains de voyageurs et peut traîner jusqu'à 2 000 tonnes de marchandises.*

16 *TER (train express régional) du futur*

17 *Voiture TER*

18 *Gare de marchandises : elle n'est pas accessible au public. On y trouve des wagons-citernes, des wagons pour le bois, les transports frigorifiques, le charbon ou les produits agricoles.*

19 *Grue roulante pour le déplacement des remorques de camions ou des conteneurs transportés par les wagons de marchandises. Ces derniers peuvent supporter jusqu'à 62,5 t chacun.*

20 *Conteneurs*

21 *Trains transportant des remorques de camions ou les camions eux-mêmes.*

22 *Descente (dite « butte ») le long de laquelle*

sont poussés les wagons de marchandises qui formeront les convois dans le parc de triage.

23 *Parc de triage destiné à former les convois en fonction de leur destination.*

24 *Dépôt avec rotonde servant à changer un engin à moteur de côté.*

25 *Hangar*

26 *Ateliers abritant les services de maintenance*

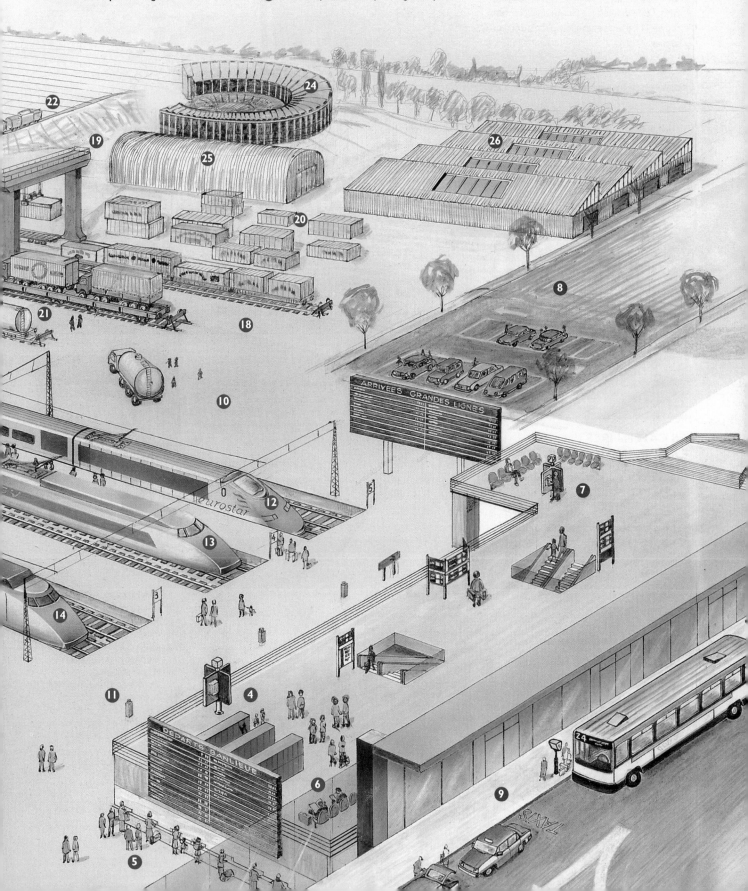

LES GARES FRANÇAISES

Les 2 707 gares françaises accueillent chaque jour 12 500 trains, transportant près de 3 millions de voyageurs et 354 000 tonnes de marchandises. Certaines sont classées monuments historiques, comme la gare de Lyon, à Paris. Cette dernière, la plus grande de France, couvre 11 hectares et emploie plus de 2 000 personnes.

La gare de Lyon, à Paris.

LA SÉCURITÉ

Le chemin de fer reste un moyen de transport terrestre rapide et très sûr, comparé notamment à l'automobile. Mais les accidents peuvent survenir si l'on ne respecte pas des règles toutes simples de sécurité.

ÉCOUTER ET REGARDER

Un train n'arrive pas en actionnant son avertisseur. Il est souvent très silencieux, surtout par temps de pluie ou de neige. Et en cas de brouillard, il est parfois invisible. Il vaut donc mieux tendre l'oreille et ouvrir ses yeux. Ensuite, dès qu'il approche du quai, il est préférable de ne pas se tenir trop près du bord.

LES CATÉNAIRES

Les lignes électriques, ou caténaires, transportent un courant de 25 000 volts, c'est-à-dire 114 fois plus élevé que le courant domestique. Une telle énergie réclame une grande prudence.
Par exemple, approcher une caténaire suffit pour être électrocuté. C'est pourquoi il est recommandé de ne pas grimper sur les poteaux ni d'escalader les wagons qui stationnent.

LA TRAVERSÉE DES VOIES

Elle s'effectue le plus souvent par des souterrains (670 gares) ou des passerelles (26 gares). Sinon il existe des passages dits « planchéisés » parce qu'ils sont aménagés de planches, donnant des indications aux usagers : panneaux, signaux ou barrières. Le non-respect de ces consignes peut être très dangereux (environ 25 accidents mortels par an).

© SNCF-CAV

DANS LE TRAIN

Inutile de courir après le train parce qu'on est en retard. Ou d'en sauter avant qu'il soit arrêté parce qu'on est pressé. Les chutes entre le quai et le wagon sont des accidents assez courants et souvent graves. Enfin, il est interdit de se pencher hors du train, pour éviter de tomber ou de heurter un obstacle.

LES DISTANCES DE FREINAGE

Un train ne s'arrête pas aussi facilement qu'une automobile.
À 60 km/h, il lui faut 560 m.
À 120 km/h, il lui faut de 1 200 m à 1 500 m.
À 300 km/h, vitesse d'un TGV, il lui faut... 6 km !

La construction d'une route

Avant sa conquête par Jules César, la Gaule ne possédait que des chemins de terre. Dues aux Romains, les routes sont un énorme progrès pour les commerçants, les armées, et, plus tard, les pèlerins. Au XVIIIe siècle, elles prennent leur visage moderne grâce à l'essor du commerce et des transports en diligence. Utilisée par **88,5 %** des voyageurs, la route doit aujourd'hui assurer la circulation de milliers de véhicules à moteur.

Les voies romaines sont en général rectilignes et larges de 4 à 6 m. Elles sont le plus souvent construites par des soldats et portent le nom du consul qui coordonne les travaux.

LA ROUTE ROMAINE

Pavage constitué de dalles de pierre réunies par des joints

Nappe de mortier de chaux

Caniveau pour récupérer les eaux

Bordure pour évacuer l'eau

Couche étanche, faite de débris de pierres

Fond de terre battue

J.-M. Poissenot

DE LA DALLE À LA PIERRE

Au XIIe siècle, les dalles deviennent plus petites ; elles sont remplacées au XVe siècle par le pavé d'échantillon, un cube de grès posé sur du sable. En 1775, le Français Trésaguet jette les principes des premières routes empierrées : un soubassement de pierres de 17 cm de haut placées en « hérisson », posé sur un sol voûté, supporte une couche de pierres, le tout nappé d'un revêtement de fin gravier.

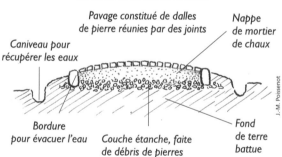

J.-M. Poissenot

LE MACADAM

L'Écossais John Loudon McAdam (1756-1836) abandonne le hérisson et superpose trois couches de pierres, celle du dessus, épaisse de 25 cm, comprenant des pierres de 128 g chacune. De cette façon, le passage des véhicules assure le tassement de la chaussée, qui se déforme ainsi beaucoup moins. Suivront le goudron (1867), le bitume (1923) et le béton (années 1930).

L'AMÉNAGEMENT DES AUTOROUTES

Grands prix, Rubans d'or ou d'argent récompensent les plus belles réalisations : pont de Normandie de l'A 29...; des Rubans verts, les plus écologiques : réserve pour oiseaux migrateurs créée par l'A5... Les passages à gibier trop bas pour les cerfs ont été agrandis ; des arbustes à baies ont été plantés pour inciter les animaux à s'y engager.

© Explorer / R. Lanaud

CONSTRUCTION D'UNE ROUTE

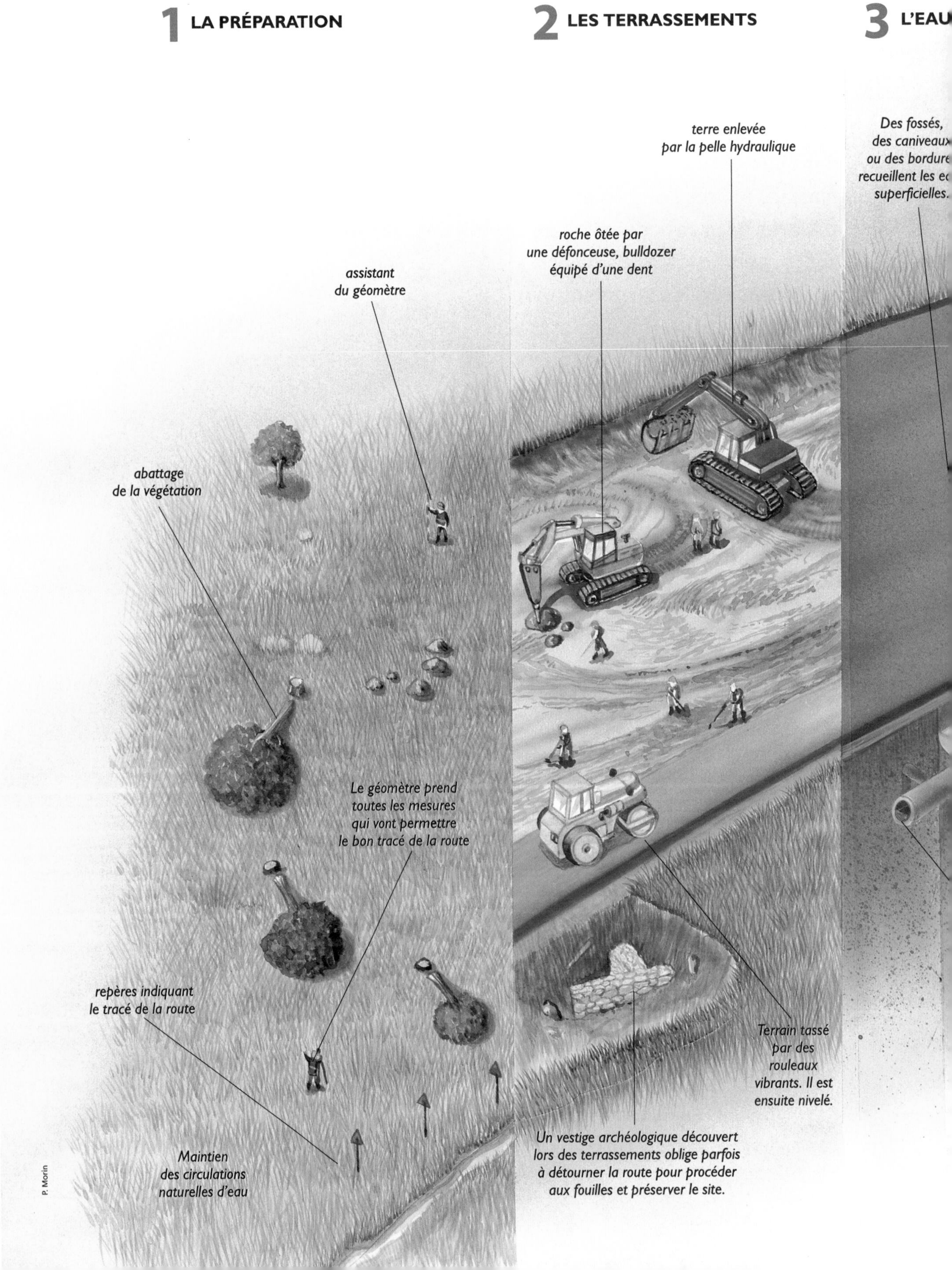

1 LA PRÉPARATION

2 LES TERRASSEMENTS

3 L'EAU

terre enlevée
par la pelle hydraulique

Des fossés,
des caniveaux
ou des bordure
recueillent les e
superficielles.

roche ôtée par
une défonceuse, bulldozer
équipé d'une dent

assistant
du géomètre

abattage
de la végétation

Le géomètre prend
toutes les mesures
qui vont permettre
le bon tracé de la route

repères indiquant
le tracé de la route

Terrain tassé
par des
rouleaux
vibrants. Il est
ensuite nivelé.

Maintien
des circulations
naturelles d'eau

Un vestige archéologique découvert
lors des terrassements oblige parfois
à détourner la route pour procéder
aux fouilles et préserver le site.

P. Morin

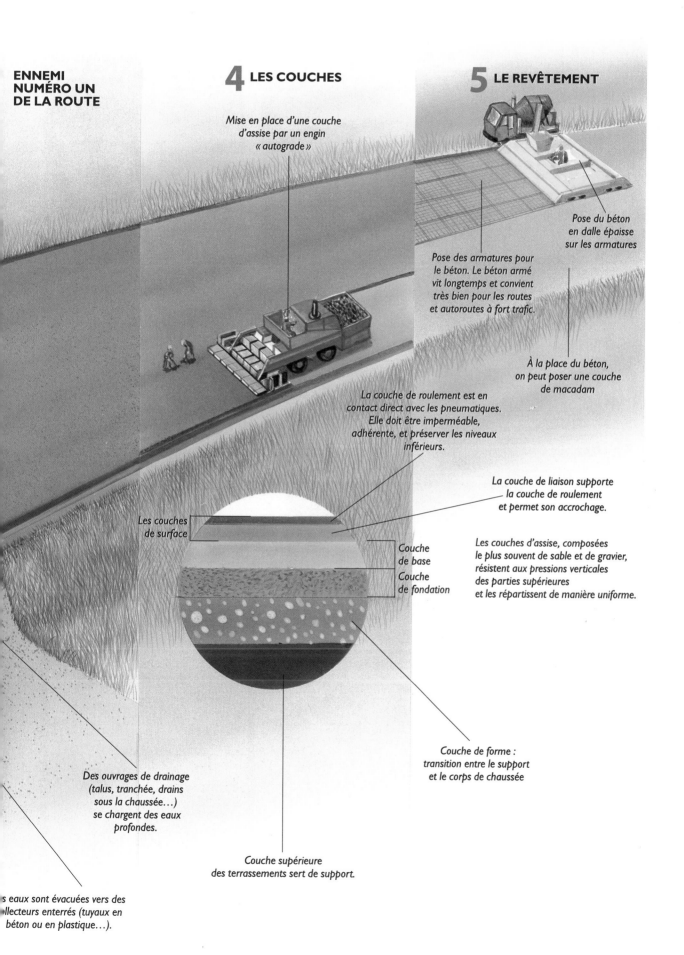

ENNEMI NUMÉRO UN DE LA ROUTE

4 LES COUCHES

Mise en place d'une couche d'assise par un engin « autograde »

La couche de roulement est en contact direct avec les pneumatiques. Elle doit être imperméable, adhérente, et préserver les niveaux inférieurs.

Les couches de surface

Couche de base

Couche de fondation

Des ouvrages de drainage (talus, tranchée, drains sous la chaussée…) se chargent des eaux profondes.

Couche supérieure des terrassements sert de support.

s eaux sont évacuées vers des llecteurs enterrés (tuyaux en béton ou en plastique…).

5 LE REVÊTEMENT

Pose du béton en dalle épaisse sur les armatures

Pose des armatures pour le béton. Le béton armé vit longtemps et convient très bien pour les routes et autoroutes à fort trafic.

À la place du béton, on peut poser une couche de macadam

La couche de liaison supporte la couche de roulement et permet son accrochage.

Les couches d'assise, composées le plus souvent de sable et de gravier, résistent aux pressions verticales des parties supérieures et les répartissent de manière uniforme.

Couche de forme : transition entre le support et le corps de chaussée

© Gamma / J.-L. Quetet

un pont
en béton

© Gamma / P. Psaille

glissières de sécurité

© Gamma / J. Chiasson

marquage
au sol

© Gamma / K. Daher

mur acoustique pour protéger les riverains du bruit

© Gamma / F. Demange

aires annexes : postes
à essence, restauration,
aires de repos...

© Gamma / A. Le Bot

30

Respectez
les Piétons
et les
RAPPEL Cyclistes

**Arrêt Momentané
Autorisé
Desserte Riverains**

signalisation routière
ou touristique

LES ROUTES EN FRANCE

- **CHEMINS RURAUX**
  750 00 km dont 80 % non revêtus.

- **ROUTES COMMUNALES**
  562 788 km.

- **ROUTES DÉPARTEMENTALES**
  365 607 km.

- **ROUTES NATIONALES**
  28 560 km.

- **VOIES RAPIDES URBAINES**
  1 223 km.

- **AUTOROUTES**
  7 288 km (11 000 km prévus à l'horizon
  2000).
  Le ministère des Transports prévoit
  un doublement du trafic autoroutier
  d'ici 2015.

  Source : ministère de l'équipement des transports et du logement.

L'avion long-courrier

L'avion long-courrier assure des transports sur de longues distances, plus de 2 000 km, par exemple entre Paris et Tokyo. On le différencie du moyen-courrier, et du court-courrier (jusqu'à 1000 km).

**POSTE DE PILOTAGE
D'UN AIRBUS A340**

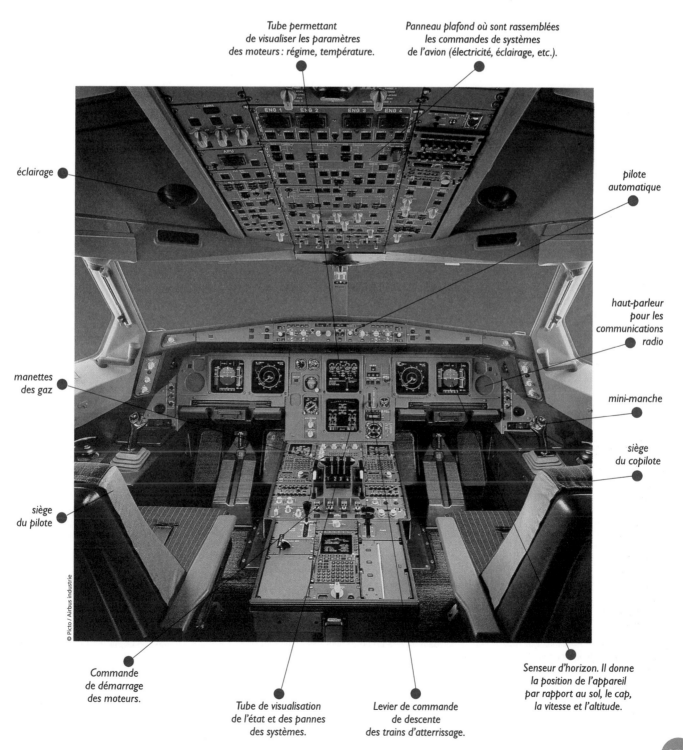

Tube permettant de visualiser les paramètres des moteurs : régime, température.

Panneau plafond où sont rassemblées les commandes de systèmes de l'avion (électricité, éclairage, etc.).

éclairage

pilote automatique

haut-parleur pour les communications radio

manettes des gaz

mini-manche

siège du copilote

siège du pilote

© Picto / Airbus industrie

Commande de démarrage des moteurs.

Tube de visualisation de l'état et des pannes des systèmes.

Levier de commande de descente des trains d'atterrissage.

Senseur d'horizon. Il donne la position de l'appareil par rapport au sol, le cap, la vitesse et l'altitude.

TRAIN D'ATTERRISSAGE AVANT

rentré

en extension

sol

en charge

TURBORÉACTEUR

ventilateur avant

compresseur

turbine

cône d'échappement
de la tuyère

réservoir d'huile

démarreur

pompe
à combustible

générateur

BOEING 747
« JUMBO-JET »

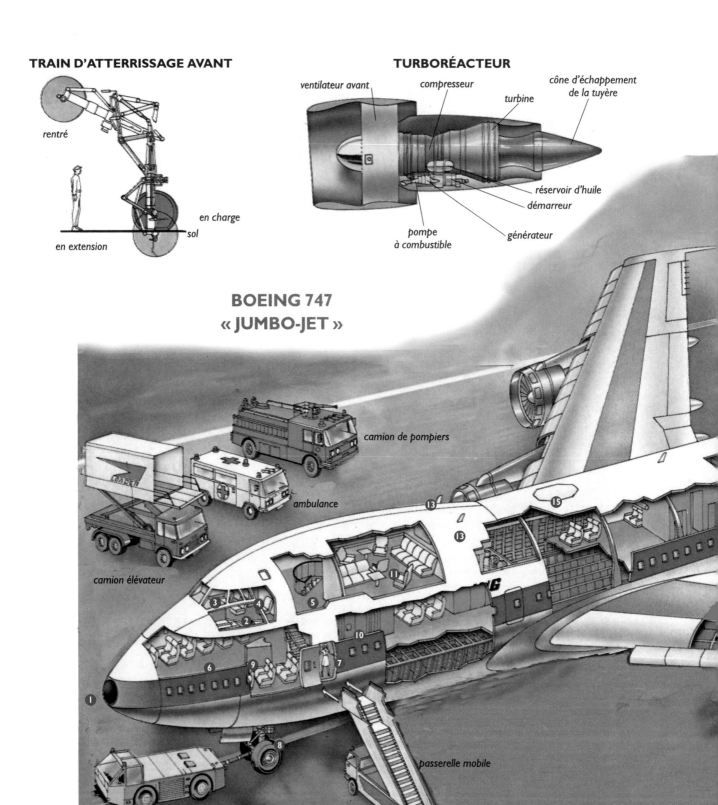

camion de pompiers

ambulance

camion élévateur

passerelle mobile

tracteur

Si les avions de 100 à 240 places représentent l'essentiel des flottes aériennes, la bataille commerciale entre les constructeurs se concentre sur les long-courriers de moins de 400 places. Le premier de ces géants du ciel entra en service le 21 janvier 1970 : c'était le Boeing 747, alias « Jumbo-jet » (avion à réaction éléphant). D'autres gros porteurs sont venus compléter la palette des long-courriers, en particulier la famille des Airbus.

CABINE

Elle offre des sièges aux passagers et de vastes coffres à bagages. Des écrans vidéo individuels peuvent être proposés pour agrémenter un long voyage. Des compartiments couchettes ou des salles de conférence sont à la disposition des passagers.

CLASSE AFFAIRES

Elle est réservée aux hommes d'affaires qui constituent la clientèle la plus rentable des compagnies aériennes.

CABINE DE PREMIÈRE CLASSE

Les avions des lignes régulières sont aménagés en classes. Les tarifs, les prestations offertes (mise à disposition de journaux ou magazines) et la restauration diffèrent selon la classe.

CLASSES ÉCONOMIQUE
ET TOURISTE

Les transporteurs ont conquis de nouveaux clients en proposant des tarifs concurrentiels.

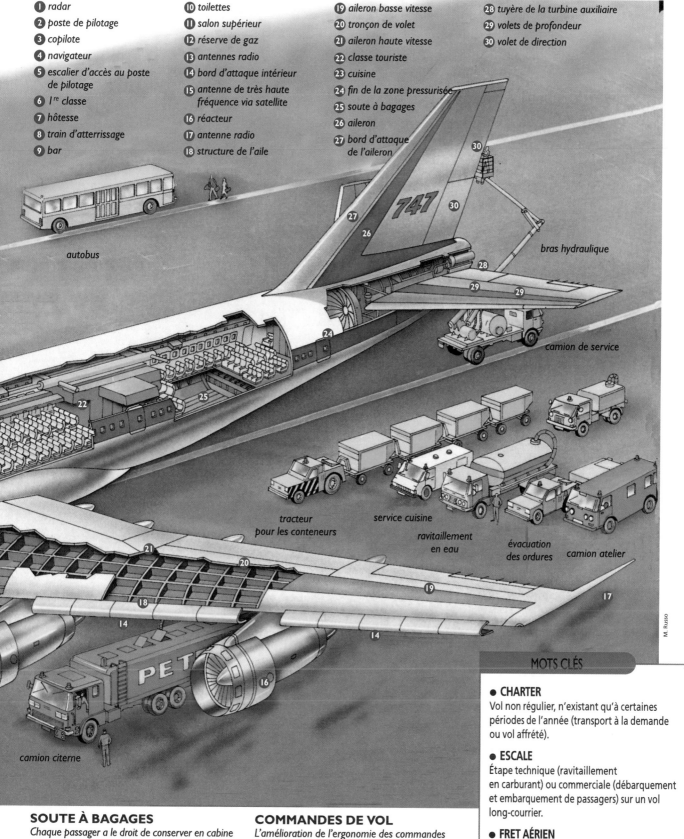

1 radar
2 poste de pilotage
3 copilote
4 navigateur
5 escalier d'accès au poste de pilotage
6 1re classe
7 hôtesse
8 train d'atterrissage
9 bar
10 toilettes
11 salon supérieur
12 réserve de gaz
13 antennes radio
14 bord d'attaque intérieur
15 antenne de très haute fréquence via satellite
16 réacteur
17 antenne radio
18 structure de l'aile
19 aileron basse vitesse
20 tronçon de volet
21 aileron haute vitesse
22 classe touriste
23 cuisine
24 fin de la zone pressurisée
25 soute à bagages
26 aileron
27 bord d'attaque de l'aileron
28 tuyère de la turbine auxiliaire
29 volets de profondeur
30 volet de direction

autobus

747

bras hydraulique

camion de service

tracteur pour les conteneurs

service cuisine

ravitaillement en eau

évacuation des ordures

camion atelier

camion citerne

M. RUSSO

SOUTE À BAGAGES

Chaque passager a le droit de conserver en cabine un petit bagage à main. Tous les autres bagages voyagent dans les soutes. Seuls les bagages classiques sont acceptés : les objets dangereux, explosifs, renfermant des gaz comprimés, sont interdits. Pour des raisons de sécurité, certains articles sont interdits en cabine (armes, couteaux, ciseaux).
Les bagages sont passés aux rayons X avant d'être placés dans des conteneurs et mis dans les soutes.

COMMANDES DE VOL

L'amélioration de l'ergonomie des commandes et des instruments de bord constitue l'une des priorités lors de la conception des avions.

MOTEURS

La propulsion des long-courriers est assurée par deux ou par quatre turboréacteurs. Les recherches visent à réduire leur consommation, diminuer leur nuisance sonore, assurer le respect de l'environnement, abaisser les coûts de maintenance.

MOTS CLÉS

● **CHARTER**
Vol non régulier, n'existant qu'à certaines périodes de l'année (transport à la demande ou vol affrété).

● **ESCALE**
Étape technique (ravitaillement en carburant) ou commerciale (débarquement et embarquement de passagers) sur un vol long-courrier.

● **FRET AÉRIEN**
Transport par avion de marchandises.

● **TAXI AÉRIEN**
Service effectué à travers l'Europe, même outre-Atlantique, par des avions de petite capacité (moins de 20 sièges) par des compagnies aériennes de transport à la demande.

LES MÉTIERS DE L'AVIATION CIVILE

PILOTE (COPILOTE) ●

Pour exercer le métier de pilote une licence de pilote professionnel (licence pour piloter n'importe quel avion : un canader ou un avion personnel, par exemple) ou une licence de pilote de ligne (il travaille pour une compagnie aérienne et effectue des transports publics) est requise.

HÔTESSES ET STEWARDS ●

S'ils assurent l'accueil, le service et le confort des passagers, ils jouent aussi un rôle important en matière de sécurité. Ils sont tous titulaires d'un certificat de sécurité et de sauvetage.

▶ L'A380 : Le plus gros avion du monde

Face à Boeing et son futur moyen-porteur, le 7E7 « Dreamliner », Airbus Industries a parié sur un géant des airs : l'A380, avion à deux ponts, conçu pour accueillir jusqu'à 800 passagers et relier l'Europe à l'Asie sans escale. Le plus gros avion de ligne jamais construit (24 m de haut, 80 m de large, 73 m de long), a effectué son premier vol en avril 2005. Les premières livraisons sont prévues en mars 2006.

SÛRETÉ, SÉCURITÉ

GENDARME ●

Le gendarme des transports aériens constate les infractions concernant l'aéronautique. Il protège la sécurité des passagers et des avions.

CONTRÔLEUR AÉRIEN ●

L'objectif des contrôleurs est d'éviter les collisions, tant aux abords de l'aéroport (de jour comme de nuit, le contrôleur de la tour de contrôle fait atterrir et décoller les avions, en vol à vue ou aux instruments) qu'en vol.

POMPIERS

Dans chaque aéroport important, les pompiers, qui sont sur place, rejoignent n'importe quel point de l'aéroport en moins de 3 minutes.

ENQUÊTEUR

En cas d'accident d'aéronef, depuis le petit ULM jusqu'aux gros porteurs, le bureau Enquêtes-Accident en détermine les causes.

Le porte-avions

Le 14 novembre 1910, l'Américain Eugène Ely prit son envol d'un cuirassé aux commandes d'un biplan Curtis. Quelques mois plus tard, il parvint à apponter sur une plate-forme spécialement aménagée à cet effet sur le cuirassé *Pennsylvania* : le porte-avions était né.

L'AVIATION EMBARQUÉE

Véritable base aérienne mobile, un porte-avions peut embarquer de 20 à 90 aéronefs (avions, hélicoptères, etc.). Leur nombre avoisine généralement le nombre de milliers de tonnes du navire. Ainsi, le Foch déplace 32 000 t et embarque 60 aéronefs, tandis que l'Enterprise, un bâtiment américain, déplace 90 970 t et embarque 84 aéronefs. Les groupes aériens varient en fonction du type de mission. Ils comportent donc selon les cas des intercepteurs, des avions de reconnaissance, des avions d'assaut…

UNE IMPORTANTE FLOTTE D'ACCOMPAGNEMENT

Un porte-avions classique, avec toute sa flotte d'accompagnement (escorteurs, frégates, corvettes, navires-radars, pétroliers et autres navires de ravitaillement), est comparable à une grande base militaire stratégique terrestre.

LES PORTE-HÉLICOPTÈRES

Plus petits que les porte-avions classiques, les porte-hélicoptères disposent d'un tremplin à l'avant. Spécialement adaptés aux hélicoptères, ils sont également utilisables par des avions à décollage et à atterrissage courts ou verticaux. Ils peuvent embarquer, selon leur taille, de dix à vingt aéronefs. Ces navires ont pour principale mission la lutte anti-sous-marine ou la dépose et le soutien de troupes engagées dans une opération terrestre.

DÉCOLLAGE

La catapulte – puissant système de propulsion dont la machinerie est située juste sous la piste – pallie l'insuffisance de la longueur de la piste pour l'envol des avions à décollage et atterrissage longs.

APPONTAGE

Afin de se poser dans les meilleures conditions sur la piste du porte-avions, l'avion est muni, à l'arrière de son fuselage, d'une crosse qui accroche puis allonge un brin d'acier disposé en travers du pont. Ce faisant, il met en branle un dispositif absorbeur d'énergie qui assure le freinage progressif de l'appareil permettant un appontage à plus de 250 km/h sur quelques dizaines de mètres.
Si l'avion ne dispose plus de crosse, on dispose rapidement une voilure en bandelettes de nylon qui permettra de l'arrêter sur quelques dizaines de mètres, en principe sans gros dégâts.

Depuis son poste ⓫, un officier ordonne que la machinerie ❺ lance sur rails ❹ la catapulte (un système similaire à celui d'un lance-pierres). Protégés par les filets de sécurité ❷, les membres de l'équipage pourront ensuite récupérer l'élingue ❶ de catapultage.
Au départ de la piste d'envol, bordée d'antennes de transmission ❸, un déflecteur de jet ❽ rabat ce dernier vers l'avant. L'appontage se fait à l'aide des brins d'arrêt ⓳ .

Après l'appontage, l'avion est guidé vers l'un des ascenseurs ; sa voiture est repliée **16** afin de diminuer son encombrement, puis il est descendu dans un des hangars **17**. Après la fermeture de la trappe abritant l'ascenseur **18**, un nouvel appareil peut être autorisé à se présenter. Les avions sont déplacés sur le pont par tracteur **13**.

Actionné par une chaudière nucléaire **14**, le bâtiment possède de nombreux radars de détection aérienne et de surface **10**, un radar d'artillerie **9** et des radars d'approche **15**. Sous la passerelle de l'amiral **7** se trouve celle de navigation **6** et, surveillant les pistes, celle du commandant d'aviation **12**.

Les quartiers de l'équipage, les ateliers de réparation et d'entretien, les réserves d'eau douce, le carburant, les munitions, se trouvent sous le pont d'envol, dont les derniers étages sont situés sous la ligne de flottaison.

45 fois le tour du monde !

Ce porte-avions de la classe Nimitz est un porte-avions à propulsion nucléaire de la marine américaine : avec la même charge nucléaire, il peut effectuer 45 fois le tour du monde !

LE *CHARLES-DE-GAULLE*

Ce porte-avions nucléaire de la marine française (mise en service actif en 1999) peut embarquer jusqu'à 40 avions et un équipage de 1 950 hommes. Il dispose de 5 radars, ainsi que d'un détecteur de radars et d'un système de radio-surveillance. Pour que les avions puissent décoller même par mer forte, il est muni d'un système piloté par ordinateur qui, immédiatement après avoir interprété les mouvements du bâtiment, agit simultanément sur la barre et sur les stabilisateurs latéraux.

© DCN

LA PROPULSION

*La propulsion des porte-avions fut d'abord principalement assurée par des turbines à vapeur, fonctionnant au charbon ou au mazout.
Aujourd'hui, les porte-avions sont équipés de chaufferies nucléaires. Mais, quel que soit le système de propulsion utilisé, la vitesse maximale d'un porte-avions se situe aux environs de 30 nœuds, soit 55 km/h*

LE PONT

*Le pont oblique permet aux avions de repartir sans risques si la manœuvre d'approche n'a pas été parfaitement exécutée : les avions se posent non plus dans l'axe du navire, mais selon un axe décalé de 4 à 10 degrés sur la gauche.
Les avions sont ensuite rangés à tribord, ou encore dans les hangars situés sous le pont.*

© DCN / Indret

LES PONTS DROITS

La première génération de porte-avions disposait de ponts droits. Afin que la piste soit dégagée, les avions étaient systématiquement descendus dans les hangars, ce qui demandait du temps. Pour accélérer la procédure, on décida ensuite de réserver la partie avant du pont pour le stationnement, et la partie arrière pour le décollage et l'appontage. Cette solution présentait un risque important pour le pilote si l'avion, en appontant, n'accrochait pas le brin de freinage, surtout depuis que les avions sont équipés de réacteurs, le pilote n'étant plus protégé par le moteur et l'hélice.

D.R.